Guerra de Palabras

Tratando el corazón
de tus problemas con la comunicación

Paul David Tripp

Poiema Publicaciones
Medellín, Colombia

Mientras lees, comparte con otros en redes usando
#GuerraDePalabras

Guerra de palabras

Tratando el corazón de tus problemas con la comunicación
Paul David Tripp

Traducido con el debido permiso del libro *War of Words: Getting to the Heart of Your Communication Struggles.* © 2000 por Paul David Tripp, publicado por P&R Publishing Company.

© 2017 por Poiema Publicaciones

Las citas bíblicas han sido tomadas de la *Nueva Versión Internacional* (NVI) ©1999 por Biblica, Inc. Las citas marcadas con la sigla RVC son de la versión *Reina Valera Contemporánea* ©2009, 2011 por las Sociedades Bíblicas Unidas; las marcadas con la sigla RV60, de la versión *Reina Valera* ©1960 por las Sociedades Bíblicas Unidas; los encabezados de la división de cada parte, fueron tomados de *La Santa Biblia, Nueva Traducción Viviente* © Tyndale House Foundation, 2010. Todos los pronombres referidos a Dios en las versiones bíblicas han sido escritos con mayúscula inicial.

Poiema Publicaciones
info@poiema.co
www.poiema.co

Categoría: Religión, Cristianismo, Teología, Biblia, Vida Práctica.

ISBN: 978-1-944586-20-1

Impreso en Colombia
SDG

A

Justin, Ethan, Nicole y Darnay

Jesús les ha usado para enseñarme
a hablar más como el Padre.
Gracias por ser tan pacientes.

Contenido

Prefacio

¿Qué lleva a alguien a escribir un libro? Hay autores que escriben debido a su habilidad. A través de su educación y de su experiencia, han adquirido un conocimiento y un entendimiento especializado de un tema en particular. Sus escritos permiten que sus lectores crezcan en esa misma área sin tener que pasar por toda la formación y las experiencias.

Un autor también puede escribir debido a su desesperación. Hay una debilidad o una lucha con la que debe lidiar, así que esa persona examina, estudia, medita y aplica lo que ha aprendido para ayudarse a sí mismo a crecer. Durante o después de este proceso, él o ella decide escribir acerca del mismo con la esperanza de que otros también puedan beneficiarse.

No escribí este libro por causa de mi habilidad, sino por mi desesperación. Durante este proceso, le dije a muchas personas que no era yo quien estaba escribiendo el libro, ¡sino que era el libro que me estaba escribiendo a mí!

Cuando tenía dieciséis años de edad, me levanté temprano un sábado por la mañana para ensayar para un concurso de oratoria que había en mi estado. Mi mamá me escuchó desde su habitación. Se levantó, entró en la habitación, y me preguntó: "¿Puedo interrumpirte por un momento?" Ya iba a tomar un descanso igualmente, así que no me importó. Luego dijo algo que fue prácticamente profético. Me dijo: "Paul, Dios te ha dado una habilidad especial para comunicarte, pero ten cuidado, porque también será tu mayor lucha". Con el pasar de los años, he podido comprobar cada vez más la verdad de sus palabras.

Es cierto que nuestras mayores fortalezas son también nuestras mayores debilidades. Este libro fue escrito por causa de mi debilidad. Pero es una debilidad que ha sido atenuada por la intervención de la maravillosa gracia de Dios y el poder de la Escritura.

En las páginas siguientes, vamos a examinar algo que nos distingue del resto de la creación, algo que hacemos todos los días y continuamente: hablar. Sin embargo, este libro es diferente a la mayoría de los que se han escrito sobre el tema. No es una discusión acerca de las técnicas y habilidades necesarias para lograr una comunicación eficaz. Más bien, es la historia de la gran batalla por nuestros corazones, la que está detrás de nuestra lucha con las palabras. Pero esto es más que un mero análisis de la batalla. También veremos más de cerca la agenda de Dios para nuestras conversaciones, y celebraremos Su gracia habilitadora.

Gracias a todas las personas cuyas palabras Dios ha usado para cambiar mi corazón. Es mi oración que Dios también cambie el tuyo a través de la páginas de este libro. Gracias también a Sue Lutz, cuyo talento con las palabras ha hecho de este libro uno mucho mejor.

PARTE UNO

El valor de las palabras

En la lengua hay poder de vida y muerte;
quienes la aman comerán de su fruto (Proverbios 18:21)

¡Este temperamento mío!
Perdóname, Señor—
una vez más, me dejé dominar por él.
¿Cuándo voy a aprender a esperar
hasta haber oído toda la historia;
a responder bajo presión
como lo haría Cristo;
a vencer el mal con el bien?

Estoy creciendo, Señor,
pero mi crecimiento es demasiado lento.
Labra el terreno de mi vida—
destruye los terrones de orgullo,
saca las cizañas del egoísmo,
entierra todo vestigio de terquedad.

Cultívame y siembra más y más
de la semilla que da
el fruto de Tu Espíritu.
Envía lluvias
y tormentas (si es necesario);
brilla con fuerza sobre mi alma.

Entonces cosecharé
paciencia y bondad y amor—
y dominio propio—
en abundancia,
y mi lengua aprenderá
a ayudar y a sanar
y a alabar a Aquel
en cuyo nombre oro.
Amén.

1

Dios habla

Y Dios los bendijo, y dijo... (Génesis 1:28)

No importa dónde vivas, no importa lo que hagas cada día, hay una cosa que haces todo el día: hablar. Hablas desde que dices: "¿Ya es hora de despertarse?", hasta que te despides con: "Buenas noches, ya me voy a dormir". Hablas en la habitación, en el baño, en el pasillo y en la cocina; hablas en el automóvil, en la tienda, en la fábrica y en la sala de juntas. Hablas con tu esposa, con tus hijos, con tus amigos, con tu familia, con tus vecinos y con tus compañeros de trabajo. Esto es lo que hacen los seres humanos casi sin interrupción y a menudo sin pensar en lo importante que es para la vida humana. Una de las cosas que nos distingue del resto de la creación es precisamente nuestra habilidad para comunicarnos. Somos personas y hablamos. Tenemos que darnos cuenta de que nuestras vidas están llenas de palabras.

La palabra "hablar" no suena tan compleja en sí misma. "Hablar" parece tan normal, tan ordinario, tan casual, tan inofensivo. Sin embargo, son pocas las cosas que hacemos que tengan mayor importancia; y detrás de esa normalidad hay una gran lucha, una guerra de palabras que libramos cada día. Aquí están algunos ejemplos de cómo solemos referirnos a nuestra lucha con las palabras.

- "¡Cuando éramos novios, jamás imaginé que él me hablaría de la forma en que lo hace ahora!"
- "¡No puedo creer lo que oigo cuando mi hijo me habla!"
- "Ella me colgó el teléfono mientras le hablaba".

- "Mis padres nunca hablan conmigo, a menos que esté en problemas".
- "Solo me habla bien cuando quiere algo".
- "Habla tanto que es difícil tener una conversación con él".
- "No me siento cómodo con la forma en que ella me habla de otras personas".
- "Parece que nunca hay tiempo suficiente para sentarnos a hablar".
- "Habló por un buen rato, pero yo ni supe qué estaba tratando de decir".
- "¿Por qué siempre terminamos discutiendo?"
- "¿Qué pasó? Parecíamos ser tan cercanos y ahora casi nunca hablamos".
- "Siento que siempre debo estar interviniendo en las peleas de mis hijos".
- "Sí, me pidió perdón, pero la herida sigue. Lo que me dijo fue muy cruel".
- "Quisiera pasar un día completo sin que alguien en nuestra familia grite".
- "No sé para qué pierdo mi tiempo hablando. Nada cambia cuando lo hago".
- "¡Nunca llegaremos a una conclusión si todos siguen hablando a la vez!"
- "Ella siempre tiene que tener la última palabra".
- "¡Me habla con tanta dulzura cuando estamos en público!"
- "Algunas veces pienso que sería mejor si simplemente dejáramos de hablar".

Todas estas cosas las he escuchado de familias que he aconsejado. Todas juntas revelan la lucha que todos tenemos con las palabras. ¿Quién entre nosotros no ha sido herido por las palabras de otro? ¿Quién no se ha lamentado por algo que haya dicho? ¿Quién no ha tenido que arbitrar en una discusión? ¿Quién no ha querido hablar seriamente con un ser querido, pero parece no haber tiempo para hacerlo? ¿Quién entre nosotros puede decir: "Mis palabras *siempre* son apropiadas para cada situación y *siempre* son dichas con amabilidad"?

Es acerca de este mundo de palabras—el mundo que existe detrás de la tranquilidad y la amabilidad que todos somos capaces de demostrar en público—que trata este libro. Si puedes decir: "No tengo problemas con mis palabras", entonces no necesitas seguir leyendo. Pero si, al igual que yo, reconoces que hay una guerra de palabras en tu vida; si hay evidencia de una lucha por comunicarte de manera apropiada y amorosa; si hay áreas en tu mundo de palabras en las que aún puedes crecer, entonces este libro es para ti.

El propósito de este libro no es simplemente mostrar el alto estándar que Dios ha establecido para nosotros y luego recordarnos lo lejos que estamos de alcanzarlo. La mayoría de nosotros somos dolorosamente conscientes de la distancia que hay entre donde estamos y donde Dios quiere que estemos. No, la idea es que este sea un libro de esperanza. Es un libro acerca del cambio; un cambio que solo es posible debido a la persona y obra del Señor Jesucristo. ¡Jesús es la *Palabra* y la única esperanza para *nuestras* palabras! Solo en Él tendremos victoria en nuestra propia guerra de palabras.

Escribí este libro porque estoy convencido de que no sabemos qué tan radicalmente el evangelio puede cambiar la manera en que entendemos y resolvemos nuestros problemas de comunicación. ¡No tenemos que desanimarnos! No tenemos que vivir "atascados" ni que rendirnos ante el cinismo que tanto nos tienta en este mundo cruel y caído.

Este es un libro de esperanza porque está basado en cuatro principios fundamentales y transformadores:

1. Dios tiene un plan maravilloso para nuestras palabras, uno mucho mejor que cualquier plan que se nos pueda ocurrir a nosotros mismos.
2. El pecado ha alterado radicalmente nuestros propósitos en relación con nuestras palabras, trayendo mucho dolor, confusión y caos.
3. En Jesucristo encontramos la gracia que nos provee todo lo que necesitamos para hablar como Dios quiere que hablemos.
4. La Biblia nos enseña simple y llanamente cómo llegar desde donde estamos hasta donde Dios quiere que estemos.

En cada capítulo de este libro consideraremos el plan de Dios, nuestro pecado, Su gracia y el mapa que nos da la Escritura. Mi oración es que esto te ayude a ver más claramente el diseño de Dios para Sus hijos; que te dé un mejor entendimiento de tu lucha personal contra el pecado; que aumente tu dependencia de la gracia abundante de Dios y te dé sabiduría bíblica práctica, y que esto resulte en un hablar que honre más a Dios y beneficie más a los demás.

Nuestro hablar: el mundo real

Condujimos a través de Filadelfia en silencio. Por fin teníamos una noche para nosotros, pero pasaba el tiempo y ninguno de los dos decía nada. No se suponía que fuera de esa manera. El silencio era ensordecedor y pareció durar horas, aunque en realidad solo fueron unos minutos. Ambos estábamos reviviendo en nuestras mentes lo que había ocurrido un rato antes, alimentando nuestro dolor y reafirmando nuestra inocencia. Afortunadamente, no pasó mucho tiempo antes de que el silencio se interrumpiera; el perdón fue buscado y concedido, y una vez más estábamos gozando de nuestra compañía y no simplemente tolerándola.

Todo había comenzado de manera tan inocente y tan típica. Ambos estábamos terminando un largo viernes y una larga semana. Cada uno ya tenía en mente lo que quería hacer esa noche y esperaba una serie de cosas de la otra persona. Ambos estábamos siendo más demandantes que serviciales, y rápidamente nos sentimos heridos cuando cada uno rechazó las ideas del otro para la noche. Finalmente, ambos hablamos de nuestras heridas. Acusamos en vez de escuchar, criticamos en vez de examinarnos a nosotros mismos. Ambos nos dimos por vencidos y nos metimos en nuestro capullo de dolor y enojo.

Puedes estar pensando: "Paul, ¡qué manera tan *deprimente* de empezar un libro que *supuestamente* está lleno de esperanza!". Pero este encuentro mundano, durante una noche como cualquier otra en la casa de los Tripp, captura la esencia de este libro. Este libro trata acerca del plan maravilloso que Dios tiene para nuestras palabras, el cual nos protege del dolor y de la presión de momentos como esos. Trata de nuestro pecado, que extravía y distorsiona nuestras palabras de tal manera que tengan que ver más con nuestros deseos egoístas que con nuestro amor hacia los demás. Este libro habla de la maravillosa gracia del Señor que nos llama a que volvamos a Su propósito, nos rescata, nos restaura, nos perdona y nos libera. Y este libro te mostrará algunos pasos bíblicos sencillos que puedes dar para ver arrepentimiento y cambio en tu vida. Trara sobre un glorioso Señor que tiene toda la disposición y el poder para tomar nuestro complicado mundo de palabras y transformarlo en uno donde la motivación sea el amor y el resultado sea la paz. Dios está obrando, tomando a personas que hablan instintivamente y por cuenta propia, y transformándolas en personas que hablan eficazmente para Él.

Aquella noche, en ese momento, mi esposa Luella y yo no estábamos llevando a cabo Su plan para nosotros; pero hemos aprendido que Su gracia es suficiente y que Su poder se perfecciona en nuestra debilidad (2 Corintios

12:9). Hemos visto que sí hay una salida. En medio del completo fracaso personal, podemos ganar la guerra de las palabras con la fuerza que Él nos da. De esto se trata este libro.

Las palabras son valiosas

Las palabras son poderosas, importantes, significativas. Así es como debe ser. Cuando hablamos, debemos ser conscientes de que Dios le ha dado significado a nuestras palabras. Él ha ordenado que ellas sean importantes. Las palabras fueron significativas en la creación y en la caída. Son importantes para la redención. Dios le ha dado valor a las palabras.

Él tiene un diseño para nuestra comunicación; un plan y un propósito específico para el habla del cuerpo de Cristo. Espero establecer un fundamento bíblico sólido para que podamos entender la comunicación, empezando en el lugar en que escuchamos palabras habladas por primera vez; pasando luego a la Caída para ver el papel que jugaron las palabras en el evento que alteró todo nuestro mundo, y, finalmente, considerar las palabras desde el punto de vista de la redención. Absolutamente todo cuanto hablamos está relacionado a estos eventos. Entender esto nos mostrará la importancia de nuestras palabras, la razón por la que luchamos tanto con ellas y el diseño de Dios para las palabras de Su pueblo.

La mayoría de los libros acerca de la comunicación se enfocan en técnicas y habilidades, sin reconocer que nuestra lucha con las palabras es algo mucho más profundo. La guerra de las palabras tiene su origen en el huerto del Edén. A medida que vayas entendiendo cómo esos momentos moldearon nuestro mundo de palabras, comenzarás a entender tu propia lucha con ellas y la salida que Dios ha provisto. Este libro tratará honestamente con el problema para poder ofrecerte un cambio que sea más que temporal y superficial. Si entiendes la raíz de tu problema, podrás experimentar un cambio duradero.

¡Dios habla!

No entenderás plenamente la importancia de las palabras hasta que te des cuenta de que las primeras palabras escuchadas por oídos humanos no fueron las de otro ser humano, ¡sino las palabras de Dios! El valor de la comunicación humana está basado en el hecho de que *Dios* habla. En medio de las imágenes y los sonidos del mundo recién creado, se escuchó la voz de Dios hablándole a Adán y a Eva en lenguaje humano. Cuando Dios escogió revelarse de esa manera, elevó el habla a un lugar de altísima importancia, haciéndolo Su vehículo principal para la verdad. A través de las palabras llegaríamos a conocer las verdades más importantes que puedan ser conocidas—verdades que revelan la existencia y la gloria de Dios; verdades que dan vida—. Al intentar entender el mundo del habla humana, es vital que lo entendamos desde la perspectiva de Génesis 1—el único tiempo en la historia humana en que no hubo guerra de palabras.

En Génesis 1, el mundo de la comunicación era uno de paz, verdad y vida. Las palabras nunca se utilizaron como armas. La verdad nunca se utilizó para aplastar. Las palabras siempre eran dichas en amor, y la comunicación humana nunca rompió los lazos de la paz.

Es un mundo que puede enseñarnos mucho acerca de la comunicación. En primer lugar, *Dios se revela a Sí mismo y revela Su plan y propósito utilizando palabras*. Inmediatamente después de crear a Adán y a Eva, Dios les habló. Fue Su decisión revelárseles, explicarles Su voluntad y darles una identidad por medio del lenguaje humano. Todos Sus otros medios de autorrevelación fueron explicados y definidos a través de este medio central.

¡Dios, el soberano Creador y Señor, habló a Adán y a Eva en palabras que pudieran entender! Deja que este pensamiento asombroso te cautive. ¡El Dios infinito y todopoderoso se hace a Sí mismo conocible y entendible a través del lenguaje humano! Desde el momento de la creación, Dios no ha estado distante ni apartado. No está escondido ni en silencio. Se acerca y usa palabras para revelarse y explicar todo lo demás. Dios no es solamente un Dios que *hace*, sino también un Dios que *habla* a Su pueblo poderosa, elaborada, coherente, exhaustiva y claramente. Cada fase de Su obra está marcada con Sus palabras. No deja a Su pueblo sin testimonio.

La comunicación de Dios está diseñada con amor para abordar la necesidad del momento, utilizando palabras que puedan ser entendidas con facilidad. Antes de obrar, Dios revela lo que está a punto de hacer; mientras está obrando, habla de lo que está haciendo; y cuando termina, interpreta lo que ha hecho. Es un Dios que puede ser conocido porque es un Dios que habla. La Escritura lo presenta como el gran estándar para todo tipo de comunicación.

Dios define Su carácter, Su voluntad, Su plan, Su propósito y Su verdad a través de Sus palabras. Palabras como *roca, sol, fortaleza, escudo, pastor, padre, juez, cordero, puerta, amo, agua y pan* explican quién Él es y qué hace. Estamos tan familiarizados con estas palabras que tendemos a olvidar su importancia. ¡Pero estas son las palabras con las que hemos llegado a conocer al Rey de Reyes y Señor de Señores! No podrás entender la comunicación humana si no empiezas aquí, con la gloria de Dios y con Su maravillosa gracia al revelarse a nosotros en términos que podemos entender y que a la vez alteran radicalmente nuestra perspectiva sobre todo lo que existe.

No hay mejor ejemplo que las palabras de Isaías 40.

Sión, portadora de buenas noticias,
　　¡súbete a una alta montaña!
Jerusalén, portadora de buenas noticias,
　　¡alza con fuerza tu voz!
Álzala, no temas; di a las ciudades de Judá:
　　"¡Aquí está su Dios!".
Miren, el Señor omnipotente llega con poder,
　　y con Su brazo gobierna.
Su galardón lo acompaña;
　　Su recompensa lo precede.
Como un pastor que cuida Su rebaño,
　　recoge los corderos en Sus brazos;
los lleva junto a Su pecho,
　　y guía con cuidado a las recién paridas.

¿Quién ha medido las aguas con la palma de Su mano,
　　y abarcado entre Sus dedos la extensión de los cielos?
¿Quién metió en una medida el polvo de la tierra?
　　　¿Quién pesó en una balanza las montañas y los cerros?
¿Quién puede medir el alcance del espíritu del Señor,
　　o quién puede servirle de consejero?
¿A quién consultó el Señor para ilustrarse,

y quién le enseñó el camino de la justicia?
¿Quién le impartió conocimiento
    o le hizo conocer la senda de la inteligencia?
A los ojos de Dios, las naciones son
    como una gota de agua en un balde,
    como una brizna de polvo en una balanza.

El Señor pesa las islas
    como si fueran polvo fino.
El Líbano no alcanza para el fuego de Su altar,
    ni todos sus animales para los holocaustos.
Todas las naciones no son nada en Su presencia;
    no tienen para Él valor alguno.
¿Con quién compararán a Dios?
    ¿Con qué imagen lo representarán?
Al ídolo un escultor lo funde;
    un joyero lo enchapa en oro
    y le labra cadenas de plata.
El que es muy pobre para ofrendar
    escoge madera que no se pudra,
y busca un hábil artesano
    para erigir un ídolo que no se caiga.

¿Acaso no lo sabían ustedes?
    ¿No se habían enterado?
¿No se les dijo desde el principio?
    ¿No lo entendieron desde la fundación del mundo?
Él reina sobre la bóveda de la tierra,
    cuyos habitantes son como langostas.
Él extiende los cielos como un toldo,
    y los despliega como carpa para ser habitada.
Él anula a los poderosos,
    y a nada reduce a los gobernantes de este mundo.
Escasamente han sido plantados,
    apenas han sido sembrados,

apenas echan raíces en la tierra,
cuando Él sopla sobre ellos y se marchitan;
¡y el huracán los arrasa como paja!

"¿Con quién, entonces, me compararán ustedes?
¿Quién es igual a Mí?", dice el Santo.
Alcen los ojos y miren a los cielos:
¿Quién ha creado todo esto?
El que ordena la multitud de estrellas una por una,
y llama a cada una por su nombre.
¡Es tan grande Su poder, y tan poderosa Su fuerza,
que no falta ninguna de ellas!

¿Por qué murmuras, Jacob?
¿Por qué refunfuñas, Israel:
"Mi camino está escondido del Señor;
mi Dios ignora mi derecho"?
¿Acaso no lo sabes?
¿Acaso no te has enterado?
El Señor es el Dios eterno,
creador de los confines de la tierra.
No se cansa ni se fatiga,
y Su inteligencia es insondable.
Él fortalece al cansado
y acrecienta las fuerzas del débil.
Aun los jóvenes se cansan, se fatigan,
y los muchachos tropiezan y caen;
pero los que confían en Él
renovarán sus fuerzas;
volarán como las águilas:
correrán y no se fatigarán,
caminarán y no se cansarán (vv. 9-31).

Aquí tenemos el lenguaje humano en su mejor momento, funcionando como la ventana a través de la cual vemos a Dios.

Las palabras de Dios no solo lo definen a Él, sino que también definen Su creación. Le dan identidad, significado y propósito a todo lo que Dios ha creado. La única manera de conocernos a *nosotros mismos* es escuchando las palabras que Él ha dicho acerca de nosotros. Dios nos dice quiénes somos, define lo que debemos hacer y la manera de hacerlo. ¡No hubiéramos podido descubrir estas cosas por nuestra propia cuenta! La única esperanza para Adán y Eva era que Dios les hablara, dándoles identidad y propósito, y dándole sentido al mundo en el que habían sido puestos.

Las palabras de Dios establecen límites y dan libertad. Sus palabras crean vida y traen muerte. Dios creó el habla, y Sus primeras palabras demuestran su importancia. Las palabras son valiosas. Las palabras revelan, definen, explican y moldean.

Las personas hablan

Al considerar la comunicación desde el punto de vista de la creación, también necesitamos notar que *Adán y Eva hablaban*. Quizá este punto parece demasiado obvio para ser mencionado, pero su importancia no debe pasar inadvertida. La habilidad de Adán y Eva para comunicarse por medio de palabras los hizo únicos en toda la creación. Ellos podían tomar sus pensamientos, deseos y emociones, y compartirlos el uno con el otro. Eran semejantes a Dios; ¡podían hablar! Al darles esta habilidad, Dios estaba dándole forma a sus vidas.

No hay nada en lo que dependamos más que en nuestra habilidad de dar y recibir comunicación. Siempre estamos hablando, ya sea conversando tranquilamente mientras tomamos café, conversando ansiosamente en un aeropuerto lleno de gente, explicando por qué llegamos tarde o por qué no completamos nuestro trabajo. Hablamos al enseñarle a nuestros hijos o al intervenir en una discusión; hablamos en un largo debate en el congreso o en una discusión intensa con un amigo. Hablamos en noches tranquilas y agradables con palabras de motivación deportiva o con palabras románticas; hablamos con palabras de corrección y amonestación o de enojo e irritación. La gente habla en medio de la confusión de una estación de tren en la India, y en medio de las voces de niños que salen de su escuela en Soweto para regresar a sus casas.

Las palabras dirigen nuestra existencia y nuestras relaciones. Moldean nuestras observaciones y definen nuestras experiencias. Es a través de la conversación que realmente llegamos a conocer a los demás. Deseamos estar solos cuando hemos escuchado demasiadas palabras, y nos sentimos solos cuando pasa mucho tiempo sin que alguien nos hable.

Al crearnos con la capacidad de hablar, Dios no solo nos apartó del resto de la creación, sino que ha determinado la naturaleza de nuestras vidas y relaciones. ¿Quieres aprender? Escucha y habla. ¿Quieres tener una relación? Escucha y habla. ¿Quieres conseguir un trabajo? Escucha y habla. ¿Quieres adorar? Escucha y habla. ¿Quieres educar a tus hijos? Escucha y habla. ¿Quieres servir al cuerpo de Cristo? Escucha y habla. La gente se comunica; es la naturaleza de nuestra existencia. Las palabras afectan todas las demás cosas que hacemos como seres humanos. Dios creó nuestro hablar y le dio valor.

En Génesis 1, el mundo de la comunicación humana se caracterizó por la simplicidad y la belleza. No hubo dificultades para comunicarse, no hubo guerra de palabras. Todo lo que se decía reflejaba la gloria de Dios. No hubo discusiones ni mentiras, no hubo palabras de odio ni respuestas impacientes ni irritadas. No hubo gritos, maldiciones ni condenaciones. No se dijeron palabras con orgullo, engaño, manipulación ni egoísmo. Solo hubo palabras verdaderas, dichas con amabilidad y amor, y por tanto no existía la necesidad de un libro como este acerca de la comunicación. Cada palabra cumplía el estándar del ejemplo y el diseño de Dios.

Tristemente, el mundo de Génesis 1 hace mucho que no existe. El regalo maravilloso de la comunicación se ha convertido en la fuente de mucho pecado y sufrimiento. Muy a menudo, los seres humanos hablan e ignoran el diseño de Dios, destruyendo lo que Él ha hecho. Al recordar y maravillarnos con Génesis 1, debemos también recordar que pronto vendrá el día en que la guerra de palabras llegue a su fin; ese día en que ya estemos con Dios y seamos como Él, hablando únicamente conforme a Su diseño, por toda la eternidad.

Las palabras interpretan

Hay algo más que podemos aprender acerca de las palabras en Génesis 1. *Las palabras definen, explican e interpretan.* Aunque Adán y Eva eran perfectos, viviendo en un mundo perfecto, en una relación perfecta con Dios, todavía necesitaban que Dios les hablara. Su mundo necesitaba ser definido. Necesitaban entenderse a sí mismos y entender la vida. Todo necesitaba ser interpretado, y para esto Adán y Eva eran dependientes de Dios. No podían entender las cosas por su cuenta. Cualquier cosa que descubrieran acerca del mundo y de sus vidas necesitaba ser explicada y definida por las palabras de Dios. Las palabras interpretan. La comunicación humana, al igual que la de Dios, tiene el propósito de organizar, interpretar y explicar el mundo a nuestro alrededor.

Desde las explicaciones sencillas, y a veces tontas, que escuchamos de los niños ("Mamá, yo sé cómo funcionan los globos"), hasta las preguntas más complejas que hacen los adolescentes ("¿Por qué es tan importante que me mantenga célibe hasta el matrimonio?") y las preguntas frustradas de los adultos ("¿Por qué parece que no paro de trabajar, y aún así nunca hay suficiente dinero?"), las personas utilizan palabras para comunicar el significado que le dan a las cosas.

Los niños pequeños quieren entender su mundo y cansan a sus padres preguntándoles mil veces a la semana: "¿Por qué?". Los adolescentes pasan horas sinfín en sus teléfonos discutiendo los eventos del día con sus amigos. El anciano se sienta en el parque con su amigo, viajando al pasado y preguntándose acerca del significado de la vida en voz alta. Hablamos porque queremos saber; para saber, tenemos que hablar. Nuestras palabras son valiosas porque demuestran nuestra manera de interpretar la vida. La manera en que interpretemos la vida determinará cómo respondemos a ella.

Génesis 1 y nuestras palabras

Luego de considerar la comunicación en Génesis 1, ¿qué concluimos? En primer lugar que nuestras palabras le pertenecen al Señor. Él es el Gran orador. La maravilla, la importancia, la gloria de la comunicación humana tiene su origen en *Su* gloria y en Su decisión de hablar con nosotros, de permitirnos hablar con Él y con los demás. Dios nos ha abierto las puertas de la verdad, utilizando las palabras como Su llave. La única razón por la que entendemos cualquier cosa es porque Él ha hablado. Las palabras le pertenecen a Dios, pero Él nos las ha prestado para que podamos conocerle y seamos usados por Él.

Esto significa que las palabras no nos pertenecen. Cada palabra que digamos debe corresponder con el estándar de Dios y con Su diseño. Nuestras palabras deben hacer eco del Gran orador y reflejar Su gloria. Cuando perdemos esto de vista, nuestras palabras pierden su única protección ante las dificultades. Dios creó el habla para lograr *Sus* propósitos. Nuestras palabras le pertenecen a Él.

Examínate

Una autoevaluación de tu comunicación

A continuación están algunos frutos de la conversación piadosa (ver Gá 5:22-23). Evalúate al comenzar este libro.

1. ¿Llevan tus conversaciones con los demás a una resolución bíblica de los problemas?
2. ¿Cuál suele ser tu postura al conversar la de "estamos en el mismo equipo", o la de "yo estoy en contra de él/ella/ellos"?
3. ¿Animan tus palabras a los demás a ser honestos en cuanto a sus pensamientos y sentimientos?
4. Cuando hablas con los demás, ¿te muestras accesible y enseñable, o siempre estás a la defensiva?
5. ¿Consideras que tu comunicación en las principales relaciones de tu vida es saludable? Piensa en las siguientes relaciones:
   - padre – hijo
   - esposo – esposa
   - hermano – hermano
   - familia extensa
   - jefe – empleado
   - amigo – amigo
   - cuerpo de Cristo
   - prójimo – prójimo.

6. ¿Crees que tus palabras animan a perseverar en la en fe y a crecer espiritualmente?

7. ¿Hablas con los demás para desarrollar relaciones con ellos, o solo hablas cuando hay que resolver problemas en tiempos de dificultad?

8. ¿Hablas palabras de confesión que sean humildes y honestas cuando pecas, y palabras de perdón sincero cuando otros pecan contra ti?

9. ¿Reflejan tus palabras una disposición a servir a los demás, o un deseo de que los demás te sirvan?

10. Al enfrentarte a tus luchas con las palabras, ¿lo haces reconociendo el evangelio—el perdón de Dios, Su gracia capacitadora y la obra santificadora del Espíritu Santo?

Antes de continuar tu lectura de este libro, te animo a que hagas un autoexamen honesto. Confiésale tus pecados a Dios y a los demás, y comprométete a trabajar para que puedas cambiar a medida que vayas leyendo.

2

Satanás habla

La serpiente... le preguntó a la mujer... (Génesis 3:1)

El día había empezado súper bien. El clima estaba justo como esperábamos que estuviera, y acabábamos de disfrutar de un buen desayuno en familia. Hace tiempo que quería que llegara este día. Dentro de un rato saldríamos para hacer lo que habíamos planeado, pero aún faltaban un par de horas, así que decidí leer mientras tanto. Fui interrumpido por uno de esos pleitos entre mi hija adolescente y mi hijo menor. Escuchaba cómo el asunto iba subiendo de tono, y cada vez me iba irritando más y más. Estaba sentado allí con mi libro, furioso y sin poder leer, pero me rehusaba a intervenir. Pensé: "*No* tengo por qué lidiar con esto *hoy*. Es mi *día libre*". Incluso me preguntaba por qué mi esposa no hacía algo. ¿Acaso no estaba escuchando que algo estaba pasando?

Mi hijo corrió hacia el baño y mi hija iba tras él. Comenzaron a empujar la puerta desde ambos lados con todas sus fuerzas, y ahí mi paciencia se agotó. Me puse de pie, no con un propósito paterno piadoso, sino con un corazón lleno de ira y lástima hacia mí mismo. ¿Acaso no sabían cómo era mi vida? ¿Acaso no sabían cuán duro trabajaba por ellos? ¿Acaso no se daban cuenta de cuán importante era ese día para mí? ¿No habían visto que estaba tratando de leer? ¿No era obvio que este es el tipo de cosas que arruina un día como este? Mi hija era la mayor, así que ¿por qué no le puso un alto a esto? ¿Por qué tenía que ser tan terca?

En ese espíritu, me puse de pie y marché hacia la escena. Primero vi a mi hija. Le dije que me sentía ofendido personalmente, que estaba estropeando *mi* día, y que al parecer ni le importaba. Le di el discurso de "Yo me sacrifico una y otra vez por ustedes, y esto es lo que recibo. ¿Por qué no terminan de madurar?" Mis palabras fueron acusadoras y duras, nacidas más de un amor hacia mí que de un amor hacia ella. No fueron dichas para lograr lo que Dios quería en ese momento, sino lo que yo quería. Mi hija no paraba de decir (mientras yo hablaba y hablaba): "Pero, papá, es que no entiendes". Pero no estaba allí para entender. Estaba allí para ventilar mi irritación.

Salí de su cuarto y me dejé caer con enojo sobre el sofá para continuar leyendo, pero no me podía concentrar. Mi conciencia estaba cargada por la manera en que había manejado las cosas. Por más que intentara justificarme, no podía quitarme el peso de mi culpa, la que pronto se convirtió en remordimiento. *¿Cuándo lograré hacer las cosas bien? ¿Cómo puedo saber lo que sé y seguir cayendo en este tipo de comunicación?* Clamé en oración por perdón y auxilio. Para mí, fue uno de esos momentos en los que, al igual que el apóstol Pablo, piensas: "¡Miserable de mí!". Terminé de orar y fui al cuarto de mi hija a pedirle perdón.

El paraíso perdido

Es más que evidente que ya no vivimos en el mundo maravilloso de Génesis 1, en el que toda palabra hablada era coherente con el estándar y el diseño de Dios. Esa es la razón por la que estás leyendo este libro y es la razón que me movió a escribirlo. En el jardín del Edén, no había pecado al hablar. ¿Qué ocurrió? ¿Por qué se convirtió la comunicación sencilla en una ocasión para el pecado y la lucha? ¿Por qué nos es tan difícil hablar de la forma en que Dios lo diseñó?

Al tratar de desarrollar un entendimiento bíblico de la comunicación, desafortunadamente no podemos quedarnos en Génesis 1. Aunque sigue siendo cierto que Dios habla y que todo lo que *nosotros* decimos está enraizado en Sus palabras hacia nosotros, alguien más habló en el jardín. Su llegada dio inicio a la gran guerra de palabras que ahora peleamos cada día:

> La serpiente era más astuta que todos los animales del campo que Dios el Señor había hecho, así que le preguntó a la mujer: —¿Es verdad que Dios les dijo que no comieran de ningún árbol del jardín?

—Podemos comer del fruto de todos los árboles —respondió la mujer—.
Pero, en cuanto al fruto del árbol que está en medio del jardín, Dios nos
ha dicho: "No coman de ese árbol, ni lo toquen; de lo contrario, morirán".
Pero la serpiente le dijo a la mujer: —¡No es cierto, no van a morir! Dios
sabe muy bien que, cuando coman de ese árbol, se les abrirán los ojos y
llegarán a ser como Dios, conocedores del bien y del mal.

La mujer vio que el fruto del árbol era bueno para comer, y que tenía buen
aspecto y era deseable para adquirir sabiduría, así que tomó de su fruto y
comió. Luego le dio a su esposo, y también él comió. En ese momento se
les abrieron los ojos, y tomaron conciencia de su desnudez. Por eso, para
cubrirse entretejieron hojas de higuera.

Cuando el día comenzó a refrescar, oyeron el hombre y la mujer que Dios
el Señor andaba recorriendo el jardín; entonces corrieron a esconderse
entre los árboles, para que Dios no los viera. Pero Dios el Señor llamó al
hombre y le dijo: —¿Dónde estás?
El hombre contestó: —Escuché que andabas por el jardín, y tuve miedo
porque estoy desnudo. Por eso me escondí.
—¿Y quién te ha dicho que estás desnudo? —le preguntó Dios—. ¿Acaso
has comido del fruto del árbol que Yo te prohibí comer?
Él respondió: —La mujer que me diste por compañera me dio de ese fruto, y yo lo comí.
Entonces Dios el Señor le preguntó a la mujer: — ¿Qué has hecho?
—La serpiente me engañó, y comí —contestó ella (Gn 3:1-13).

La voz de la serpiente penetró en la perfección del jardín. Por primera
vez, la posición, la autoridad y las mismas palabras de Dios habían sido de-
safiadas. Por primera vez, se hablaron palabras que no eran coherentes con
el estándar y el diseño de Dios. Satanás habló, y con sus palabras el mundo
sencillo de la comunicación humana se convirtió en un área confusa de pecado y lucha. Este momento dramático en el jardín cambió todo, y de aquí
surgen todos nuestros problemas con la comunicación. Muchos de esos problemas ocurrieron allí por primera vez.

Un cambio drástico: comienzan los problemas

Por primera vez, *la autoridad de Dios es desafiada*. Hasta este momento, nadie en la tierra había desafiado verbalmente la autoridad de Dios. El mundo que Dios había hecho existía en completa sumisión a Su autoridad y voluntad. Adán y Eva habían aceptado obedientemente su identidad como criaturas de Dios, portadores de Su imagen y administradores residentes de la tierra. Todas sus reacciones hacia Dios y las conversaciones entre ellos se llevaban a cabo en perfecta sumisión a Dios. Lo que ocurrió en el momento en que la serpiente habló fue dramático e inconcebible. ¡Se hablaron palabras que desafiaban la autoridad de Dios! El mundo ya no sería el mismo.

Imagínate lo que serían nuestras vidas si todas nuestras palabras fueran dichas en perfecta sumisión a Dios. ¡Nuestras vidas serían mucho menos complicadas! Muchos de los problemas que experimentamos cuando hablamos con los demás surgen del hecho de que hemos usurpado la autoridad de Dios: Decimos lo que queremos decir en el momento y en la forma en que lo queramos decir. Hablamos como si nos perteneciera toda autoridad y tuviéramos el derecho de usar las palabras para procurar *nuestros* propósitos y para buscar *nuestra* felicidad. Hablamos como si fuéramos Dios en vez de ser Sus criaturas llamadas a someterse a Su autoridad en cada palabra. El problema con la manera en la que le hablé a mi hija es que entré a su habitación como si yo fuera Dios, y no como un hombre bajo la autoridad de Dios, con el deseo genuino de ver Su voluntad hecha en mi vida *y* en la de mi hija.

Muchas voces, muchas interpretaciones

En ese momento en el jardín, también vemos por primera vez una *interpretación de la vida diferente a la de Dios*. Fíjate en lo que Satanás está haciendo aquí. Está tomando el mismo conjunto de hechos que Dios le había interpretado a Adán y Eva, y le está dando un giro totalmente diferente. Si su interpretación era creída, los oyentes ya no pensarían que era bueno, correcto o necesario obedecer a Dios. De hecho, uno podría decir que si la interpretación de la serpiente era correcta, sería incluso una *tontería* continuar obedeciendo a Dios. Nunca antes en la tierra había habido una interpretación opuesta a la de Dios. Todo lo que Adán y Eva entendían acerca de su mundo estaba basado en la interpretación que Dios les había dado.

Hoy vivimos en un mundo confuso donde hay muchas interpretaciones. La mayoría de ellas no reconocen la autoridad de Dios ni operan con deseo alguno de ver la vida de acuerdo con Su Palabra. Esto nos lleva a un punto extremadamente importante: nuestras reacciones frente a la gente o frente a las circunstancias en nuestras vidas no están basadas en los *hechos*. Nuestras reacciones están basadas en la manera como *interpretamos* esos hechos. Cuando fui a hablar con mi hija, no estaba simplemente reaccionando a lo que estaba pasando, sino a la interpretación que yo había hecho de ello. Mi interpretación, desafortunadamente, era egoísta y soberbia. Estaba viendo el mal comportamiento de mis hijos pensando en todo lo que *yo* quería y en todo lo que *yo* había hecho. Ni siquiera me detuve a considerar la perspectiva de Dios sobre esa situación. Cuando por fin lo hice, sentí el peso de mi culpa y tuve remordimiento.

Muchos de nuestros problemas con las palabras se resolverían si tan solo nos detuviéramos y nos preguntáramos cómo evaluaría y respondería Dios a dicha situación. En lugar de esto, solemos dejar que nuestros pensamientos corran sin cuestionarlos. Pero si nuestra interpretación de los hechos es incorrecta, nuestras palabras serán incorrectas.

Este es un principio que no debemos pasar por alto: *Los problemas con las palabras suelen ser problemas de interpretación*. No decimos lo correcto porque no creemos lo correcto. Esto es lo que ocurrió en el jardín. Por primera vez, Adán y Eva escucharon y creyeron una interpretación que no era coherente con la de Dios, y allí se abrió una caja de Pandora llena de problemas. La voz de Satanás fue la primera de miles de voces que vendrían a desafiar lo que Dios ha dicho.

Cuando un padre airado se pone frente a su hijo adolescente y le dice: "¡No importa lo que tenga que hacer; así sea lo último que haga, voy a hacer que me respetes!", está hablando palabras contrarias a las palabras de Dios hacia él como padre. Cuando una esposa le dice a su esposo: "En todas mis otras relaciones estoy bien; ¡pero a ti no te soporto!", sus palabras reflejan una interpretación de su propio enojo, el cual es contrario a lo que dice Dios. Cuando un trabajador dice: "Si no le hubieran dado el trabajo a ella, no estaría tan amargado", su problema no es solo con sus palabras, sino con las actitudes que hay detrás de las mismas. En cada ejemplo, lo que está mal no es solo el vocabulario y el tono de voz, sino la manera de ver la vida que no corresponde con lo que Dios dice que es correcto y verdadero. Como veremos en Génesis 3, los problemas con las palabras suelen ser problemas de interpretación.

Escuchando mentiras

Cuando la serpiente habló en el jardín, hubo otro problema. Por primera vez, *se dijo una mentira*. Hasta ese momento, cada conversación era perfecta y completamente verdadera. La palabra de Dios era totalmente confiable y la vida podía ser edificada sobre ella. Las palabras que Adán y Eva se decían el uno al otro eran confiables porque eran coherentes con las palabras de Dios. Pero aquí, asombrosamente, la serpiente miente intencionalmente para lograr sus propósitos. No se equivocó ni olvidó lo que era verdadero. No era ignorante ni le faltaba entendimiento. La serpiente *sabía* que lo que decía no era verdadero. ¡*Por eso* lo dijo! No quería que Adán y Eva vivieran en la luz de la verdad o en obediencia a Dios. Quería venderles una mentira y procuró que esa mentira sonara creíble.

Aquí tenemos otro momento de cambio drástico. Una comunicación buena y piadosa siempre depende de la verdad. Las mentiras, la falsedad y los engaños siempre la obstaculizan. Las mentiras no solo distorsionan los hechos, sino que también destruyen la confianza necesaria para que las personas se hablen entre sí. Cada palabra que decimos está basada en la verdad o en una mentira. La mayor parte de nuestros problemas con la comunicación vienen porque engañamos, distorsionamos y manipulamos con nuestras palabras. Moldeamos los hechos a nuestra conveniencia. Repetimos los eventos en nuestra mente, muchas veces hasta el punto de convencernos a nosotros mismos de que nuestra perspectiva es cierta. Cuando entré a la habitación de mi hija esa mañana, estaba totalmente convencido de que lo que estaba a punto de hacer era lo correcto, pero había creído una mentira.

Acusaciones y culpa

Ese día en el jardín, las palabras de la serpiente dieron lugar a otra primicia: por primera vez, *alguien habló en contra de otro*. Hasta este punto, no se había dicho ninguna palabra crítica, condenatoria o airada. Nadie había hecho acusaciones, ni expresado menosprecio, ni echado en cara las palabras o los hechos de otro. La relación entre Adán y Eva estaba libre de todo esto porque ellos todavía estaban libres de pecado. Pero, después de comer el fruto, vemos un cambio drástico no solo en su relación con Dios, sino también en la relación del uno con el otro. Cuando Dios le pregunta a Adán si había comido del fruto prohibido, Adán rápidamente acusa a Eva. Él no le brinda su apoyo ni la protege. No actúa como intercesor o defensor, suplicándole a Dios que tenga misericordia de ella. En lugar de esto, se aleja de ella, la señala con el dedo y básicamente dice: "Cúlpala a ella, Dios; fue ella quien me metió en este lío".

¡Cuánto de nuestra comunicación consiste en culpar a otros! "¡Siempre haces que me enoje!". "Si no hubieras _____, entonces yo no hubiera tenido que _____". "¡Nunca fui de esta manera antes de conocerte!". "Cuando haces eso, simplemente no puedo controlarme". "Nunca estuve así de tensa antes de tener hijos". "Si no fueras tan buena cocinera, no tendría este problema de sobrepeso".

¿Quién de nosotros no ha sido tentado a acusar y a culpar a otro en lugar de asumir la responsabilidad? En tiempos de dificultad, tendemos a estar más listos para evaluar quién es el culpable que para buscar soluciones. Difícilmente pasa un día sin que culpemos a alguien u oigamos a alguien haciéndolo.

Pero este problema tiene otra dimensión. Por primera vez, *se dicen palabras de acusación en contra de Dios*. Cuando Adán es interrogado por Dios después de haber comido el fruto, él no solo apunta el dedo hacia Eva, sino también *hacia Dios*. Adán dice: "Dios, si no me hubieras dado a esta mujer, nada de esto hubiera pasado. Dios, es Tu culpa; Tú la creaste y mira lo que me ha hecho". Al igual que Adán, cuando culpamos a otras personas y a las situaciones por nuestros problemas, también estamos acusando indirectamente a Dios.

Cuando un esposo dice: "¡Mi esposa me hace enojar tanto!", su dedo no solo está apuntando hacia su esposa, sino hacia Dios, quien ordenó la relación. Una persona que dice: "Estaría más involucrado en el ministerio de mi iglesia si no tuviera que trabajar tan duro para sobrevivir" en esencia está diciendo: "Dios, es Tu culpa. Si me proveyeras de un mejor trabajo, te podría servir de la manera en que realmente quisiera". Un padre que dice: "Yo era más relajado y paciente antes de tener hijos" realmente está culpando a Dios por esa carga paterna que le parece abrumadora. Después de la caída, el Dios que debe ser amado, obedecido y servido vino a ser el chivo expiatorio de los pecados de Su pueblo. Hoy en día, muchas de nuestras palabras contienen esas mismas acusaciones sutiles contra Dios.

Las palabras que desafían la autoridad de Dios, las mentiras, las falsas interpretaciones de la vida, las acusaciones contra Dios y el hombre, todo tuvo su origen en este momento drástico de cambio. Satanás habla, y cuando Adán y Eva actúan con base en sus palabras, el mundo de las palabras se convierte en un mundo de problemas. Ya no solo reflejamos la imagen de Dios con nuestras palabras; también reflejamos la imagen de la serpiente. Ya no hablamos conforme al estándar de Dios; a menudo nos rebajamos al estándar de la serpiente. Nuestras palabras ya no son un fiel retrato del diseño de Dios; muy a menudo son un retrato del engaño de Satanás. Hablar ya no es fácil ni seguro. En cambio, vivimos en un mundo donde las mentiras manipulan, las palabras airadas hieren, la falsedad destruye, el chisme hace daño, la condenación destruye y las palabras irrespetuosas desafían las autoridades que Dios ha establecido.

¿Quién de nosotros no se ha lamentado por cosas que haya dicho como padre, esposo, amigo, vecino o trabajador? ¿Quién de nosotros no quisiera de alguna forma borrar las palabras dichas para que ya no existan en la memoria? ¿Quién de nosotros no ha tenido que ir una y a otra vez a pedirle perdón a nuestros hijos, cónyuge o amigos por las cosas que dijimos o por la forma en que las dijimos?

Un mal irrefrenable

Santiago captura este mundo de problemas usando palabras fuertes. Nos alerta sobre la magnitud e importancia del daño que puede ser hecho a través de nuestras palabras:

> Cuando ponemos freno en la boca de los caballos para que nos obedezcan, podemos controlar todo el animal. Fíjense también en los barcos. A pesar de ser tan grandes y de ser impulsados por fuertes vientos, se gobiernan por un pequeño timón a voluntad del piloto. Así también la lengua

es un miembro muy pequeño del cuerpo, pero hace alarde de grandes hazañas. ¡Imagínense qué gran bosque se incendia con tan pequeña chispa! También la lengua es un fuego, un mundo de maldad. Siendo uno de nuestros órganos, contamina todo el cuerpo y, encendida por el infierno, prende a su vez fuego a todo el curso de la vida.

El ser humano sabe domar y, en efecto, ha domado toda clase de fieras, de aves, de reptiles y de bestias marinas; pero nadie puede domar la lengua. Es un mal irrefrenable, lleno de veneno mortal.

Con la lengua bendecimos a nuestro Señor y Padre, y con ella maldecimos a las personas, creadas a imagen de Dios. De una misma boca salen bendición y maldición. Hermanos míos, esto no debe ser así. ¿Puede acaso brotar de una misma fuente agua dulce y agua salada? Hermanos míos, ¿acaso puede dar aceitunas una higuera o higos una vid? Pues tampoco una fuente de agua salada puede dar agua dulce (Stg 3:3-12).

Para Santiago, la lengua es un "mundo de maldad", "contamina todo el cuerpo" y "prende a su vez fuego a todo el curso de la vida". Dice que es un freno, un timón, una chispa y una fiera indomable. Con nuestras palabras, o reflejamos a nuestro Creador y Señor, o reflejamos a la serpiente, Satanás. Nuestras palabras edifican y dan vida, o derriban y destruyen. Las palabras son importantes.

La guerra de palabras

El libro de Proverbios también nos describe la guerra de palabras que caracteriza a este mundo caído. Aquí hay algunos pasajes representativos:

La sabiduría te librará del camino de los malvados,
de los que profieren palabras perversas (2:12).

[La sabiduría] te librará de la mujer ajena,
de la extraña de palabras seductoras (2:16).

Si verbalmente te has comprometido,
enredándote con tus propias palabras,

entonces has caído en manos de tu prójimo.
Si quieres librarte, hijo mío, éste es el camino:
Ve corriendo y humíllate ante él; procura deshacer tu compromiso (6:2-3).

Hay seis cosas que el Señor aborrece,
 y siete que le son detestables:
los ojos que se enaltecen, la lengua que miente,
 las manos que derraman sangre inocente,
el corazón que hace planes perversos,
 los pies que corren a hacer lo malo,
el falso testigo que esparce mentiras,
 y el que siembra discordia entre hermanos (6:16-19).

Con palabras persuasivas lo convenció;
 con lisonjas de sus labios lo sedujo (7:21).

El que mucho habla, mucho yerra;
 el que es sabio refrena su lengua (10:19).

Las palabras del malvado son insidias de muerte,
 pero la boca de los justos los pone a salvo (12:6).

El testigo verdadero declara lo que es justo,
 pero el testigo falso declara falsedades.
El charlatán hiere con la lengua como con una espada,
 pero la lengua del sabio brinda alivio.
Los labios sinceros permanecen para siempre,
 pero la lengua mentirosa dura sólo un instante" (12:17-19).

El perverso provoca contiendas
 y el chismoso divide a los buenos amigos (16:28).

El malvado hace caso a los labios impíos,
 y el mentiroso presta oído a la lengua maliciosa (17:4).

No va bien con los necios el lenguaje refinado;
    ni con los gobernantes, la mentira (17:7).

Iniciar una pelea es romper una represa;
    vale más retirarse que comenzarla (17:14).

Al que le gusta pecar, le gusta pelear;
    el que abre mucho la boca, busca que se la rompan (17:19).

Al necio no le complace el discernimiento;
    tan solo hace alarde de su propia opinión (18:2).

Los chismes son deliciosos manjares;
    penetran hasta lo más íntimo del ser (18:8).

En la lengua hay poder de vida y muerte;
    quienes la aman comerán de su fruto (18:21).

El testigo corrupto se burla de la justicia,
    y la boca del malvado engulle maldad.
El castigo se dispuso para los insolentes,
    y los azotes para la espalda de los necios (19:28-29).

Más vale habitar en un rincón de la azotea;
    que compartir el techo con mujer pendenciera (21:9).

Despide al insolente, y se irá la discordia
    y cesarán los pleitos y los insultos (22:10).

Defiende tu causa contra tu prójimo; no traiciones la confianza de nadie,
no sea que te avergüence el que te oiga
    y ya no puedas quitarte la infamia (25:9-10).

Sin leña se apaga el fuego;
    sin chismes se acaba el pleito.

Con el carbón se hacen brasas, con la leña se prende fuego,
   y con un pendenciero se inician los pleitos (26:20-21).

Gotera constante en un día lluvioso
   es la mujer que siempre pelea.
Quien la domine, podrá dominar el viento
   y retener aceite en la mano (27:15-16).

A fin de cuentas, más se aprecia al que reprende
   que al que adula (28:23).

El que adula a su prójimo
   le tiende una trampa (29:5).

Los insolentes conmocionan a la ciudad,
   pero los sabios apaciguan los ánimos (29:8).

¿Te has fijado en los que hablan sin pensar?
   ¡Más se puede esperar de un necio que de gente así! (29:20).

Esta es una lista representativa de pasajes; sin embargo, el libro de Proverbios nos describe muy claramente ese "mundo de maldad" que es la lengua. Este mundo se describe en cada libro de la Escritura. Necesitamos confesar con humildad que tenemos problemas con nuestras palabras. Las palabras de Santiago y Proverbios nos describen a nosotros. No hemos hablado de una manera que refleje el estándar y el diseño de Dios. A menudo nos hemos rebajado al estándar del padre de la mentira, aquel que engaña, divide y destruye: Satanás mismo.

Hemos tendido trampas con nuestras bocas. Hemos seducido con nuestras palabras. Nuestras palabras han provocado pleitos. Hemos dicho demasiado y hablado a la ligera. Nuestras palabras han sido atrevidas. Nos hemos entregado al chisme, y en nuestra ira, nuestras palabras han sido maliciosas. Hemos sido contenciosos. En ocasiones, nos hemos deleitado en emitir nuestras propias opiniones. Nos hemos entregado al humor burlesco. Hemos traicionado la confianza de otros con nuestras palabras.

Génesis 3 y nuestras palabras

¿Qué aprendemos entonces en Génesis 3 con respecto a la comunicación? Debemos comenzar reconociendo humildemente que el orígen de nuestras palabras no solo proviene de las palabras del Señor (Génesis 1), sino también de las palabras de la serpiente (Génesis 3). Con este reconocimiento, confesamos que nuestra lucha con la comunicación no es primariamente un asunto de técnicas, sino una lucha en nuestro corazón. Nuestra guerra de palabras no es contra otras personas; es una batalla interna. ¿Hablaremos de una manera que refleje al Señor, el Gran orador, o a la serpiente, el gran engañador? ¿Quién controlará nuestros corazones y nuestras palabras?

La guerra de palabras presentada en Génesis 1 y 3 la vemos ilustrada a través del resto de las Escrituras. La peleamos diariamente en nuestras propias vidas. Nuestras palabras ahora dividen, engañan y destruyen. Son un mundo de maldad y causan un mundo de problemas. Las palabras no salen baratas. Por ellas, podríamos terminar pagando un precio muy alto.

¿Cómo lidiaremos con este problema? Cada uno de nosotros necesita decir: "Señor, estos pasajes me dejan expuesto. Admito que no siempre he reconocido que mis palabras te pertenecen. No me he comunicado fielmente según Tu estándar ni según Tu plan. He hablado como si mis palabras me pertenecieran, usándolas para mis propósitos. He escuchado al gran engañador, y muchas veces y de muchas maneras he hablado más como él que como Tú. Te pido perdón y te suplico que me ayudes. Yo sé que solo Tú eres capaz de domar mi lengua. Quiero ofrecerte mis palabras, y así poder hablar a la altura de Tu estándar y conforme a Tu diseño".

Y al confesar, tenemos que aferrarnos a la gloriosa promesa del evangelio que Pablo nos recuerda en 2 Corintios 12:9: "Te basta con Mi gracia, pues Mi poder se perfecciona en la debilidad". No hay área en que nuestra debilidad se vea tan claramente como en nuestra lucha con las palabras. Pero no debemos desesperarnos. Cristo ha venido. ¡Ha vivido, muerto y resucitado por nosotros! En Él encontramos no solo el perdón, sino también la liberación de los pecados del corazón que conducen a los pecados de la lengua. En nuestra mayor debilidad, nuestros corazones pueden estar llenos de gozo al recordar la grandeza de la provisión de Cristo. En Él, nuestras palabras encuentran su esperanza.

Examínate

Un tiempo de confesión

Evalúa tu mundo de palabras. ¿Encuentras alguna evidencia de que tus palabras han seguido más el patrón del enemigo que el del Señor? Tómate un tiempo para pensar, orar y confesar. Confiésalo a Dios y a las personas con las que vives y trabajas.

1. ¿Desafían tus palabras la autoridad de Dios? (Buscando tener un control que no te pertenece, hablando palabras de condenación, castigando a los demás con palabras, menospreciando la autoridad de los líderes establecidos por Dios, quejándote y murmurando acerca de las situaciones que Dios ha ordenado en tu vida, etc.).

2. ¿Revelan tus palabras que hay áreas en las que has adoptado una interpretación de la vida diferente a la del Señor (la que Él ha revelado en la Escritura)? En otras palabras, ¿revela tu hablar una perspectiva bíblica de la vida que anima a otros a ver la vida de la misma manera? (Ejemplo: Los estallidos de ira durante un atasco de tráfico en contraposición con el uso de ese tiempo para tener una conversación profunda con tu esposa e hijos).

3. ¿Percibes si de alguna manera tu comunicación ha sido infectada con esa mentira de Satanás que dice que las cosas que necesitas en esta vida pueden ser encontradas fuera de Cristo? Ejemplos:
   - "Tengo que ganar esta discusión".
   - "Tengo que tener su amor, admiración y respecto".
   - "Tengo que lograr que admita que _____, ¡aunque sea lo último que haga en esta vida!"
   - "*Esta* es la manera en que *debe* ser hecho".
   - "No puedo vivir sin _____".
   - "Tengo el derecho de buscar mi felicidad".

Recuerda, Cristo no solo perdona; también libera. No solo libera; también restaura. No solo restaura; también reconcilia.

3

La Palabra en carne propia

Y la Palabra se hizo carne, y habitó entre nosotros (Juan 1:14 RVC)

He estado casado por más de un cuarto de siglo. Dios me ha dado una esposa piadosa que tiene más virtudes que yo. En general, Luella y yo gozamos de una relación maravillosa. Ambos fuimos criados por familias cristianas y se nos enseñó la verdad desde que éramos muy pequeños. Ambos conocimos a Cristo siendo niños y fuimos educados en universidades cristianas. Hemos estado sirviendo en el ministerio casi toda nuestra vida y hemos tenido la bendición de recibir buena enseñanza bíblica. Nos hemos esforzado grandemente por cumplir con el diseño de Cristo para nuestro matrimonio.

Cada semana pasamos tiempo juntos fuera de casa para hablar de asuntos que necesitan ser discutidos. A lo largo de los años, hemos tratado de tener un tiempo devocional familiar cada día. Pero, preparándome para escribir este libro, reconocí que a pesar de todo esto, no estamos libres de problemas en nuestra comunicación. No es que estemos levantando la voz o gritando. No siempre estamos molestos y discutiendo. Pero no tendríamos que pensar mucho para darnos cuenta de que seguimos pecando en nuestro hablar. Puede haber sido una palabra dicha apresuradamente y sin cuidado; una palabra que demuestra irritación, una acusación rápida, un comentario egoísta o demandante, un "te lo dije" cuando se necesitaban palabras de consuelo y ánimo. Pudo haber sido una respuesta impaciente, un momento de queja innecesaria, un comentario lleno de soberbia o autocompasión, o una situación en la que por un momento se trajeron a la conversación pecados pasados.

A pesar de todo lo que sabemos de la Escritura, de todo nuestro compromiso personal y esfuerzo práctico, de todas nuestras súplicas por perdón y oraciones pidiendo ayuda, seguimos teniendo problemas en nuestra comunicación como pareja. ¡Así de grande es nuestra necesidad! ¡Así de profundo es nuestro problema!

Nuestra tendencia a olvidar

Cuando voy a librerías cristianas, a veces me pregunto si es que nos hemos olvidado de cuál es nuestro verdadero problema. ¿Realmente pensamos que vamos a resolver los problemas de comunicación con pensamientos humanos y técnicas modernas? ¿Acaso nos hemos olvidado de que los problemas de comunicación revelan problemas mucho más profundos y fundamentales? Si no atacamos estos asuntos más profundos, nunca resolveremos nuestros problemas de comunicación. Si solo necesitáramos conocimiento y habilidad, Luella y yo hubiéramos resuelto los problemas de nuestra comunicación hace tiempo. Pero necesitamos algo más profundo que la técnica, la habilidad y el conocimiento. Esta profunda necesidad se hace evidente cada día a medida que nuestra familia se comunica.

Hace poco estuve observando a mis hijos mientras discutían entre ellos. Esto no era nada nuevo; se llevan dos años y han tenido muchas discusiones. De hecho, esta discusión particular es una que habían tenido muchas veces en el pasado. Sin embargo, esta vez captaron mi atención. Sus palabras estaban cargadas de acusaciones. Su tono era de enojo. Ninguno se detenía a escuchar, y así la descarga de palabras se intensificaba y el volumen aumentaba. No pasó mucho tiempo antes de que abandonaran el tema de discusión y comenzaran a echarse en cara heridas del pasado. Ambos hablaban llenos de dolor, frustración, enojo, impaciencia y celos. No estaban hablando para resolver el problema ni escuchando para comprender. Sus palabras eran simplemente armas en una guerra. Cada uno quería silenciar al otro y *ganarle*. Sus oraciones estaban llenas de "tú siempre" y "tú nunca". Ambos estaban parados allí, vestidos con su propia justicia, sintiéndose con todo el derecho de acusar al otro. Y, aunque estuvieran acusándose el uno al otro, ambos comunicaban la creencia de que estaban perdiendo su tiempo. Estaban seguros de que el otro nunca entendería.

Al estar escuchando, dos pensamientos se apoderaron de mí. El primero era que yo no quería tener que lidiar con esta "guerra" tan temprano en la mañana. Pero el segundo pensamiento era más teológico y más cautivador. Me di cuenta de que yo nunca le había enseñado a mis hijos a discutir y a pelear. Nunca les había enseñado cómo herirse el uno al otro con sus palabras. Nunca les había dado una charla sobre cómo escoger el momento correcto para echarle algo en cara a alguien. Nunca había procurado entrenarlos en acusar y condenar. No obstante, mis hijos actuaban con confianza y habilidad. Tenían un talento natural para usar las palabras de tal manera que hicieran exactamente lo que sus corazones airados deseaban.

Al empezar a intervenir, mi corazón se llenó de tristeza. Podía detener la discusión, pero no podía cambiar lo que realmente necesitaba ser cambiado. Además, era totalmente consciente de que lo que necesitaba ser cambiado en ellos todavía necesitaba ser cambiado en mí. En nuestro hogar, difícilmente pasan unas horas (mucho menos un día) sin que haya algún tipo de conflicto. (Y, aunque no lo creas, a nuestra familia le va bastante bien). ¡Cuán profunda es nuestra necesidad! Esa mañana les hablé a mis hijos llorando; por primera vez en mi vida estaba más acongojado por la gravedad de nuestra necesidad espiritual que por mi frustración de tener que resolver otra discusión.

Quizá te estés preguntando si a mis hijos les ayudaría aprender mejores técnicas de comunicación o un mejor sentido de ubicación y contexto. Sin duda se beneficiarían, pero la guerra de palabras esa mañana era mucho más profunda que eso. Se revelaban necesidades espirituales profundas que no serían aliviadas por unos cuantos principios para una buena comunicación.

La llegada de la Palabra

¿Qué dice Dios, el Gran orador, acerca de nuestra necesidad en esta área? *No nos demanda que cumplamos con Su estándar en nuestras propias fuerzas.* No. Él envió a Su Hijo, la Palabra, para que se encarnara, para que viviera como un hombre ¡y fuera el más glorioso de todos los mensajes de Dios para nosotros! *La Palabra se hizo carne.* Escucha las palabras de Juan:

En el principio ya existía la Palabra.
La Palabra estaba con Dios,

y Dios mismo era la Palabra.

La Palabra estaba en el principio con Dios.

Por Ella fueron hechas todas las cosas.

Sin Ella nada fue hecho de lo que ha sido hecho.

En Ella estaba la vida, y la vida era la luz de la humanidad.

La luz resplandece en las tinieblas,

y las tinieblas no prevalecieron contra Ella (Jn 1:1-5 RVC).

En el mundo estaba, y el mundo fue hecho por Ella, pero el mundo no la conoció. La Palabra vino a lo Suyo, pero los Suyos no la recibieron. Pero a todos los que la recibieron, a los que creen en Su nombre, les dio la potestad de ser hechos hijos de Dios; los cuales no son engendrados de sangre, ni de voluntad de carne, ni de voluntad de varón, sino de Dios. Y la Palabra se hizo carne, y habitó entre nosotros, y vimos Su gloria (la gloria que corresponde al unigénito del Padre), llena de gracia y de verdad (Jn 1:10-14 RVC).

Ciertamente de Su plenitud tomamos todos, y gracia sobre gracia. La ley fue dada por medio de Moisés, pero la gracia y la verdad vinieron por medio de Jesucristo. A Dios nadie lo vio jamás; quien lo ha dado a conocer es el Hijo unigénito, que está en el seno del Padre (Jn 1:16-18 RVC).

Piensa en lo siguiente. El Dios que creó el habla, habló y el mundo existió; el Dios que usó palabras humanas para revelarse a Su pueblo a través de las edades, vino a Su mundo como la Palabra, hacia aquellos que lo habían despreciado. Él no es alguien que habla la verdad, Él *es* la verdad, y solo en Él hay esperanza para nosotros. Solo en la Palabra encontramos esperanza para ganar la guerra de palabras, y así poder hablar conforme al ejemplo y el diseño de nuestro Creador. La Palabra se hizo carne porque no había otra manera de componer lo que se había roto en nosotros.

El hecho de que la Palabra haya venido en carne propia nos dice algo muy importante acerca de nuestro problema al hablar: Nuestro problema no es fundamentalmente uno de ignorancia ni de ineptitud. Recuerda las palabras de Santiago: "El ser humano sabe domar y, en efecto, ha domado toda clase de fieras, de aves, de reptiles y de bestias marinas; pero nadie puede domar la lengua. Es un mal irrefrenable, lleno de veneno mortal" (Stg 3:7-8). Lo que Santiago dice es que nuestros problemas de comunicación no pueden ser resueltos por medios humanos. Nuestro problema no se solucionará cambiando la ubicación, ni la situación ni la naturaleza de una relación; tampoco se resuelve con más educación ni entrenamiento. Humanamente hablando, ¡la lengua es indomable! Es un mal poderoso e irrefrenable que nos deja a todos desconcertados.

La guerra detrás de la guerra de palabras

A estas alturas, tengo que hacer una observación bíblica fundamental: *La Palabra no hubiera venido a nuestro mundo si nuestra lucha fuera primariamente una lucha de carne y sangre.* El problema con nuestras palabras es intensamente espiritual, un problema del corazón humano. Quizá eres una esposa que está muy lastimada por la manera como tu esposo se comunica contigo. O tal vez eres un adolescente y es difícil no sentirte condenado por la manera en que te hablan tus padres. Quizá eres un esposo que está amargado porque tu familia no parece respetarte. Cada uno de nosotros ha sido herido personalmente por las palabras de otros, y cada uno de nosotros ha dicho palabras que han herido a otros. Debido a esto, es importante reconocer que esta guerra de palabras realmente es el fruto de una guerra más grande y más fundamental. Esta guerra es la mayor guerra de todas; es de lo que se trata la vida. Pablo nos habla acerca de esta guerra en Efesios 6:12, cuando dice: "Porque nuestra lucha no es contra seres humanos, sino contra poderes, contra autoridades, contra potestades que dominan este mundo de tinieblas, contra fuerzas espirituales malignas en las regiones celestiales".

En Efesios 4 Pablo habla mucho acerca de las palabras del cuerpo de Cristo. Nos llama a ser "siempre humildes y amables", a ser "pacientes, tolerantes unos con otros en amor", a esforzarnos por "mantener la unidad del Espíritu, mediante el vínculo de la paz", a hablar "la verdad con amor", a dejar la mentira y hablar "cada uno a su prójimo con la verdad". Él dice: "Si se enojan, no pequen. No permitan que el enojo les dure hasta la puesta del sol". Nos insta a evitar "toda conversación obscena" y que, en lugar de esto, nuestras "palabras contribuyan a la necesaria edificación y sean de bendición para quienes escuchan". Nos llama a abandonar "toda armargura, ira y enojo, gritos y calumnias, y toda forma de malicia" y nos dice: "Sean bondadosos y compasivos unos con otros, y perdónense mutuamente, así como Dios los perdonó a ustedes en Cristo". En Efesios 5 y 6, Pablo aplica estos principios a la iglesia, al hogar y al mundo exterior.

No puedes leer lo que dice Pablo sin quedarte impresionado por la profundidad y la amplitud de esos mandamientos. Al leerlos, puedes estar pensando: "Pablo, ¡tienes que estar bromeando!". ¿Hablar con humildad y gentileza en *nuestra* casa? ¡Imposible! ¿Comunicarnos sin enojo y malicia? ¡Ese día se acaba el mundo!". No obstante, es precisamente a *esto* que Pablo nos está llamando. Y estos mandamientos tienen la intención de *ayudarnos*.

Tú dices: "No me ayudan, solo me desaniman". Pero tal vez ese es el punto. Cuando te enfrentas a la altura del estándar de Dios para nuestras palabras y ves cuán lejos estás del mismo, eres llevado a reconocer dos cosas que son el foco de este capítulo. Primero, tú y yo somos enfrentados inmediatamente con el hecho de que tenemos serios problemas en nuestra comunicación, que son mucho más fundamentales que la habilidad, la técnica y el vocabulario. El segundo hecho fluye del primero: puesto que nuestra necesidad va más allá de la técnica, necesitamos más que un curso de entrenamiento o una nueva serie de destrezas. Solo Jesús, la Palabra viva y nuestro Redentor, nos puede rescatar.

Así que cuando nos damos cuenta de que nuestros mejores esfuerzos por ganar la guerra de palabras han fracasado, nos encontramos con nuestra única esperanza. Pero no está en nosotros mismos ni en nuestro potencial. Está en la Palabra y en Su presencia, poder y promesas. Puesto que Jesús ha venido a vivir, morir y ser resucitado por nosotros, existe la esperanza de que podamos hablar como Dios lo ha diseñado.

La vida es una guerra

A la luz de esto, las palabras de Pablo en Efesios 6:12 no podrían ser más prácticas. Cuando Pablo escribe acerca de la guerra espiritual al final de su carta, no está cambiando de tema; está resumiendo todo lo que ha dicho antes (incluyendo todo lo que dijo acerca de la comunicación). Pablo quiere asegurarse de que nos demos cuenta de que *la vida es una guerra*, no contra otras personas, ¡sino contra *fuerzas espirituales malignas en las regiones celestiales! Esto* es lo que está sucediendo en el hogar, en la iglesia, en el lugar de trabajo y en la comunidad. Esta guerra es lo que hace que interactuar en cada uno de estos ámbitos sea tan difícil. No solo estamos luchando para llevarnos bien los unos con los otros. Muy por encima de eso, ¡estamos luchando para resistir los ataques del diablo en nuestra contra!

La vida es una guerra. Ahora mismo hay un conflicto frenético entre las fuerzas del Gran orador y las del gran engañador. Mientras Dios intenta arraigarnos con mayor profundidad en Su vida, Su paz y Su verdad, Satanás intenta alejarnos de Él por medio de esquemas engañosos, mentiras con apariencia de verdad y trampas crueles. Al igual que todas las demás guerras, el propósito de esta guerra es obtener control. Es una guerra para ganar nuestros corazones. Y si esta guerra espiritual no estuviera sucediendo, no habría guerra de palabras.

Esto amplía nuestro entendimiento del evangelio, de por qué era necesario que Jesús viniera. Jesús, la Palabra viva, vino como Revelación y como Redentor para que tuviéramos lo que necesitamos para mantenernos firmes en medio del conflicto. Nuestras fuerzas son como nada ante estas "fuerzas espirituales malignas en las regiones celestiales". Así que Cristo no solo vino como la Palabra, sino que vino como el segundo Adán. El primer Adán nos representaba a todos, y cuando él se enfrentó a Satanás, le creyó sus mentiras, sucumbió a sus trampas y cayó en pecado. Cristo tuvo que venir como el segundo Adán, representándonos nuevamente, para enfrentar a Satanás. Así pues, antes de Su ministerio público, Cristo enfrentó a Su enemigo. Tres veces fue tentado con los mismos engaños antiguos. Tres veces derrotó a Satanás, demostrando Su poder sobre las fuerzas del mal y logrando una gran victoria a nuestro favor (ver Mt 4:1-11; 12:22-29; Ro 5:12-21).

Por medio de Su obra, Cristo nos empodera y nos equipa para la batalla, para que cuando llegue el día malo, seamos capaces de permanecer firmes, sin dejar que nada nos aleje de la vida a la que Él nos ha llamado. Esta vida incluye hablar de una manera que sea digna del evangelio. La victoria que Jesús obtuvo nos capacita para vivir en paz con Él y para vivir en paz entre nosotros.

Esto nos da una perspectiva completamente diferente en cuanto a nuestras peleas respecto a quién entra primero al baño, o respecto a quién se comió el resto del cereal favorito de la familia. El problema de estos momentos va mucho más allá de los asuntos superficiales de mucha gente, de que no hayan suficientes baños o que demasiadas cajas de cereal estén vacías. *Nosotros* somos lo que está mal en cada una de estas situaciones. *Nosotros* somos el elemento común en todos nuestros problemas de comunicación. Y es de vital importancia que no minimicemos el problema (diciendo que estos momentos no son importantes), ni nos volvamos cínicos (diciendo que realmente no hay esperanza de cambio). Estos pequeños momentos sí importan, pues son parte de nuestro día a día. Pero a la vez tenemos una gran esperanza de cambio porque Jesucristo, la Palabra, el Redentor, nos ha dado todos los recursos que necesitamos para hablar como debemos hablar.

Los recursos apropiados para la batalla

¿Qué recursos nos ha dado la Palabra para hablar de acuerdo con el estándar y el diseño de Dios? En una breve oración que aparece en la carta a los Efesios (1:15-23), Pablo utiliza cuatro palabras dinámicas para describir los recursos que son nuestros por la obra redentora de Cristo.

La primera palabra es *esperanza*. En la Palabra encontramos esperanza para nuestras palabras. Esta esperanza no es un deseo ni una expectativa ilusorios. ¡No! La esperanza bíblica es *una expectativa confiada de un resultado garantizado*. En Él podemos ganar la guerra de palabras. No tenemos que conformarnos con una comunicación amargada, airada, destructiva ni divisiva. Podemos tener estándares altos y trazarnos metas elevadas no por lo que somos, sino por lo que Él ha hecho. Así que nos rehusamos a aceptar el *statu quo*, a permitir que el cinismo invasor de la desesperanza nos haga renunciar en medio de esta lucha. ¡No! Vivimos y hablamos con fe y valor, creyendo que podemos hacerlo mejor por lo que Él ha hecho.

Como esposa, no puedes resignarte y pensar que tu comunicación matrimonial nunca va a mejorar. En la Palabra hay esperanza. Como esposo, no puedes entregarte a la ira y a las palabras que salen de ella. Hay esperanza. Como amigo, no puedes rehusarte a hablar en el momento que estés herido, creyendo que es inútil. Hay esperanza. Como padre, debes creer que puedes ministrarle a tus hijos aun en medio de tu propio dolor y frustración, porque la Palabra ha venido, y con Él, la esperanza. Pregúntate: ¿Mi comunicación refleja mi confianza en la obra y la provisión de la Palabra?

¿Cuál es nuestra esperanza cuando un adolescente rebelde se nos resiste y queremos responder de forma piadosa? ¿De dónde viene nuestra esperanza cuando queremos hablarle conforme al diseño de Dios a un esposo distante, a una esposa criticona, a un amigo amargado o a un vecino contencioso? ¿Dónde encontraremos la fuerza para hablarle correctamente a un jefe demandante e ingrato o a un niño quejumbroso? ¿Qué esperanza tenemos de lograr una comunicación sana cuando, cansados y desanimados, tengamos una conversación difícil? ¿Qué haremos cuando luchemos contra nuestra propia amargura o contra el deseo de hacer las cosas a nuestra manera? ¿Qué nos ayudará cuando nos sintamos acusados, menospreciados o ignorados? ¿Qué esperanza tenemos de hablar promoviendo la obra de Dios y no los deseos de nuestra naturaleza pecaminosa? Nuestra única esperanza viene de la Palabra. Su obra a nuestro favor cambia todo acerca de la manera en que somos capaces de responder en medio de nuestras luchas con las palabras.

Ya sabes cómo funciona. La mayor parte de nuestra comunicación diaria no está organizada ni viene en un libreto. A cada rato estamos lidiando con momentos que no estaban en nuestra agenda del día.

Digamos que mi hijo viene a mí un jueves a las 10:30 de la noche y me dice: "Papá, mañana tengo que entregar un proyecto en mi clase de Ciencias y necesito algunas cosas". ¡Ten en cuenta que el proyecto se lo asignaron hace varias semanas! Tratando de mantener la cordura, le pregunto qué necesita. Tentativamente, me dice: "Bueno, necesito una cartulina". Pienso: "No es tan grave, podemos usar esa cartulina que anda rodando por la casa". Le pregunto: "¿Algo más?". Me dice: "Pues, creo que necesitaré unos marcadores". Ya me empiezo a incomodar, pero pienso que si le ponemos un poco de agua a algunos de esos marcadores secos que quedan por ahí, tal vez sirvan para un proyecto más. De nuevo, le pregunto: "¿Algo más?". Y, con un murmullo temeroso, me dice: "Doce pollitos". ¡No puedo creer lo que estoy oyendo! Siento que mi cara se pone roja. "Claro, ¡solo tengo que ir a esa tienda de pollos que está abierta 24 horas y comprarte una docena!".

Inmediatamente, comienza la guerra—no, no entre mi hijo y yo, sino dentro de mi corazón. Estoy enojado y frustrado. Estoy cansado de pasar por el campo minado de las dificultades inesperadas. Tengo una fuerte inclinación a manejar esa situación golpeando a mi hijo con palabras. Quiero decirle lo estúpido que es y que está loco si cree que lo voy a ayudar. Quiero decirle que yo nunca dejé los proyectos para el último momento cuando era joven. Hay muchas cosas que quisiera decirle; y en ese momento, más me vale tener una esperanza que me dé la capacidad para refrenarme de hacer todo lo que haría por instinto.

Si se desata una guerra en tu corazón en medio de estos momentos tan insignificantes y cotidianos, ¡cuánto más estallará cuando tengas problemas matrimoniales, desilusiones paternas y fracasos decepcionantes en el cuerpo de Cristo! Muchos de estos momentos no pueden ser evitados, pero los enfrentarás de una manera radicalmente diferente si crees que hay esperanza debido a la obra de la Palabra. Las otras tres palabras que Pablo usa describen esa esperanza.

Todo lo que necesitamos

La segunda palabra que Pablo usa en Efesios 1:15-23 para mostrarnos los beneficios presentes de la obra de la Palabra es *riqueza*. En su Carta a los Filipenses, Pablo dice que en Cristo tenemos "gloriosas riquezas". ¿De qué está hablando aquí? Pedro capta esto muy bien cuando dice que "todas las cosas que pertenecen a la vida y a la piedad nos han sido dadas por Su divino poder, mediante el conocimiento de Aquel que nos llamó por Su gloria y excelencia" (2P 1:3 RVC). No dice que se nos ha dado mucho, ni más que a la mayoría, sino *todas las cosas* que necesitamos. Piensa en estas palabras. El verbo en este pasaje ("han sido dadas") está en el tiempo perfecto, lo cual indica una acción en el pasado cuyos resultados continúan en el futuro. Esto significa que Cristo ha puesto todo lo que necesito en mi almacén. Te preguntarás: "¿Para hacer qué?". Pedro dice: "todas las cosas que pertenecen a la vida y a la *piedad*". No solo me ha sido dado lo que necesito para la vida eterna, sino todo lo que necesito para vivir una vida piadosa ¡desde el momento en que soy salvo hasta el momento en que Dios me lleve al hogar para estar con Él!

Tómate unos minutos para meditar en el poder de estas palabras. El Señor nunca te pondrá en una situación sin antes darte todo lo que necesitas para hacer lo que Él te está llamando a hacer.

Digamos que eres una esposa y estás en medio de una conversación muy difícil con tu esposo. En tu almacén hay riquezas disponibles para ese momento. Quizá eres un empleado lidiando con un jefe muy crítico. Todo lo que necesitas para hablarle de una forma piadosa ya te ha sido dado. O eres un padre que lleva tiempo lidiando con un adolescente rebelde e irrespetuoso. Te han sido dadas todas las riquezas que necesitas para ir más allá de tus heridas y enojo, y funcionar como un instrumento del Señor. La Palabra ha venido y en Sus manos hay riquezas gloriosas. ¡Su provisión es lo único que domará la lengua humana!

La tercera palabra en la lista de recursos de Pablo es el *poder*. Pablo lo dice de la siguiente manera: "Cuán incomparable es la grandeza de Su poder a favor de los que creemos" (Ef 1:19). Gracias a la obra de la Palabra, tenemos el poder para ganar la guerra que alimenta nuestras luchas con las palabras. No tenemos problemas de comunicación simplemente porque carecemos de técnica o vocabulario. Nuestro problema es que no tenemos el poder en nosotros mismos. Nuestro problema es que no tenemos la capacidad en nosotros mismos. Por eso es que Santiago hace la pregunta retórica: "¿Quién puede dominar la lengua?" La mejor respuesta bíblica a esta pregunta es: ¡Nadie en este mundo! Pero Cristo *ha* venido, demostrando Su poder en Su ministerio, ejerciendo Su poder sobre el mal en la cruz y bendiciendo a Su pueblo con poder a través de la persona del Espíritu Santo, que habita dentro de nosotros. Pablo dice que Dios, que puede hacer mucho, mucho más de lo que podemos pedir o imaginar, *está obrando* por medio de Su poder *en* nosotros (ver Ef 3:20).

Considera esto por un momento. Dios no nos dio una serie de directrices complejas ni sofisticadas para luego sentarse a ver si las obedecíamos o no. ¡No! Él entiende que nuestro pecado nos ha dejado impotentes, y que sin Él no *sabremos* lo que necesitamos saber y no *podremos hacer* lo que necesitamos hacer. Así que nos destapó y entró en nuestro interior por medio de Su Espíritu. ¡Su poder inconcebible está *en* nosotros! Y no solo está en nosotros, ¡sino que *está obrando*! Pablo dice que hemos recibido un poder que solo puede ser comparado con el poder que resucitó a Cristo de entre los muertos.

Esto cambia todo. La Palabra nos ha hecho Su morada para que tuviéramos el poder de hablar como Él lo ha diseñado. En Él, lo imposible se vuelve posible. La guerra es ganable. La lengua se vuelve domable, ya no es más un instrumento de maldad, sino una fuente de bien.

Lo que hace que este libro sea diferente a otros libros de comunicación no es la gran sabiduría y experiencia del autor. Es una sola cosa: el evangelio. El evangelio cambia radicalmente la manera en que entendemos y peleamos la guerra de palabras. Nos libra de caer en un modelo de comunicación *autosuficiente* que asume que nuestro problema puede ser resuelto con los conocimientos y habilidades correctas. Nos obliga a enfrentar nuestra inhabilidad. También nos libra de caer en un modelo de comunicación caracterizado por la *debilidad e incapacidad*, que nos llevaría a ver los estándares de Dios y a decir: "¡Si tan solo pudiera!". En Cristo aceptamos tanto nuestra incapacidad como nuestra capacidad. La Palabra viene para llenarnos con Su poder precisamente porque somos muy débiles. Pero, en Cristo, los que antes no podíamos estar en pie, ¡ahora estamos en pie de batalla!

Aplica estas verdades a tu mundo de palabras. El poder te ha sido dado. Reside en ti por el Espíritu y es capaz de ayudarte en medio de tus más profundas debilidades en la comunicación. Esposa, si ves a tu esposo y piensas: "¿Para qué esforzarme? Nunca va a cambiar", estás negando el evangelio. Esposo, si te pones a la defensiva cuando tu esposa trata de hablar contigo acerca del pecado en tus palabras, estás negando el evangelio. Padres, cuando permiten que su comunicación con sus hijos esté gobernada por emociones y deseos desenfrenados, están negando el evangelio. Debido a que la Palabra ha venido y nos ha dado Su poder, podemos levantarnos con valentía, creyendo que podemos crecer y tener un mayor control sobre nuestro mundo de palabras.

Debido a la presencia del Espíritu de Dios en nuestro interior, hay esperanza de que nuestra lengua pueda hacer el bien que Dios ha ordenado. Nadie puede decir que es demasiado débil ("Si tan solo tuviera más fe", o: "Si tan solo tuviera más valentía", o: "Si tan solo supiera qué decir en el momento apropiado"). Nadie puede echarle la culpa a su personalidad ("Es que soy extrovertido", o: "Es que soy demasiado tímido", o: "Lo siento, es que por las mañanas no estoy de humor"). Nadie puede echarle la culpa a su pasado ("Nunca tuve un buen ejemplo de comunicación", o: "Siempre me enseñaron a defenderme", o: "Mis padres nunca nos enseñaron"). Nadie puede echarle la culpa a los que están a su alrededor ("Si tuviera hijos que fueran más obedientes", o: "Si mi esposo fuera más amoroso", o: "Si mi esposa no me estuviera criticando todo el tiempo", o: "Si mi jefe apreciara un poco más todo lo que hago por él"). Nadie puede echarle la culpa a su situación actual ("Si tan solo tuviera más tiempo", o: "Si mi trabajo no fuera tan demandante").

Sí, vivimos con pecadores, nuestras agendas están ocupadas, muchos de nosotros crecimos en ambientes negativos y nos han sido dadas personalidades distintas que nos ayudan y nos perjudican de diversas formas. Pero este es el punto: Dios nos ha dado Su Espíritu no a pesar de, sino *por causa de* estas realidades. Se nos dio el Espíritu Santo para que podamos hacer la voluntad de Dios, aun siendo pecadores en un mundo caído; para que Su vida y Su fortaleza superen todos los efectos de nuestro propio pecado y del pecado de otros en nuestra contra; ¡para que realmente podamos hacer la voluntad de Dios! Su poder no está distante ni inactivo; ¡está *obrando* en nuestro interior! Podemos hablar conforme al estándar y el diseño de Dios, porque Él vive dentro de nosotros y siempre está obrando con Su gran poder.

Un gobierno personal y redentor

La última palabra que resume los recursos que nos han sido dados en Cristo es *gobierno*. Pablo, hablando acerca de Cristo, dice que "Dios sometió todas las cosas bajo Sus pies, y lo dio a la iglesia, como *cabeza* de todo, pues la iglesia es Su cuerpo" (Ef 1:22-23 RVC). No hay situación alguna en la que nos podamos encontrar que no sea gobernada por Cristo. Nuestras vidas no están fuera de control. Cristo está orquestando cuidadosamente cada detalle para nuestro beneficio y para Su gloria.

Esta idea del señorío y del gobierno de Cristo tiene que ver directamente con la parte de nuestra comunicación que nos da más problemas. Nuestras palabras muchas veces revelan un intento por controlar las cosas para que nos beneficien. Lo que nos mueve es un deseo personal de conseguir lo que queremos o lo que pensamos que sería bueno, y así hablamos de una manera que garantice que lo obtendremos. Defendemos, acusamos, manipulamos, racionalizamos, argumentamos, adulamos, alegamos, suplicamos o amenazamos con tal de controlar a una persona o a una situación.

Algunas veces lo hacemos por temor. Realmente llegamos a creer que nuestras vidas están fuera de control. Nos creemos que la gente a nuestro alrededor se interpone en el camino de lo que es mejor. Nos parece que lo correcto es tomar el control. Si no lo hacemos, entonces ¿qué pasará? Pero cuando nuestras palabras son motivadas por el temor, nos estamos olvidando de una de las promesas más preciosas del evangelio: Que Cristo, ahora mismo, en este momento, está gobernando sobre todas las cosas para nuestro beneficio particular porque somos Suyos. Puede que no siempre veamos Su mano y no siempre reconozcamos el bien que está haciendo, pero Él sigue estando activo y gobernando sobre todo. Si nuestra comunicación está enfocada en tomar el control para garantizar nuestra seguridad personal, nos estamos olvidando de una de las provisiones más hermosas de la Palabra: el control de Dios sobre todas las cosas para el bien de Sus hijos.

Dicho de otra manera, nuestras palabras a menudo revelan que no estamos confiando en el Señor, sino que más bien estamos intentando *ser* Dios mismo. Con nuestras palabras estamos intentando hacer lo que solo Él puede hacer. Cuando lo hacemos, fracasamos, hiriéndonos a nosotros mismos y a aquellos a nuestro alrededor.

Por ejemplo, un padre no debe estar tan temeroso de lo que pasará con su hijo que llegue al punto de tratar de hacer con palabras lo que solo Dios puede lograr por Su gracia: "Lograré que me respetes, aunque sea lo último que haga" (amenaza). "Piensa en todo nuestro esfuerzo, en todo el dinero que hemos gastado, en todo el tiempo que hemos invertido. ¿Es así como nos lo agradeces?" (culpa). "¿Recuerdas ese carro que me pediste para tu cumpleaños? Si haces…, pues es posible que esas llaves lleguen a tus manos" (manipulación). En cada ejemplo, el padre, cuando habla, está tratando de cambiar el corazón del hijo con algún tipo de herramienta verbal.

Pero los intentos verbales por obtener el control no siempre surgen del temor. A menudo surgen del orgullo. Nuestra tendencia como pecadores es a ser egoístas. Tendemos a luchar por tener contentamiento y llegamos a cada situación cargados con nuestros propios deseos.

Cuando me levanto por la mañana, ¡la primera persona en la que suelo pensar es en mí mismo! Ya estoy repleto de mis propios deseos, ensayando en mi mente cómo quiero que vaya el día. Cuando me siento en mi oficina y el teléfono suena, a menudo pienso: "¿Y ahora *qué*?", temeroso de que alguien vaya a interferir con mis planes. En la noche, cuando voy conduciendo de camino a casa, frecuentemente me encuentro soñando acerca de lo que quiero que pase esa noche, preguntándome con qué desastres llegarán los demás a casa, arruinando así mi sueño. Muchas veces nuestras palabras revelan cuán enfocados estamos en nosotros mismos y cuán decididos estamos a obtener lo que queremos de los demás.

"¡¿Es que acaso no puedo disfrutar de una noche en paz?!", le grita el padre a su hijo, cuando este le pide ayuda en un proyecto que tardará toda la noche. "¡Realmente no creo que me ames!", le dice la esposa a su esposo cuando este sale corriendo por la puerta, ya con retraso y ahora también con enojo y frustración. Sus palabras están enfocadas en ella misma, las dice en el momento inapropiado y se muestra indiferente a las necesidades de su marido. "¡Si no viviera aquí, la mitad de mis problemas estarían resueltos!", gruñe el adolescente que ha sido confrontado por su mala actitud. Impulsado por sus deseos, está lanzando un contraataque a padres que siempre parecen estar interponiéndose en su camino.

En medio de esta lucha, no debemos olvidar el evangelio. Cristo nos llama a participar de una agenda que es superior a nuestros propios placeres. Cristo gobierna todo por nosotros, pero Su gobierno no ha sido establecido para que seamos felices. Somos llamados a someternos a Cristo para que seamos santos y para que nuestra santidad le dé gloria a Él.

La Palabra ha venido y Su control sobre este mundo es glorioso, total, fiel y redentor. Nuestras palabras deben fluir del descanso que hemos encontrado en Su gobierno.

Los recursos de Cristo son nuestra única esperanza de que nuestras palabras sean habladas de acuerdo con Su estándar y con Su diseño. En la Palabra hallamos esperanza cuando todo parece estar perdido; encontramos riquezas cuando nos sentimos pobres; recibimos Su poder cuando vemos nuestras debilidades; y recordamos Su gobierno cuando todo a nuestro alrededor parece estar fuera de control.

El evangelio y tus palabras

La conversación saludable del cuerpo de Cristo en el hogar, en la iglesia o en el trabajo está enraizada en las gloriosas realidades del evangelio. La Palabra ha venido y nos ha traído todo lo que necesitamos para vivir una vida caracterizada por una comunicación piadosa. Gracias a que Cristo ha venido, tenemos la esperanza de que nuestras palabras puedan seguir el patrón del Gran orador en lugar del patrón del gran engañador. Ha venido para salvarnos de todo el daño que provocó la caída, ese momento en que el don maravilloso de la comunicación se convirtió en un terrible mundo de problemas. Cristo ha venido a dominar lo que el hombre nunca podrá dominar. Él ha venido a utilizar lo que parece inutilizable para lograr Sus propósitos. Ha venido para darnos riquezas gloriosas y un poder incomparable para que nuestras lenguas puedan ser utilizadas como Sus instrumentos de justicia. Nuestro mundo de palabras no tiene que ser un mundo de problemas por esta sencilla y confiable razón: la Palabra ha venido.

Examínate

Cristo y tus palabras

Examina tu comunicación con otros durante esta semana. ¿Fue construida sobre el firme cimiento que Cristo estableció para nosotros? Por ejemplo:

1. ¿Admites humildemente tu incapacidad y procuras la ayuda del Señor antes de enfrentarte a momentos importantes de comunicación?
2. En tus principales relaciones, ¿estás queriendo lograr con palabras lo que solo el Señor puede hacer por Su gracia y poder?
3. ¿Caes en la desesperanza de tal forma que renuncias a hablar cuando tus palabras son necesarias, o caes en patrones pecaminosos de conversación?
4. ¿Estás dispuesto a admitir tus debilidades en cuanto a la comunicación; a reconocer temas recurrentes; a confesarle tus pecados a Dios y a quienes has ofendido; y a comprometerte con nuevos patrones de conversación? (Todo esto sucede cuando nos aferramos a la promesa de Cristo de que Su poder se perfecciona en nuestra debilidad).
5. ¿Eres capaz de considerar humildemente lo que otros te señalan como pecaminoso en tus palabras? ¿O niegas, racionalizas, pagas con la misma moneda, culpas a otros, te quedas estancado en tus fracasos?
6. ¿Le agradeces diariamente al Señor por Su provisión y por la esperanza que te da para poder hablar de una manera que bendiga a otros y le glorifique?

Lee Efesios 1:15-23. Pídele al Señor que abra tus ojos a los beneficios gloriosos de la obra de Cristo y a la esperanza que Él te ofrece en cuanto al uso de tus palabras. Pídele que te muestre cómo necesitas cambiar y da ese paso de fe. Finalmente, descansa en la realidad de lo que Juan dice acerca de la Palabra: "De Su plenitud todos hemos recibido gracia sobre gracia" (Jn 1:16), y cree que Su inagotable río de gracia puede cambiar radicalmente tu mundo de palabras.

4

Palabras idolátricas

¿De dónde vienen las guerras y las peleas entre ustedes?... No consiguen lo que desean, entonces discuten y luchan (Santiago 4:1-2 RVC)

maginemos que es una mañana entre semana y estoy sentado en mi oficina pensando en mi bella esposa. Me doy cuenta de lo bendecido que he sido todos estos años al estar casado con una mujer como ella. Reflexiono sobre el hecho de que le pedí que se casara conmigo cuando yo solo tenía diecisiete años, ¡un adolescente! Me doy cuenta de que en aquel entonces no tenía la madurez para tomar una decisión tan seria, y que mi matrimonio hoy es un testimonio del amor y de la gracia del Señor.

Al estar en mi oficina, también pienso cuán difícil es para Luella y para mí tener tiempo para nosotros dos. Tenemos cuatro hijos que aún viven en casa: dos que van a la universidad en nuestra ciudad, una hija en la preparatoria y un hijo en la primaria. ¡No hace falta decir que no hay mucha tranquilidad en nuestro hogar! Ya hace tiempo que pasaron aquellos días en que acostábamos a los niños y pasábamos tiempo juntos. Ahora, cuando decidimos irnos a la cama, nuestros hijos siempre se quedan despiertos. De hecho, mis hijos a menudo me despiertan cuando estoy dormitando con el periódico y me preguntan que por qué no me voy a la cama. Tal como solía hacer mi padre, instintivamente declaro que no estoy durmiendo. Pero recientemente, mi hijo me respondió que estaba seguro de que estaba durmiendo, ¡por la baba que había caído en el periódico!

En fin, mientras estoy pensando en Luella, dándole gracias a Dios por ella y lamentándome por las presiones de la vida familiar que nos mantienen alejados, decidí sorprenderla esa noche invitándola a cenar al restaurante que ella eligiera. Me emociona la idea, ¡y estoy seguro de que a ella también le gustará! Cuando llega mi hora de almuerzo, voy al centro comercial para comprarle su perfume favorito como un gesto de mi amor por ella.

A medida que va avanzando la tarde, voy sintiéndome cada vez más emocionado por la salida con mi esposa. Sueño despierto acerca de cómo será la noche. Así es más o menos como me la imagino: Conduzco hasta la casa, salto por la escalinata, abro la puerta de par en par y encuentro a Luella esperándome. Ella dice: "¡Paul, por fin llegaste! Te he estado esperando. Cómo anhelo cada tarde tu llegada". (¡Ya puedes notar de quién es esta fantasía!). Le respondo: "He estado pensando todo el día en cuánto te amo, y en lo bendecido que soy de que seas mi esposa. Y tengo una gran idea: ¡Salgamos a cenar solo nosotros dos; tú escoges el restaurante!". Ella responde: "¡A la mayoría de las mujeres que conozco les encantaría estar casadas con un hombre como tú!". Entonces le digo: "Ah, ¡y hay otra sorpresa!", y saco el perfume de mi bolsillo. "Te compré tu perfume favorito". Ella responde: "Bendición sobre bendición, ¡esto es demasiado!". "Voy a subir para alistarme. No puedo pensar en algo que quisiera hacer más que salir contigo". La tarde vuela mientras repito una y otra vez en mi mente la sorpresa para mi esposa.

Ahora imaginémonos que ya terminé de trabajar y que voy rumbo a casa. A estas alturas, ya estoy totalmente cautivado por la idea de salir con Luella. Estoy totalmente convencido de que ella también pensará que es una idea maravillosa. Voy cantando de camino a casa, sin recordar los semáforos que pasé o las vueltas que di. Me estaciono frente a la casa, subo la escalinata, y abro la puerta… ¡pero no hay nadie allí! De todas maneras, mi entusiasmo sigue siendo el mismo.

Entro al comedor y escucho unas voces que vienen de la cocina. No son voces felices. En la cocina encuentro a Luella parada entre nuestros dos hijos mayores, siendo el árbitro de una discusión. No puedo contener mi emoción y no espero a que se detenga la acción. Simplemente digo: "¡Luella, tengo una gran idea!". Ni siquiera se dan cuenta de que estoy allí. Vuelvo a dar mi anuncio y esta vez Luella responde: "¿Dijiste algo?". Con toda mi emoción, le digo "¡Sí! Me he pasado el día pensando en ti, y tengo una gran idea. ¿Por qué no salimos a cenar solo nosotros dos esta noche? Tú escoges el restaurante y yo haré las reservaciones mientras te alistas".

Me mira por un momento y luego responde con un suspiro. Esa no es una respuesta positiva. Lo intento de nuevo, diciéndole: "Quizá no me entendiste. Quiero llevarte a tu restaurante favorito para tener una noche especial, solo tú y yo". Luella vuelve a suspirar (¡esto no pinta nada bien!), y entonces empieza a hablar: "¿Tienes idea de cómo ha sido mi día? Me siento como si hubiera sido el único negociador de paz en medio de la Tercera Guerra Mundial. Estoy totalmente exhausta, física y mentalmente. No tengo ganas ni de pensar en que me tengo que vestir para salir a un restaurante elegante. Aprecio que pienses en mí y que me ames, pero tengo una mejor idea. ¿Por qué no tomas el dinero que ibas a usar y llevas a los muchachos a cenar pizza o algo así? Así puedes pasar tiempo con ellos y yo puedo darme un baño caliente e irme a dormir temprano".

No puedo creer lo que estoy escuchando. Le respondo: "Dios te ha bendecido con un esposo que te ama, un esposo que piensa en ti, y que realmente quiere estar contigo, y ¿así es como respondes? Por supuesto, la idea del baño caliente es genial para ti, pero ¿qué hay de mí? ¿Sabes qué pasa con las bendiciones que Dios te da cuando no les das un uso apropiado? ¿Sabes cuántas mujeres quisieran estar casadas con un hombre como yo? ¡Nunca tendremos la relación que Dios quiere que tengamos si no estamos comprometidos los dos a esforzarnos para lograrlo! Parece que solo tenemos una cosa en común: Yo me preocupo por ti, ¡y *tú* te preocupas por ti! Claro, ¡me llevaré a los chicos si eso es lo que quieres! Nos iremos un buen rato. ¡Quizá vayamos a comprar pizza en Ohio!" (Vivimos en Filadelfia). Disfruta y remójate hasta que te arrugues; y por cierto, échale un poco de esto al agua", le digo mientras saco la botella de perfume. "Pero más te vale que pienses en nuestra relación y evalúes la seriedad de tu compromiso".

Esta situación inventada (afortunadamente) es demasiado familiar para muchos de nosotros. ¿Qué fue lo que falló? ¿Cómo es que una idea nacida de la gratitud a Dios y el amor por mi esposa puede terminar en tanto enojo y acusación? ¿Cómo fue que esa persona que tanto amaba se convirtió en la receptora de tanta ira? ¿Qué fue lo que desató toda esta culpa, manipulación, soberbia y acusación? Es fácil ver que el problema aquí no se limita a técnicas de comunicación. No es difícil lograr que los demás me escuchen, ni tampoco encontrar palabras que expresen mis ideas. Algo mucho más profundo está ocurriendo aquí. Permítanme decirlo en una frase y luego explicarlo: El problema con mis palabras es que son *palabras idolátricas*. Muchos de nuestros problemas de comunicación ocurren porque usamos palabras idolátricas.

Raíz y fruto

Para que entiendas lo que quiero decir, vamos a ver dos pasajes, comenzando con las palabras de Cristo en Lucas 6:43-45:

> Ningún árbol bueno da fruto malo; tampoco da buen fruto el árbol malo. A cada árbol se le reconoce por su propio fruto. No se recogen higos de los espinos ni se cosechan uvas de las zarzas. El que es bueno, de la bondad que atesora en el corazón produce el bien; pero el que es malo, de su maldad produce el mal, porque de lo que abunda en el corazón habla la boca.

Jesús usa una metáfora con la que estamos bien familiarizados: un árbol. Existe una conexión orgánica entre las raíces de un árbol y el fruto que produce. Lo mismo ocurre con nuestras palabras. Son el fruto de los asuntos de las raíces que hay en nuestros corazones. Los problemas con las palabras siempre están relacionados con los problemas del corazón. Es por esto que no resolveremos nuestros problemas de comunicación lidiando solamente con nuestras palabras, igual que no resolveríamos un problema de producción de una planta lidiando solamente con el fruto. Si una planta no está dando fruto, entonces existe un problema con el sistema mismo de la planta, y hay que llegar hasta las raíces.

La brillante metáfora de Jesús revela que nuestras palabras son moldeadas y controladas por los pensamientos y motivos de nuestro propio corazón. Es muy tentador culpar a otros ("Ella me irrita tanto", o: "Él me saca de mis casillas") o culpar a las circunstancias ("Simplemente no tuve tiempo suficiente para discutirlo con calma", o: "Cuando tienes cuatro hijos en la casa y todos hablan a la vez, las respuestas suaves no funcionan"). Cristo dice que las palabras de una persona salen "de la abundancia del corazón". En la historia con la que empecé este capítulo resultaba tentador culpar a Luella por mi egoísmo, mi enojo y mis palabras hirientes. Estaba tratando de decir que me había enojado porque ella estaba siendo egoísta, pero Cristo diría que no. Luella no causó mis palabras. Ella fue sencillamente la ocasión, el gatillo, para que mi corazón se expresara. Mis palabras revelaron los verdaderos deseos de *mi* corazón.

Si queremos entender nuestros problemas con las palabras, debemos comenzar con el corazón. Nuestras lenguas son un mal irrefrenable *porque* el "corazón es engañoso y perverso, más que todas las cosas. ¿Quién puede decir que lo conoce?" (Jer 17:9). Los problemas con las palabras revelan los problemas del corazón. La gente y las situaciones que nos rodean *no* nos hacen decir lo que decimos; son solo la *ocasión* para que nuestros corazones se revelen con palabras.

Susana y Jaime ilustraron este problema mientras se miraban el uno al otro con enojo en mi oficina. Tuve que intervenir una vez más para tomar el control de la conversación, que había pasado de ser un simple recuento de la semana a un bombardeo de acusaciones. Esto parecía ocurrir cada vez que intentaban hablar.

¿Tenían problemas serios de comunicación? ¡Sí! ¿Hay principios bíblicos relacionados con la manera en que se hablaban el uno al otro? ¡Por supuesto! Pero su incapacidad para tener una conversación sana, amorosa, prudente y de edificación mutua revelaba poderosamente la raíz de su problema. Hasta que no lidiaran con lo que estaba ocurriendo en sus corazones, nunca iban a estar dentro de los límites que Dios ha establecido para la comunicación.

Recuerdo vívidamente el día en que Susana le dijo a Jaime: "Por años te he culpado por nuestra incapacidad de hablar. Me he quejado con mis amigas acerca de lo duro que eres. Pero en esta semana Dios me ha mostrado que tengo años sintiendo amargura contra ti. He llevado un registro de tus errores y he mirado con ojos críticos todo lo que has hecho. Hoy he comprendido que mientras continúe odiándote en mi corazón, no podré amarte con mi boca". Este entendimiento, dado por Dios, hizo que Jaime también confesara pecados similares que habían en su corazón. Y en su confesión mutua, Jaime y Susana establecieron el cimiento para un cambio duradero en su comunicación.

El problema con las palabras que le dije a mi esposa en la historia del principio radicaba en que esas palabras eran idolátricas. Revelaban el verdadero amor que dominaba mi corazón, el cual no era Luella; ¡era yo mismo! Un corazón idolátrico producirá palabras idolátricas.

Deseos gobernantes

¿Qué es un deseo gobernante? Santiago 4 nos ayuda a entenderlo:

¿De dónde surgen las guerras y los conflictos entre ustedes? ¿No es precisamente de las pasiones que luchan dentro de ustedes mismos? Desean algo y no lo consiguen. Matan y sienten envidia, y no pueden obtener lo que quieren. Riñen y se hacen la guerra. No tienen, porque no piden. Y cuando piden, no reciben porque piden con malas intenciones, para satisfacer sus propias pasiones.

¡Oh gente adúltera! ¿No saben que la amistad con el mundo es enemistad con Dios? Si alguien quiere ser amigo del mundo se vuelve enemigo de Dios. ¿O creen que la Escritura dice en vano que Dios ama celosamente al espíritu que hizo morar en nosotros? Pero Él nos da mayor ayuda con Su gracia. Por eso dice la Escritura: "Dios se opone a los orgullosos, pero da gracia a los humildes".

Así que sométanse a Dios. Resistan al diablo, y él huirá de ustedes. Acérquense a Dios, y Él se acercará a ustedes. ¡Pecadores, límpiense las manos! ¡Ustedes los inconstantes, purifiquen su corazón! Reconozcan sus miserias, lloren y laméntense. Que su risa se convierta en llanto, y su alegría en tristeza. Humíllense delante del Señor, y Él los exaltará (1-10).

Cuando Santiago pregunta por qué hablamos palabras conflictivas o por qué somos mejores promoviendo la guerra que la paz, no responde a su pregunta de esta manera: "¿De dónde surgen las guerras y los conflictos entre ustedes? *¿No vienen de su falta de habilidad para resolver conflictos? Ustedes quieren evitar los conflictos, pero no han aprendido las estrategias y técnicas para ser exitosos en ello*". No, Santiago va en una dirección radicalmente diferente. Nos lleva a examinar los deseos de *nuestros propios corazones*. Lo que digo está directamente relacionado con lo que quiero. Mis palabras son los medios que uso para obtener lo que es importante para mí.

Consideremos de nuevo las palabras específicas de este pasaje. Santiago dice: "¿De dónde surgen las guerras y los conflictos entre ustedes? ¿No es precisamente de las pasiones que luchan dentro de ustedes mismos? Desean algo y no lo consiguen" (4:1-2). De acuerdo con Santiago, los pleitos son causados por deseos que están luchando en nuestros corazones. Ahora bien, tenemos que ser cuidadosos con esto. Santiago no está diciendo que *desear* esté mal. Cuando dejemos de desear, estaremos muertos. Siempre desearemos algo. También notemos que Santiago no dice que el problema sean los *malos* deseos, es decir, que estemos deseando cosas que sean malas en sí mismas.

Volvamos a la historia de mi deseo de pasar tiempo con mi esposa. El problema no fue que lo deseara. Ese deseo era natural, bueno y saludable. El problema tampoco fue que tuviera una especie de deseo malvado hacia mi esposa. El deseo original de estar con ella nació de un aprecio sincero hacia ella y de una gratitud hacia Dios. Santiago no está diciendo que está mal desear ni que el problema es que estamos deseando cosas malas. Entonces, ¿*cuál* es el problema?

La respuesta la encontramos en esta frase clave: "las pasiones *que luchan* dentro de ustedes mismos". Hay una guerra en nuestros corazones, una guerra por el control. Santiago está diciendo que cuando hay deseos luchando por ganar terreno en nuestros corazones, esto afectará la manera en que nos relacionamos con los que nos rodean. Lo que sea que domine nuestros corazones, controlará nuestras palabras. De hecho, podríamos decir que si cierto deseo está controlando mi corazón, solo hay dos maneras en las que puedo responderte. Si me ayudas a obtener lo que quiero, te apreciaré y disfrutaré de tu compañía. Pero si eres un obstáculo para conseguirlo, experimentaré (y probablemente expresaré) enojo cuando estés a mí lado. Quiero algo, pero por ti no lo puedo obtener, ¡así que me quejaré y pelearé!

En nuestra historia, me sucedió algo importante durante el día. Un buen deseo de pasar tiempo con mi esposa combatió en mi corazón *hasta que tomó el control*. Mis deseos personales batallaron por la autoridad que solo Dios debe ejercer sobre mi corazón. Cuando Dios ya no gobernaba funcionalmente mi corazón, el deseo escaló a otro nivel. Para cuando llegué a la casa, el deseo que me motivaba ya no era una expresión de amor hacia Luella ni de adoración a Dios. No; se había convertido en una expresión de amor a mí mismo. Ya no estaba buscando una manera de servir a Luella, de comunicarle mi amor y aprecio. En lugar de eso, quería poseerla para mi propio placer. El problema es que no vi que el deseo original se había transformado en algo muy diferente.

De hecho, si mi motivación hubiera sido mi amor hacia Luella, hubiera tenido una oportunidad maravillosa de expresarle ese amor, regalándole una noche tranquila para que descansara. Además, hubiera tenido una oportunidad maravillosa de servir a Dios al enseñarle a mis hijos, con mi ejemplo, cómo buscar maneras de amar a su prójimo como a sí mismos. Pero ya no estaba buscando expresar mi amor y aprecio por Luella. La quería para mí y no le estaba dando otra opción, porque mi deseo se había convertido en una exigencia. En ese momento, mi corazón estaba siendo controlado por mi deseo y no por Dios. Esto es lo que la Escritura llama un ídolo. La idolatría ocurre cuando mi corazón es controlado o gobernado por cualquier cosa que no sea Dios.

Esto nos ocurre más de lo que pensamos. El deseo de tener éxito en el trabajo nos lleva a exigir el aprecio de nuestro jefe. El deseo de tener suficiente dinero para pagar las cuentas se convierte en codicia por las riquezas. El deseo de ser un buen padre se convierte en un deseo de tener hijos que mejoren mi reputación. El deseo de una amistad se convierte en una exigencia de ser aceptado y el consecuente enojo si no lo soy. Lo que una vez fue un deseo saludable, *toma el control*; y cuando esto ocurre, el deseo que me motivaba inicialmente se transforma en algo muy diferente. En vez de ser motivado por el amor a Dios y a mi prójimo, lo que me motiva es conseguir lo que me da placer, y me enojo con todo el que me estorbe.

La elevación del deseo

Un corazón idólatra producirá palabras idólatricas; palabras que sirven al ídolo que nos tiene atrapados. Nos cuesta tener deseos sin apegarnos demasiado a ellos. La realidad es que suelen apoderarse de nosotros. Tendemos a elevar nuestros deseos a una posición en la que nunca deberían estar. Esto es lo que sucede: un *deseo* lucha por el control hasta que se convierte en una *exigencia*. La *exigencia* luego es expresada (y usualmente experimentada) como una *necesidad* ("Necesito sexo"; "Necesito respeto"). Mi sentido de *necesidad* crea mi *expectativa*. Cuando la *expectativa* no es satisfecha, me lleva a la *decepción*. La *decepción* conduce a alguna especie de *castigo*. "Desean algo y no lo consiguen. Riñen y se hacen la guerra". Por eso cuando Santiago dice: "¡Oh almas adúlteras!", no está cambiando de tema. Está diciendo algo muy significativo. El adulterio ocurre cuando le doy a otro el amor que le prometí a una persona. El adulterio espiritual ocurre cuando le doy a otra persona o a otra cosa el amor que solo le pertenece a Dios. ¡Santiago está diciendo que el *conflicto humano está enraizado en el adulterio espiritual*! Eso fue lo que ocurrió en mi corazón cuando estaba planificando la noche. ¡Piénsalo! No resolveremos nuestro problema con las palabras airadas hasta que nos humillemos y lidiemos con el adulterio y con la idolatría que hay en nuestros corazones.

Santiago nos ha subido el listón. Tal vez esto no te parezca muy consolador, pero, al hacerlo, nos muestra la única solución que *realmente* va al corazón del problema. La promesa del evangelio tiene un alcance mucho más profundo que cualquier técnica o estrategia que podamos implementar. Su objetivo no es simplemente lograr un momento de calma en medio de nuestras tormentas de palabras. El evangelio nos promete un corazón nuevo; uno que ya no es esclavo de las pasiones ni los deseos de la naturaleza pecaminosa. Así que para Jaime y Susana, para Paul y Luella, hay esperanza de que haya un cambio real y duradero.

¿Cómo empieza este cambio? Necesitamos atender a las palabras de Santiago: "Así que sométanse a Dios". El cambio empieza en el corazón. Debemos renunciar a los ídolos que han reemplazado a Dios y devolverle nuestros corazones a Él. Solo así nuestras palabras reflejarán un corazón gobernado únicamente por Dios. Para Santiago, este cambio debe ser percibido de dos formas. Debemos "limpiar nuestras manos", es decir, debe haber un cambio en nuestro comportamiento. Tenemos que evaluar las palabras que decimos, cómo las decimos y cuándo las decimos, y hacer los cambios que necesarios. Pero esto no es suficiente. Santiago también dice: "Purifiquen su corazón". Nuestros pensamientos y motivaciones deben cambiar por igual. Necesitamos cambiar el contenido y la forma de nuestro hablar, y eso implica un cambio en aquello que controla nuestros corazones.

El gran intercambio

Para cuando llegué a la cocina en aquella tarde imaginaria ya había ocurrido un intercambio significativo. Sin darme cuenta, había intercambiado la gratitud a Dios y el amor a mi esposa por una adoración del *yo* y una exigencia de que mi esposa me sirviera. Entré a la cocina asumiendo que mi plan se iba a dar, sí o sí. Ya no se trataba de un deseo que honraba a Dios, sino de una exigencia que quería parecer una necesidad. Pensaba que lo más lógico era que Luella apoyara mi idea y que corriera a alistarse. Al ver que ella no estaba de acuerdo, inmediatamente me enojé e hice todo lo que pude para que accediera a mis deseos. La persona que había sido el objeto de mi amor ahora parecía ser la causa de mi enojo. Pero ella no fue la que causó mi enojo, sino que este surgió de mis propios deseos idolátricos. De nuevo, esos deseos no eran malos en sí mismos. Pero cuando esos deseos empezaron a gobernarme, reemplazaron a Dios como el gobernador de mi corazón. Aunque mis palabras fueron egoístas, airadas y manipuladoras, el problema más serio estaba en que tales palabras eran idolátricas. Romanos 1 nos aclara este asunto: "Cambiaron la verdad de Dios por la mentira, adorando y sirviendo a los seres creados antes que al Creador, quien es bendito por siempre. Amén" (v. 25).

La palabra clave aquí es *"cambiaron"*. En esto consiste fundamentalmente el pecado. En el corazón de todo pecador hay una tendencia a intercambiar la adoración y el servicio al Creador por una adoración y un servicio a las cosas creadas. Todos los seres humanos somos adoradores; el asunto está en qué o a quién adoramos. La idolatría le ofrece a algún aspecto de la creación la adoración que le pertenece exclusivamente a Dios. Puede ser un anhelo por recibir amor, respeto, aprecio o admiración de los demás. Puede ser cierta persona, posición, estado económico o situación de vida. Hay un sinfín de cosas creadas que pueden reemplazar a Dios como el objeto de nuestra adoración.

Hay una migración constante en el corazón de cada pecador que lo aleja de la adoración y del servicio a Dios y lo lleva a la adoración y al servicio de algún aspecto de la creación. Puede ser una migración que ha durado toda la vida—es decir, puede que toda la vida de una persona esté caracterizada por la idolatría de su corazón—o puede ser más espontánea y de corta duración, como en la historia del principio. En esta historia, un deseo tomó el control por unas cuantas horas, pero aun así causó estragos.

Poniendo la comunicación en el cajón correcto

Lo que estamos considerando es la esencia de la guerra de palabras. La Escritura nos dice que si queremos ver un cambio duradero en nuestra comunicación, debemos comenzar desde adentro. La única forma de ser librados de nuestras palabras idolátricas es lidiando con la idolatría que hay en nuestros corazones. Como dijimos en el primer capítulo, Dios es el Señor y Creador del lenguaje humano. Todas nuestras palabras deben reflejar Su propósito y Su gloria. Cualquier cosa inferior a esto es idolatría.

Hay una pieza final de sabiduría bíblica que nos ayudará con esto. Los fariseos trataron de enredar a Cristo preguntándole cuál era el más grande mandamiento de la ley. Su respuesta es uno de los pasajes más significativos de la Escritura (ver Mt 22:37-40). Cristo dice que puedes resumir toda la enseñanza de la Escritura en dos áreas: amor a Dios y amor al prójimo; pero esto nos dice otra cosa importante. Aquí hay un *orden* de importancia: el amor a Dios es el fundamento de todo lo demás. Si no amas a Dios sobre todas las cosas, no amarás a tu prójimo como a ti mismo. Cualquier falta de amor hacia el prójimo manifestada con palabras o hechos refleja que hay una deficiencia en nuestro amor a Dios (ver 1Jn 4:5-21). Es por esto que Santiago dice que el conflicto humano está enraizado en el adulterio espiritual.

Las declaraciones de Jesús tienen que ver con uno de los principales errores que la iglesia tiende a cometer cuando trata con el tema de la comunicación. Cristo dice que hay dos cajones en el archivador de Dios: el primer cajón dice "Amor a Dios"; y el segundo, "Amor al prójimo". Todas las enseñanzas que encontramos en la Escritura pueden ser archivadas en uno de estos dos cajones. Nuestro error ha sido tratar los asuntos de comunicación como si pertenecieran únicamente al segundo cajón. Cuando lidiamos con problemas de comunicación en matrimonios y familias, en la crianza de los hijos, entre amistades, en la comunidad y en el cuerpo de Cristo, solemos ir directamente hacia los principios y mandatos bíblicos que hablan acerca de esos temas, sin examinar los pasajes que hablan del corazón que está detrás de esos principios. Al hacer esto, estamos ignorando esos asuntos del corazón que deben tratarse para poder obedecer esos pasajes. Las palabras que cumplen con el estándar y el diseño de Dios siempre salen de un corazón que ama a Dios sobre todas las cosas y que, por tanto, quiere hablarle a su prójimo con amor.

La comunicación va en ambos cajones. Si no identificamos lo que realmente amamos, lo que realmente gobierna nuestros corazones, nunca seremos capaces de hablar entre nosotros como Dios nos llama a hacerlo.

Debemos comenzar con el corazón porque, tal como dijo Cristo en Lucas 6, de la abundancia del corazón habla nuestra boca. Y como nos ha dicho Santiago, peleamos debido a los deseos que han tomado el control. Nuestras palabras son una de las formas en las que buscamos ganar, mantener y salvaguardar lo que es verdaderamente importante para nosotros, lo que realmente deseamos y lo que en la práctica es nuestra verdadera razón de vivir. Si queremos que nuestras palabras idolátricas se conviertan en palabras que honren a Dios, debemos comenzar examinando nuestros corazones con humildad. ¿A qué o a quién estamos realmente sirviendo?

¿Cómo te sientes al leer esto? Quizás estás pensando: "Genial, Paul, ¡comencé con un problema y ahora tengo dos! Nunca vi mis palabras conflictivas y agresivas como una ofensa hacia Dios. ¡Ahora sí que estoy desanimado!". Pero no te desanimes. Dios nunca nos revela nuestros corazones para desanimarnos. La convicción de pecado es una de las formas más profundas en que Él nos muestra Su amor por nosotros. El está comprometido a completar Su obra en nosotros. No permitirá que vivamos con corazones que estén esclavizados. Él obra en cada situación para que conozcamos la libertad que Su muerte compró por nosotros. Por eso no solo expone el fruto (palabras incorrectas), sino también la raíz de nuestro pecado (los ídolos del corazón). La convicción de nuestros corazones es una señal de que somos Sus hijos amados, quienes no solo han sido perdonados por sus pecados, sino que también están en el proceso de ser liberados de ellos.

¡No te desanimes! Tu Redentor ha venido. Él está luchando a tu favor en cada situación, en cada relación, para que puedas ganar la guerra de palabras.

Examínate

Llegando al corazón de los problemas de comunicación

¿De qué manera tiendes a culpar a las cosas externas a ti por tus problemas de comunicación? (¡En este mundo caído siempre habrá una forma de echarle la culpa al otro!).

1. ¿Tiendes a culpar a las *situaciones* por tu comunicación negativa?
   - tráfico
   - horario
   - finanzas
   - clima
   - vehículo
   - trabajo
   - familia

2. ¿Tiendes a culpar a *otros*?
   - cónyuge
   - hijos
   - padres
   - jefe
   - compañeros de trabajo
   - cuerpo de Cristo

3. ¿Tiendes a culpar a Dios? "Si tan solo tuviera…
   - más dinero".
   - un cónyuge más comprensivo".
   - una mejor educación".
   - un pastor más comprensivo".
   - una iglesia más comprensiva".
   - hijos más obedientes".
   - familiares más amorosos y comprensivos".
   - mejores vecinos".
   - un jefe más sensato".

Examina tu corazón con esperanza, recordando que "si confesamos nuestros pecados, Dios, que es fiel y justo, nos los perdonará y nos limpiará de toda maldad" (1Jn 1:9).

PARTE DOS

Una nueva agenda
para nuestra conversación

Reconoce [al Señor] en todos tus caminos,
y Él allanará tus sendas (Proverbios 3:6).

Oh, Dios, he estado
a la sombra de montañas,
en el borde de océanos,
bajo una cubierta de nubes,
debajo de grandes árboles—
y he aprendido de Tu grandeza.

Oh, Señor, he tocado
los dedos de un bebé,
las plumas de un canario,
los pétalos de una rosa,
la espuma de un jabón—
y al hacerlo, recordé Tu gentileza.

Oh, Padre, he conocido
la verdadera amistad,
las alegrías del amor,
el cuidado incondicional,
la consideración sin restricciones—
y he pensado en Tu bondad.

Oh, Dios grande, bueno y gentil,
haz algo grande, bueno y gentil
hoy a través de mí,
para que otros también
pueden saber más de Ti.
Te lo suplico
en el nombre de Cristo.
Amén.

5

Él es el Rey

[Cristo está] muy por encima de todo principado,
autoridad, poder y señorío... (Efesios 1:21)

Te pregunto: ¿Alguna vez has sentido que tu cerebro está tan lleno de ideas que parece que va a explotar si entra un solo pensamiento más? Así me sentí estando en un barrio pobre de Nueva Delhi, India. Estaba allí para ver el trabajo de los líderes misioneros que había ido a entrenar. Las experiencias de los días anteriores habían llenado mi mente hasta el punto de sobrecargarla. El sol brillaba y los niños jugaban en la calle, pero esta realidad era muy diferente a la mía. Estaba sobrecogido por la extrema pobreza que estaba ante mis ojos; todavía me cuesta describirla adecuadamente. Estaba sobrecogido por la oscuridad espiritual—tan grande, tan profunda y tan abrumadora como si fuera una nube sobre nosotros.

Vi madres hambrientas sosteniendo a niños enfermos, muy delgados e infestados de moscas. Vi mendigos ancianos que en toda su vida solo habían tenido unos cuantos momentos sin sufrimiento físico ni necesidad. Vi lugares que ellos llamaban hogares que yo no hubiera usado ni para guardar una cortadora de césped. Vi a un sacerdote joven, de buen aspecto e intelectual, arrodillándose ante un ídolo de madera. Escuché a un gurú defender sus diecisiete años de búsqueda de iluminación; una iluminación que, según él admitió, no había ocurrido y no parecía muy cercana. Fui conmovido al ver a niños de diez y once años, a miles de kilómetros de casa, viviendo en un *ashram* (un monasterio hindú). Fui impactado al ver a una familia que había viajado más de seiscientos kilómetros, mayormente a pie, para ir a un lugar sagrado y rendirle homenaje a sus dioses.

Mi cerebro estaba lleno—no solo de imágenes y de experiencias, sino también de reconocer la gran diferencia entre las vidas que estaba viendo y mi vida. Por un lado, estas personas aparentaban ser gente como yo. Se reían y lloraban; tenían esperanzas y sueños; tenían familias, amigos y casas de algún tipo. Había cosas en las que creían y otras en las que no. Cada día se levantaban, teniendo lugares a los cuales ir y cosas por hacer. No obstante, y al mismo tiempo, nuestras vidas eran tan diferentes que parecía que fuéramos de dos universos completamente distintos. Y fue allí, estando en ese barrio esa mañana soleada, que lo entendí. Había una sola explicación para esa diferencia abismal entre nuestras vidas: Dios. Esa era la respuesta, ¡y ninguna otra!

No sé cuando he sido más consciente de la soberanía absoluta de Dios de como lo estuve en ese momento. No había otra explicación posible. Dios es quien elige nuestro lugar de nacimiento, familia y condiciones de vida. ¡Yo pude haber nacido en ese barrio! ¡No fue debido a *mi* sabiduría que nací en Ohio! Esa fue la elección de un Dios soberano. La elección de quién entenderá la verdad y quién se aferrará a la falsedad le pertenece únicamente a Dios. Yo pude haber sido aquel joven sacerdote, el cual no estaba allí porque era tonto. Fue Dios quien hizo que yo naciera en una familia de creyentes, quien planeó que a la edad de nueve años me cautivaran las palabras de Romanos 3 y quien determinó que yo tuviera la oportunidad de pasar mi vida estudiando y enseñando la Palabra de Dios, y no adorando una imagen de madera. Las palabras de Romanos 11:33-36 inundaron mi mente:

¡Qué profundas son las riquezas de la sabiduría y del conocimiento de Dios! ¡Qué indescifrables Sus juicios e impenetrables Sus caminos! ¿Quién ha conocido la mente del Señor, o quién ha sido Su consejero? ¿Quién le ha dado primero a Dios, para que luego Dios le pague? Porque todas las cosas proceden de Él, y existen por Él y para Él. ¡A Él sea la gloria por siempre! Amén.

Tal vez te estás preguntando qué tiene que ver todo esto con la comunicación. Mi respuesta es que una vida de comunicación piadosa está enraizada en un reconocimiento personal de la soberanía de Dios. Permíteme decirlo de esta manera: Solo cuando me someta al gobierno de Dios, quien tiene un *plan perfecto* y un *control absoluto*, podré comenzar a vivir y a hablar como Él quiere que lo haga. Solo así podré destruir la idolatría de mi corazón que conduce a las palabras idólatricas. Solo así podré dejar de utilizar mis palabras como herramientas para *mis* planes, *mis* intentos de controlar y *mi* búsqueda de gloria personal.

Cuando mi corazón está más controlado por un deseo hacia algo creado (una persona, una posesión, una posición o una experiencia) que por un deseo hacia el Creador, buscaré controlar mi mundo (y a los que estén en él) para conseguir lo que quiero. Unos padres le dicen que no a su hijo adolescente, y él les grita: "No los soporto a ustedes ni a sus reglas". El esposo quiere que se hagan las cosas a su manera y arrincona a su esposa con argumentos. La esposa quiere convencer a su marido haciéndole sentir culpable. El manipulador usa la adulación para conseguir lo que quiere de un amigo. Ninguno de ellos descansa en la soberanía de Dios, pues no creen que Él les dará lo que es mejor.

Sin embargo, cuando entendemos la soberanía de Dios y nos sometemos a Su gobierno, podemos vivir y hablar como Dios lo ha diseñado. Esto es el polo opuesto de vivir y hablar *de acuerdo con nuestro plan, por nuestro control* y *para nuestra propia gloria*. Tal interés en nosotros mismos es lo que hace que nuestro hablar sea tan problemático. La guerra de palabras es, a fin de cuentas, una guerra por la soberanía.

Quizá es por esto que fantasear es una tentación universal. Cuando fantaseo, me traslado a mundos que yo mismo construyo, donde yo gobierno como el soberano absoluto. Toda persona hace mi voluntad. Toda situación se desarrolla de acuerdo con mi voluntad. En mi mente, yo funciono como Dios, y reino sin desafíos. *Este* mundo existe para mi placer y funciona exactamente como yo deseo. La fantasía puede ser una de las formas en que buscamos satisfacer un deseo del corazón, de ser señores sobre nuestras circunstancias y relaciones.

Esta lucha por el señorío también se revela en nuestra comunicación. La voluntad de Dios es que nuestro hablar sea para la alabanza de *Su* gloria—una nueva agenda que es muy diferente a la nuestra y que debe emocionarnos. Es por esto que es importante entender lo que la Biblia enseña acerca de la soberanía de Dios. Esta es la piedra angular de esa nueva agenda para nuestras palabras.

Al hablar de esta doctrina, sé que estoy entrando en temas espinosos que van más allá del alcance de las típicas discusiones acerca de la comunicación. Puede que al principio nos cueste un poco ver la conexión entre esto y la manera en que nos comunicamos. Pero les pido que me sigan, porque creo que esta es una de las razones por las que tenemos tantos problemas de comunicación. Vivimos en una cultura eclesiástica que tiende a separar los mandamientos y principios bíblicos del resto de la Escritura. Tomamos versículos específicos acerca de la comunicación y tratamos de aplicarlos a nuestras vidas sin entender la manera en que encajan en la historia y la teología de la Escritura. No vemos el cuadro completo—es decir, cómo el resto de la Escritura es lo que le da tanto el significado como la razón de ser a este mandamiento. Los mandamientos y principios de la Escritura fluyen de la teología de la Escritura. Pero sobre todo, encuentran su esperanza y significado en la persona y la obra de Cristo.

Por ejemplo, la única razón por la que tiene sentido hacerle bien a tu enemigo es que Dios, quien nos dice que lo hagamos, es un Dios de justicia perfecta. El llamado a perdonar está basado en el hecho de que Cristo nos ha perdonado. El llamado a dar sacrificialmente está enraizado en la promesa de que Dios proveerá para todas nuestras necesidades. Cada mandamiento y principio tiene sus raíces en realidades redentoras—lo que Dios ha hecho y hará por nosotros en Cristo. Esto es teología, ¡pero eso no quiere decir que sean conceptos abstractos! La Escritura está llena de teología porque cuando entiendes la verdad acerca de Dios, entiendes *por qué* y *cómo* debes cumplir los mandamientos de la Escritura. Entiendes cómo se conectan tus acciones con lo que Dios está haciendo, y cómo puedes glorificarle realmente.

Entendiendo la soberanía de Dios

¿Qué es lo que la Biblia enseña acerca del gobierno soberano de Dios? Necesitamos entender esta importante doctrina porque las raíces de la comunicación bíblica crecen en el terreno de Su soberanía. Si mis palabras no fluyen de un corazón que descansa en Su control, entonces salen de un corazón que busca tener el control para obtener lo que quiere. Necesito un mejor entendimiento de lo que Dios está haciendo. Cuando la Biblia habla de la soberanía de Dios, quiere decir lo siguiente:

1. Su gobierno absoluto sobre el universo. Dios es el Señor de señores y el Rey de reyes. No tiene igual; no solo es Señor sobre todo gobernante en la tierra, sino que también es Señor sobre los cielos. El universo entero funciona de acuerdo con Su buena voluntad. Nadie le ha enseñado a Dios, nadie le da consejos, nadie tiene derecho a cuestionarlo y nadie puede oponerse a Su voluntad. Él está sentado en el trono del universo, y solo Él reina. Esta verdad la vemos reflejada en las palabras dichas por Nabucodonosor después de que Dios le devolvió la cordura:

> Su dominio es eterno; Su reino permanece para siempre. Ninguno de los pueblos de la tierra merece ser tomado en cuenta. Dios hace lo que quiere con los poderes celestiales y con los pueblos de la tierra. No hay quien se oponga a Su poder ni quien le pida cuentas de Sus actos (Dn 4:34-35).

Ahora bien, ¿qué implicaciones tiene todo esto en mi comunicación? Por un lado, significa que nunca estaré en una situación, lugar o relación en la que Dios no esté gobernando. Los momentos de la vida son *Sus* momentos; no debo reclamarlos como míos. Cada palabra que diga debe reconocer Su control. Mi meta no es conseguir lo que quiero, tener poder o buscar el control. Mi meta es someterme al gobierno de Dios y hacer Su voluntad. En lo que respecta a la comunicación, mi meta es hablar de una manera que le agrade a Aquel que está gobernando sobre el momento mismo en donde estoy hablando.

Cuando sé que Dios tiene el control de mi vida, ya no caigo en pánico. No empiezo a pensar que la vida está fuera de control y no me desespero cuando lo que ocurre me confunde. Sé que cada situación está bajo la administración cuidadosa del Rey de reyes. Al aferrarme a esta verdad por medio de la fe, puedo enfocarme en lo que Dios me ha llamado a hacer, que es vivir y hablar de una manera que le dé gloria.

2. Dios gobierna sobre todo para el bien de la iglesia. El gobierno de Dios tiene una dirección y un propósito: es para el beneficio redentor de Su pueblo. Él creó todo lo que existe; ha gobernado sobre cada momento de la historia humana; sopló vida al polvo para hacer al hombre a Su imagen; ha levantado gobernantes y naciones, y les ha quitado su poder; ha usado las fuerzas de la naturaleza; ha levantado a Sus profetas, jueces, reyes y apóstoles; Él se ha revelado de un millar de maneras; ha enviado a Su Hijo a vivir en la tierra y morir la muerte de un criminal; nos ha dado Su Palabra; reina sobre nuestras vidas individuales y va a regresar. ¿Para qué? Para levantar al pueblo que le pertenece (1P 2:9), un pueblo que ha sido llamado de las tinieblas a Su luz admirable, para vivir para Su gloria por la eternidad. Él gobierna para el bien de Su pueblo—para nuestro bien.

Pero decir que Dios gobierna para nuestro bien no significa que reina para darnos lo que deseamos. ¡No! Su gobierno es redentor. Eso significa que Él controla el universo para que se cumplan Su propósito redentor y Sus promesas redentoras *para* nosotros. Él gobierna para garantizar la justificación, santificación y glorificación que nos promete. Por eso tuvo que venir el Mesías, quien invadió el reino de las tinieblas y libró a Su pueblo para que pudiera vivir para Su gloria en el reino de la luz (Col 1:9-14). Para garantizar esto, Dios ha estado gobernando sobre todas las cosas desde la eternidad y seguirá haciéndolo por siempre. Pablo dice esto de Cristo:

… lo sentó a Su derecha en las regiones celestiales, muy por encima de todo gobierno y autoridad, poder y dominio, y de cualquier otro nombre que se invoque, no solo en este mundo sino también en el venidero. Dios sometió todas las cosas al dominio de Cristo, y lo dio como cabeza de todo a la iglesia. Esta, que es Su cuerpo, es la plenitud de Aquel que lo llena todo por completo (Ef 1:20-23).

Si logramos entender esta verdad, ¿cómo afectaría la manera en que nos hablamos unos a otros? Piensa qué tanto de nuestra comunicación tiene que ver con quejas respecto a nuestras circunstancias: nuestros pagos pendientes, los vecinos difíciles, un trabajo complicado, hijos rebeldes, un esposo distante, una esposa incomprensiva, líderes eclesiásticos ineficientes, una cortadora de césped defectuosa, un carro descompuesto, impuestos altos, matrículas universitarias y la inhabilidad de poder pagar unas "buenas" vacaciones.

¿Cuánto de nuestra comunicación expresa irritación hacia las personas que me estorban; hacia miembros de la familia que me roban mi paz y tranquilidad o que despedazan el periódico antes de que pueda leerlo; hacia el hijo rebelde que perturba mi descanso; hacia el amigo que impide que salga una noche a pasear con mi familia; hacia la persona que se rehúsa a darme el respeto y la admiración que creo merecer; hacia la persona que está bloqueando mi ascenso en la compañía; hacia la hija o el hijo que está en el baño cuando yo hace rato que quiero usarlo; hacia la esposa que nunca me prepara mi comida favorita ni me agradece cuando le entrego el dinero para hacer las compras; hacia el adolescente que nunca parece estar feliz o satisfecho con lo que le doy; hacia el pastor que nunca me pide que haga algo de importancia en la iglesia? La lista es interminable.

Hay tanto de nuestro hablar que expresa envidia hacia otros a quienes parece irles mejor: el vecino incrédulo que usó su dinero extra para remodelar su casa; el amigo cristiano que parece ser el recipiente de todas las bendiciones de Dios; el hijo del amigo que acaba de recibir una beca completa en una universidad prestigiosa; el hermano en Cristo que ha tenido un empleo de primera por muchos años; el amigo que tiene una esposa feliz o la amiga que tiene un esposo detallista y amoroso; el amigo incrédulo que nunca tiene problemas para pagar las cuentas y parece tener hijos maravillosos; el empleado que acaba de ganarse la lotería.

Mucha de nuestra alabanza al Señor se limita a los momentos en que *nosotros* vemos lo que Él ha hecho como algo bueno: tiempos en los que disfrutamos de sanidad física, provisión financiera, mejoría en las circunstancias, restauración de las relaciones o problemas resueltos. En estas situaciones, alabamos a Dios por Su fidelidad.

Pero ¿qué es lo que esta comunicación no está tomando en cuenta? El hecho de que Dios está activo en *cada* momento de nuestras vidas, y que Él trae *todas* las cosas a nuestras vidas para nuestro bien. ¡Es muy, pero muy importante que creamos esto! Cuando lo hacemos, tenemos corazones que pueden hablar en humildad y adoración. Nos damos cuenta de que Dios nos tiene exactamente donde necesitamos estar para Él llevar a cabo Sus propósitos y cumplir Sus promesas respecto a nosotros.

3. Dios gobierna sobre los detalles específicos de nuestras vidas. El gobierno de Dios no solo es global o universal; también es individual. Podemos ver esto en las vidas de personajes conocidos de la Escritura. Él es Señor sobre los detalles de las vidas de Moisés, Jacob, Esaú, José, Ester, Rut, David,

Jeremías, Daniel, Pedro y Pablo, solo por mencionar algunos. Y Él gobierna nuestras vidas por igual. Su gobierno, de hecho, incluye los detalles de las vidas de todo ser humano que ha vivido sobre la tierra. Esto es tan glorioso que no somos capaces de entenderlo. ¡Si hasta nos cuesta organizar nuestras propias vidas! Pero Dios es tan glorioso en Su soberanía que dirige los detalles específicos de toda vida humana a la vez.

Pablo habló de esto en el Areópago cuando presentó a los atenienses al Dios que ellos conocían como "desconocido", diciéndoles que Él "determinó los periodos de su historia y las fronteras de sus territorios" (Hch 17:26).

El gobierno de Dios no es distante ni impersonal. ¡Al contrario! Dios reina sobre los detalles de mi vida para que yo pueda buscarle y encontrarle (ver Hch 17:27). Nos llama a pensar, a orar, a planear y a vivir nuestras vidas con orden y dominio propio, pero sobre un fundamento que reconoce y descansa en Su gobierno.

Quizá tienes problemas de comunicación sobre cosas que *tú* piensas que son problemas, pero Dios no lo ve así. A menudo nos enfocamos en personas y en situaciones, mientras que Dios está enfocado en nosotros. Él está usando todas las cosas en nuestras vidas como herramientas para completar Su obra en nosotros.

4. *Dios gobierna sobre cada aspecto de nuestra salvación.* Este ha sido el aspecto más controversial del gobierno de Dios en la iglesia, pero es algo que vemos claramente en la Escritura y que es la base para la seguridad de salvación de todo creyente. Aquí nos despojamos de los últimos vestigios de nuestra confianza en el poder, desempeño, bondad y autosuficiencia del ser humano. La verdadera adoración comienza cuando se entiende la gracia soberana de Dios. Nuestra salvación existe sobre la roca de Su voluntad. Aun el primer indicio de nuestra fe fue determinado por Él desde antes de la fundación del mundo. Si Él no hubiera derramado Su amor sobre nosotros, estaríamos excluidos de la ciudadanía de Su pueblo, separados de las promesas del pacto, sin esperanza y sin Dios en el mundo (Ef 2:12).

Dios abre nuestros ojos espirituales para que podamos ver, y nuestros oídos espirituales para que podamos oír (ver Mt 13:11-17; Jn 10.25-30). Cada aspecto de nuestra salvación depende de Él. No hay declaración más clara de esta verdad, que aquella de Pablo:

Dios nos escogió en Él antes de la creación del mundo, para que seamos santos y sin mancha delante de Él. En amor nos predestinó para ser adoptados como hijos Suyos por medio de Jesucristo, según el buen propósito de Su voluntad, para alabanza de Su gloriosa gracia, que nos concedió en Su Amado (Ef 1:4-6).

¿Cuál es el propósito de Dios en Su soberanía sobre nuestra salvación? Es doble. Primero, la gracia soberana de Dios elimina todo orgullo y todo pensamiento de autosuficiencia humana cuando nos damos cuenta de que somos completamente dependientes de Él. Si hay *algún* signo de vida espiritual, fe, bondad, amor, esperanza, gracia, carácter, sabiduría y fruto que honra a Dios en nuestras vidas, es por Su gracia. Somos lo que somos gracias a Él.

Segundo, la meta de Dios es que el orgullo que teníamos se convierta en alabanza para Él. Pablo dice: "Si alguien ha de gloriarse, que se gloríe en el Señor" (1Co 1:31). Notemos la frase que se repite en Efesios 1: "para alabanza de Su gloriosa gracia". Esto es lo que Dios tenía en mente: Que Su gobierno sobre cada aspecto de nuestra salvación redunde en un coro eterno de alabanza.

Este es el punto de partida de la comunicación bíblica, la primera y más alta meta de toda nuestra conversación: que nuestras palabras reflejen una actitud de adoración donde se reconozca nuestra dependencia total de Dios para nuestra salvación. Él nos ha escogido para ser Sus hijos; nos ha llamado para Sí mismo; nos infundió vida para que podamos ver y creer la verdad; nos justificó y nos adoptó en Su familia; cada día obra para santificarnos; y nos llevará a la gloria. Todo es de Él. Cuando vivimos a la luz de estas verdades, nuestra comunicación beneficia a otros y honra a Dios.

La realidad es que nuestras palabras siempre expresan adoración, pero no siempre son adoración a Dios. Ya hemos visto que tendemos a intercambiar la adoración y el servicio al Creador por la adoración y el servicio a la criatura (Ro 1:25). Vemos esto en la esposa que dice: "No me digas cuánto me ama Dios. ¡Yo quiero un esposo que me ame!". Lo escuchamos del adolescente que dice: "Detesto tener que seguir viviendo aquí. Nunca puedo hacer lo que quiero". Es evidente hasta en el niño pequeño que hace un berrinche en la juguetería porque su mamá se rehúsa a comprarle una pelota. El pastor dice:

"¿Por qué me esfuerzo en servir a esta gente? Total, lo único que recibo son críticas". El empleado dice: "Me conformo con un aumento de salario y con recibir un poco de reconocimiento por mi trabajo".

En todos los casos, la motivación es más la adoración y el servicio a la creación que la adoración y el servicio al Creador. Dios quiere reorientar nuestro enfoque.

5. *Dios gobierna sobre las circunstancias para nuestra santificación.* Es probable que no exista una perspectiva más importante que esta en cuanto a nuestra vida cotidiana: Dios está obrando en cada situación para conformarnos a la imagen de Su Hijo. Esta verdad está presente en todo el Nuevo Testamento (ver Ro 8:28-29; Stg 1:2-4; 1P 1:3-9).

En esencia, cada uno de esos pasajes dice lo mismo: que Dios está obrando para completar la obra de salvación que comenzó desde antes que la tierra fuera hecha. Pablo dice que Él está obrando en todas las cosas para lograr el bien de conformarnos a la imagen de Su Hijo. Santiago dice que debemos recibir las pruebas con gozo porque Dios las está usando para completarnos. Pedro dice que podemos ver las pruebas como el medio a través del cual recibimos la meta de nuestra fe, la salvación de nuestras almas. Dios es soberano sobre las circunstancias de nuestras vidas, pero la Escritura dice aún más. Nos dice que estas circunstancias son un medio principal por el cual Dios produce lo que Él predestinó para nuestras vidas desde antes de la fundación del mundo; es decir, que seamos transformados a la semejanza de Su Hijo para ser santos como Él es santo.

Cuando nos quejamos de los problemas y las presiones en nuestras vidas, estamos realmente quejándonos ante Dios. ¡Nos quejamos de que hemos sido escogidos por gracia y por amor, y de que Él nos está poniendo en situaciones diseñadas para hacernos Su pueblo santo! Estas relaciones y circunstancias, estos problemas y pruebas, estos tiempos de dolor y sufrimiento vienen de Su mano. Son muestras de la gracia maravillosa de Dios, ¡dadas para librarnos del poder del pecado remanente! Detrás de las circunstancias hay un Dios de amor que está trabajando incansablemente para santificarnos. Ante estas circunstancias, la única respuesta legítima es alabar al Señor con todo nuestro ser. Nuestras circunstancias no nos están diciendo que Dios nos ha olvidado, sino que más bien nos están gritando que Él se ha acordado de nosotros y no nos dejará hasta que Su obra esté completa. Asimilar esto es crucial para cambiar nuestra forma de hablar.

Por ejemplo, yo funciono con horarios. Todos los días me despierto con una agenda. Trato de hacerlo todo rápidamente. Tiendo a evaluar el éxito de un día según la cantidad de cosas que haya logrado completar. Así que me frustro con facilidad cuando mi día no sale como yo esperaba. Me frustro cada vez más con las cosas ("¡Estúpida computadora!"), con la gente ("¿Por qué no ha llegado? ¿No sabe lo ocupado que estoy?") y con las situaciones ("¿Por qué todo el mundo decidió comprar materiales de oficina justo cuando yo necesito un repuesto para mi bolígrafo?"). En medio de todo esto, tiendo a olvidar que Dios no está enfocado en el "éxito" de mi día, sino en la piedad de mi carácter. Tiendo a concentrarme en los resultados. Él está comprometido con el proceso de hacerme santo. En mi enojo y frustración, no solo estoy luchando en contra de la gente y de las situaciones, sino también en contra de Dios.

¿Qué es lo que sale de mi boca en los momentos de dificultad? ¿Qué piensa tu corazón y qué dice tu boca cuando tu plan es interrumpido o simplemente no sucede? ¿Cómo respondes cuando la gente te falla o no hace su parte? ¿Qué haces en momentos de frustración o decepción? ¿Cómo respondes cuando te enfrentas a algo totalmente inesperado? ¿Cuál es tu reacción hacia aquellos que parecen estorbar tu horario o tus planes? ¿Cómo respondes cuando se derrumban tus ideas más brillantes y tus mejores esfuerzos? ¿Cómo reaccionas ante pruebas que no parecen venir por tu culpa? ¿Reconocen tus palabras el plan soberano de Dios sobre todas tus circunstancias, para tu santificación?

Los escritores del Nuevo Testamento nos dicen que no debemos sorprendernos cuando enfrentemos problemas, pruebas y sufrimiento. Nos dicen que nunca debemos llegar a la conclusión de que Dios nos ha olvidado. Nos dicen que para el creyente, lo cierto es lo contrario: ¡las pruebas son el resultado de Su amor! Experimentamos dificultades precisamente *porque* somos los hijos de Su amor. Dios no nos va a abandonar para que podamos tener la vida fácil que tanto deseamos. ¡No! Él nos perfeccionará a través de muchas pruebas.

El pueblo de Dios siempre ha luchado con esta verdad. Cuando Israel estuvo atrapado entre el Mar rojo y los egipcios que se acercaban, Éxodo 13 nos dice que su situación no fue un accidente ni fue el resultado de la mala planificación de Moisés. Era el plan y la provisión de Dios. Israel pudo haber tomado una ruta más corta hacia Palestina, pero Dios sabía que no estaban listos espiritualmente. Moisés lo registró de esta manera: "Dios no los llevó por el camino que atraviesa la tierra de los filisteos, que era el más corto, pues pensó: 'Si se les presentara batalla, podrían cambiar de idea y regresar a Egipto'" (Éx 13:17). Dios los condujo por un camino diferente hasta que acamparon en el Mar Rojo. No solo eso, sino que Dios endureció el corazón de Faraón para que él los persiguiera (Éx 14:1-4). ¿Por qué? Moisés registra la respuesta de Dios: "Yo, por Mi parte, endureceré el corazón del faraón para que él los persiga. Voy a cubrirme de gloria, a costa del faraón y de todo su ejército. ¡Y los egipcios sabrán que Yo soy el Señor!" (v. 4). Dios estuvo en control de toda circunstancia, fortaleciendo a Su pueblo para las batallas que enfrentarían en la Tierra Prometida.

¿Cómo respondió el pueblo?

El faraón iba acercándose. Cuando los israelitas se fijaron y vieron a los egipcios pisándoles los talones, sintieron mucho miedo y clamaron al Señor. Entonces le reclamaron a Moisés: "¿Acaso no había sepulcros en Egipto, que nos sacaste de allá para morir en el desierto? ¿Qué has hecho con nosotros? ¿Para qué nos sacaste de Egipto? Ya en Egipto te decíamos: '¡Déjanos en paz! ¡Preferimos servir a los egipcios!' ¡Mejor nos hubiera sido servir a los egipcios que morir en el desierto!" (vv. 10-12).

¿No es esta una reacción humana típica? Casi que puedes escuchar a los israelitas preguntándose unos a otros: "¿Votaste tú por Moisés?", o diciendo: "Debimos habérnoslo imaginado; él ya era un fracaso… ¡era obvio que nos metería en este lío!". No parecen ser conscientes de que fue Dios quien los puso en esa circunstancia. Los tenía justamente donde Él quería que ellos recibieran lo que Él deseaba darles. Debió haber sido obvio que esto no era culpa de Moisés, pues Israel había sido guiado por la columna de humo de día y por la columna de fuego en la noche (Éx 13:20-22); es decir, este era un indicador visible de que ellos habían sido llevados al Mar Rojo por el Señor. No obstante, en su pánico, olvidaron al Señor y Su plan soberano; y al hacerlo, culparon y acusaron a su líder humano.

Notemos que esta prueba produjo *exactamente* lo que Dios había planeado para Su pueblo: "Y al ver los israelitas el gran poder que el Señor había desplegado en contra de los egipcios, temieron al Señor y creyeron en Él y en Su siervo Moisés" (Éx 14:31). Pablo dice que estos incidentes son ejemplos y advertencias para nosotros (1Co 10:11). Revelan nuestros corazones y exponen nuestras reacciones a las pruebas. Nosotros también olvidamos la presencia de un Dios soberano y maldecimos nuestra situación, y culpamos a la gente a nuestro alrededor. Dios quiere recordarnos la verdad de Su control santificador sobre nuestras circunstancias. Esta es la única manera de edificar un modelo bíblico de comunicación.

El vecino difícil, el jefe demandante, el pariente hipersensible, el amigo controlador, el hijo ingrato y el accidente inesperado son herramientas de santificación en las manos de nuestro Señor. Al igual que tú, tengo problemas para interpretar estas cosas adecuadamente. Tiendo a verlas como señales de que Dios se ha olvidado de mí en vez de verlas como indicadores seguros de que Él está cercano, controlando las cosas cuidadosamente para mi bien. Por eso me irrito y me quejo, en lugar de descansar en Él y adorarle.

6. Dios gobierna sobre las relaciones para mi santificación. Las personas en mi vida no están allí por accidente. Ellas también son instrumentos en las manos de mi Redentor. A través de ellas, Él continúa la obra que ha comenzado en mí. Pablo nos ilustra esto de manera poderosa cuando habla acerca de la iglesia (ver Ef 2:14-16, 19-22; 4:16; 1Co 12:12-13, 18-20, 27).

Dios es soberano sobre mis relaciones. Él ha colocado las piedras en el templo, justo en el lugar en que Él quería que estuvieran. Y ha hecho cada parte del cuerpo como Él quiso. Estas relaciones son un medio a través del cual Dios continúa Su obra. Las luchas que vienen con ellas no son dificultades sin sentido u obstáculos irritantes para una vida que sería feliz si no fuera por ellas. ¡No! Están allí porque Dios está comprometido, por Su pacto, a llevarnos a la madurez, "a la medida de la estatura de la plenitud de Cristo" (Ef 4:13 RVC).

Un domingo por la mañana, siendo yo un joven pastor, un hombre me preguntó si podía hablar conmigo ese próximo lunes. Estaba emocionado. Pensé: "*¡Por fin alguien ha sido tocado por mi ministerio y está buscando mi consejo!*". No tenía ni idea de lo que me esperaba. Nos reunimos el lunes por la noche y me dijo: "Paul, no vine a hablarte de mí. Quiero hablar acerca de ti". (¡Digamos que no era lo que tenía en mente!). Durante las próximas dos horas, criticó casi todo acerca de mi ministerio y de mi persona. Estaba destrozado. Pensé que no podría sentirme peor, hasta que sugirió que fuéramos a su casa para que yo hablara con su esposa. La escuché por hora y media, en la que básicamente repitió el discurso de su marido.

No sé cuando me he sentido más agraviado o más lastimado que en aquella ocasión. Le dije a Luella que no quería renunciar al ministerio, ¡quería morirme! Llamé a mi hermano Tedd con la intención de que él curara mis heridas. Quería que me dijera cuán buena persona era yo y que no escuchara a esta pareja tan cruel. Pero él me dijo exactamente lo contrario. Tedd dijo: "Pon mucha atención, Paul. Dios te puso en ese lugar por alguna razón. Sus intenciones, cualesquiera que sean, no son más importantes que el bien que Dios está tratando de hacer en todo esto".

¡No quería escuchar esas palabras! Quería decirle a Tedd: "¿Estás loco? ¿Cómo puede ser esto bueno? He hecho mi mayor esfuerzo por servir a Dios, y ¡¿esto es lo que recibo?!". Pero le hice caso, y a medida que el dolor iba disminuyendo, Dios comenzó a mostrarme actitudes y acciones que estaban estorbando la obra que Él quería hacer a través de mí. Hoy puedo decir que estoy muy agradecido por ese lunes tan doloroso. Dios lo usó para cambiar mi vida y mi ministerio.

¿Con qué frecuencia olvidamos esta verdad al hablar con (y acerca de) la gente en nuestras vidas? ¿Qué tan a menudo tratamos a la gente como si fueran molestias y obstáculos? ¿Con qué frecuencia respondemos con ira porque interrumpen nuestros planes o nuestra felicidad momentánea? ¿Cuán a menudo nos quejamos de otros por sus acciones, reacciones y palabras? ¿Cuántas veces nos quejamos del hecho de que nuestras vidas son afectadas por las decisiones de otros? Reconocer la soberanía de Dios sobre nuestras relaciones cambiará las palabras que utilizamos para referirnos a la gente que Él ha puesto en nuestras vidas.

7. *Dios gobierna sobre todas las cosas para Su gloria.* De todo lo que la Escritura enseña acerca de la soberanía de Dios, esto es lo más importante. Él hace lo que hace para Su propia gloria. La historia es *Su* historia. Cada momento le pertenece. Somos su posesión. Todos nuestros dones, gracias y

habilidades le pertenecen. Todo viene de Él y es para Él, y como Pablo dice tres veces en Efesios 1, todo es para "la alabanza de Su gloria".

Dios no está obrando para lograr nuestra felicidad personal temporal. No está obrando para que podamos sentirnos satisfechos y completos, o para que tengamos una autoimagen positiva o un estilo de vida cómodo. ¡No! Él está obrando para hacernos luces que brillen en la oscuridad, para que los demás vean nuestras buenas obras y le glorifiquen (Mt 5:16). Aquellos que entienden esta verdad resplandecen como "una ciudad en lo alto de una colina" que "no puede esconderse" (v. 14).

Por eso Dios nos enseña una y otra vez a través de la Escritura que nuestras vidas están en Sus manos. Toda la vanagloria humana debe hacerse a un lado para dar lugar al propósito supremo de Su propia gloria. Cuando hablamos como si tuviéramos el control (o creyendo que deberíamos tenerlo), cuando nos gloriamos en nosotros mismos, cuando nos quejamos de las cosas que Dios ha puesto en nuestras vidas, estamos rechazando Su propósito supremo para nosotros—que seamos personas que vivan (y hablen) para Su gloria. Al igual que Santiago, necesitamos admitir que "de una misma boca salen bendición y maldición. Hermanos míos, esto no debe ser así" (Stg 3:10).

A la luz de esto, toda palabra que hablemos debe cumplir con dos estándares. Primero, todas nuestras palabras deben darle a Dios la gloria que Él merece. Y segundo, nuestras palabras deben ser usadas para el bien de aquellos a quienes Dios ha puesto a nuestro alrededor. Este es el llamado supremo para nuestras palabras: adoración y redención. Pero es precisamente por esto que existe una gran guerra de palabras, pues el Enemigo lucha para impedir que cumplamos con este llamado. El Engañador quiere que creamos que el mundo de las palabras es nuestro, que hablemos de acuerdo con *nuestra propia* voluntad, para *nuestra propia* gloria y con corazones egoístas comprometidos únicamente con lo que nos parezca mejor a *nosotros*. Aquí vemos nuevamente que la guerra de las palabras es realmente una guerra por la soberanía. Lo que sea o quien sea que gobierne nuestros corazones, también controlará las palabras que digamos. El mensaje claro de la Escritura es que somos llamados a hablar con un corazón agradecido, sometido a Dios en toda circunstancia y situación.

¿Entiendes un poco mejor la relación entre la soberanía de Dios y nuestras palabras? Es el fundamento de la nueva agenda que hemos comentado.

La única forma en que comenzaré a vivir y a hablar como Él quiere que lo haga es sometiéndome al gobierno del Señor. Solo entonces seré libre para hablar con una actitud de adoración y como un instrumento de redención, dejando a Su conocimiento inescrutable, Su sabiduría y Su elección soberana aquellas cosas que no puedo entender ni controlar.

Al estar escribiendo este capítulo, tuve el privilegio de ser parte de una experiencia triste, pero poderosa. Mi suegro fue llevado al hospital con un caso avanzado de cáncer en los huesos. Estaba en cama con un dolor severo, pero no estaba enojado. No se quejó ni preguntó: "¿Por qué a mí?". Mi esposa estaba de pie al final de la cama, observando al hombre que una vez fue fuerte ahora en un estado de fragilidad y de debilidad. Cuando ya nos íbamos, dijo que quería orar. Fue una oración que nunca olvidaremos. Lo primero que hizo fue darle gracias a Dios por sus circunstancias. Dijo que él sabía que Dios era bueno y que cada cosa que hacía en la vida de sus hijos era buena, aun cuando no lo entendiéramos. Luego, le pidió ayuda a Dios para ser un buen padre y un buen ejemplo para sus hijos durante su sufrimiento. Finalmente, le dio gracias a Dios por haberle dado una vida tan llena de bendiciones.

Este hombre no era un teólogo. Hubo un tiempo en el que me costaba respetarlo, pues él no parecía entender ciertas verdades que yo pensaba dominar por mis estudios de seminario. Desde entonces, me di cuenta de que su vida demostraba un entendimiento de la soberanía de Dios que yo no tenía. ¡Anhelo tener tal descanso en medio de las dificultades! Anhelo que mis palabras sean tan maduras, tan edificantes y tan llenas de adoración como las suyas. Ya no tengo dificultad para respetar a mi suegro. Estaré muy agradecido si mis hijos llegan a parecerse a él. Bert Jackson venció la guerra de palabras, porque la guerra por la soberanía ya tenía un vencedor en su corazón. En medio de su gran sufrimiento, sus palabras animaron y fortalecieron a la gente a su alrededor y le dieron gloria a Dios. ¿Por qué? Porque él demostró que realmente creía que Dios tiene un plan perfecto, y que tiene control absoluto de nuestras vidas. Realmente quería que todo lo que él hiciera y dijera le diera gloria a Dios, y no pensaba que su sufrimiento era una excusa para no cumplir con un llamado tan alto.

A fin de cuentas, la guerra de palabras es una guerra por la soberanía. ¿Quién o qué gobierna tu corazón? Quien sea o lo que sea, también controlará tu lengua.

Examínate

La batalla por el control

1. ¿Cómo revela tu comunicación las frustraciones que tienes con la gente y las circunstancias?

2. ¿De qué maneras refleja tu comunicación un intento de tomar el control?

3. ¿Cómo sueles reaccionar cuando tus planes son estorbados?

4. ¿Cómo respondes cuando Dios envía sufrimiento o decepción a tu vida?

5. ¿Animas a los que están a tu alrededor a descansar en el cuidado soberano de Dios? ¿Procuras que ellos vean las evidencias de la mano amorosa de Dios? ¿Cómo?

6. ¿Procuras hablar de una manera que coopere con la obra que Dios está haciendo en los demás?

7. ¿Revelan tus palabras que estás descansando en el control de Dios o más bien que estás luchando con Él?

Piensa bien en estas preguntas, y pídele a Dios que te ayude a ser honesto. Al responder, sé sensible a la obra del Espíritu Santo. Recuerda que Dios pone en evidencia nuestros corazones, no para desanimarnos, sino para acercarnos a Él y mostrarnos Su amor. Él corrige a los que ama.

6

Siguiendo al Rey por todas las razones equivocadas

Trabajen, pero no por la comida perecedera, sino por la que permanece
para vida eterna, la cual les dará el Hijo del hombre (Juan 6:27)

stábamos sentados en su sala, y al escucharle me alarmé por todo lo
que me estaba contando. No es que nunca haya escuchado ese tipo de
cosas antes, sino que me sorprendía la intensidad de sus sentimientos.
Sucedió al final de un día en que los dos hijos pequeños de José parecían hacer un coro interminable de exigencias y quejas. Su trabajo lo estaba drenando cada vez más, y digamos que él y su esposa no es que expresaran mucho aprecio mutuo. Se dejó caer sobre el sofá y se quedó mirando el suelo por un rato. Casi que podías ver el humo saliéndole de la cabeza.

Luego dijo: "¿Para qué lo hago? ¿De qué sirve? Todos estos años estudiando la Biblia y orando; todas las veces que he ido a la iglesia… Me esfuerzo por hacer lo correcto y ¿qué recibo? ¡Una vida imposible de vivir! La gente dice: 'Solo confía en Dios'. ¿Para qué? Él no me responde, no le importa. ¡Lo eché todo a perder! No debí casarme, nunca debí haber tenido hijos, no puedo con este trabajo, y Dios solo está sentado allá arriba dejando que todo esto pase. ¡Soy cristiano! Y ¿de qué me ha servido? Estoy cansado, abrumado con mis responsabilidades, y no veo una salida. Pero si dejo todo esto, seré castigado. ¿Qué es lo que pasa?".

No fui el único que escuchó a José hablando de esta manera. El mismo descontento se desbordaba en su comunicación diaria con su esposa e hijos, en un flujo constante de quejas, irritación, impaciencia, acusación y a veces hasta amenazas.

Traté de responderle con gentileza, pero José estaba enojado y poco dispuesto a escucharme. En realidad, no era conmigo que había estado hablando. Yo solo estuve allí mientras lo decía. Fue un momento de honestidad brutal que pude presenciar. Las palabras airadas de José revelaron una gran parte de los verdaderos pensamientos y deseos de su corazón. Detrás del exterior "tranquilo" que todos veían cada domingo en la iglesia, había un hombre cuyo corazón estaba en guerra con Dios. José había estado siguiendo al Rey, pero las cosas no habían salido como él esperaba.

Como vimos en Lucas 6, las palabras que salen de nuestra boca vienen de nuestros corazones. Esto significa que de alguna manera nuestro hablar tiende a revelar los verdaderos amores de nuestro corazón. El problema con la forma de hablar de José no se limitaba a las palabras que había escogido o al tono particular que había usado. No resolveríamos sus problemas de comunicación con solo decirle que evite usar esas palabras. Para que haya un cambio duradero en el hablar de José, es necesario exponer la duda y el descontento que hay detrás de sus palabras. Tenemos que lidiar con el verdadero amor del corazón de José. ¿Qué estaba pasando con él? ¿Cómo fue que su conversación llegó a ser tan desagradable a Dios y tan destructiva para los que le rodeaban? ¿Por qué no eran sus palabras todo lo que debían ser—amorosas, amables, alentadoras y sazonadas con gracia?

La realidad que fue revelada en las palabras de José es el foco de atención de este capítulo. Es un asunto que todos debemos enfrentar si queremos que nuestra comunicación sea lo que Dios quiere que sea. Sé honesto y pregúntate: ¿Hay un poco de José en mí? ¡Yo sé que en *mí* lo hay! He vivido momentos en los que me he preguntado si realmente vale la pena. En esos momentos, es fácil murmurar y quejarse todo el día.

La realidad de la lucha cristiana que José experimentó es importante— y común. Y es sencillamente esta: *Muchos de nosotros seguimos al Rey por todas las razones equivocadas.* No es suficiente con estar emocionados con seguir al Rey. Necesitamos estarlo por las razones correctas.

¿Cuál sueño? ¿Cuál pan?

Si tuvieras que escribir el sueño de tu vida, ¿qué escribirías? ¿Cuál es tu "si tan solo pudiera…", tu "si Dios me diera… entonces sería feliz"? Tal vez una mejor manera de hacer esta pregunta es: ¿Qué tipo de Mesías quieres que Jesús sea en tu vida? Ve pensando en tu respuesta mientras vemos una de las historias más conocidas de toda la Escritura, ubicada en Juan 6.

En esta historia, Jesús toma el almuerzo de un niño pequeño y usa Su poder mesiánico para convertirlo en alimento para cinco mil personas, en la que además sobraron doce canastas de comida. Imagina tu reacción si hubieras estado allí, y considera el impacto del poder de este Hombre en tu vida. La multitud está comentando: "Este es. Este es el profeta, el Mesías. Ha llegado. ¡No perdamos tiempo y hagámoslo nuestro rey! Esto es lo que hemos estado esperando todos estos años".

Uno pensaría que esta es la gran oportunidad de Jesús. ¿Acaso no había venido para ser el Rey de este pueblo? ¿Acaso no es el Profeta de profetas? Por supuesto que sí. Pero notemos lo que hace Jesús. Se retira. Se aleja. Desaparece. ¿Qué está ocurriendo? ¿Por qué responde de manera tan extraña? La multitud busca a Jesús por todos lados. Quieren coronarlo como su rey, pero parece que a Él no le interesa. ¿Por qué? ¿No fue a esto que vino?

En Juan 6 Jesús ha cruzado el Mar de Galilea, y la multitud lo encuentra allí, al otro lado del lago.

[Ellos] le preguntaron: Rabí, ¿cuándo llegaste acá?

—Ciertamente les aseguro que ustedes me buscan, no porque han visto señales sino porque comieron pan hasta llenarse. Trabajen, pero no por la comida que es perecedera, sino por la que permanece para vida eterna, la cual les dará el Hijo del hombre. Sobre este ha puesto Dios el Padre Su sello de aprobación.

—¿Qué tenemos que hacer para realizar las obras que Dios exige? —le preguntaron.

—Esta es la obra de Dios: que crean en Aquel a quien Él envió —les respondió Jesús.

— ¿Y qué señal harás para que la veamos y te creamos? ¿Qué puedes hacer? —insistieron ellos—Nuestros antepasados comieron el maná en el desierto, como está escrito: "Pan del cielo les dio a comer."

—Ciertamente les aseguro que no fue Moisés el que les dio a ustedes el pan del cielo —afirmó Jesús—. El que da el verdadero pan del cielo es Mi Padre. El pan de Dios es el que baja del cielo y da vida al mundo.

—Señor —le pidieron—, danos siempre ese pan.

—Yo soy el Pan de vida —declaró Jesús—. El que a Mí viene nunca pasará hambre, y el que en Mí cree nunca más volverá a tener sed. Pero como ya les dije, a pesar de que ustedes me han visto, no creen (vv. 25-36).

¿Qué es lo que Jesús le está diciendo a estas personas acerca de sus deseos de coronarlo como su rey? ¿Está gozoso, animado y listo para responder? ¡No! En vez de agradecerles, les amonesta. Básicamente les dice: "No lo han entendido aún".

Al escribir su Evangelio, Juan hace algo muy útil. No le gusta referirse a los milagros que Jesús había hecho como *milagros*. Prefiere llamarlos *señales*. ¿Cuál es el propósito de una señal? Apuntar hacia otra cosa, es decir, a la realidad que realmente estás buscando, o al lugar donde realmente quieres ir. Por ejemplo, cuando vas de vacaciones con la familia, no te detienes cuando llegas a la señal de tránsito en la carretera, diciendo: "¡Ya llegamos! ¡Ya llegamos! Amor, saca a los niños y empecemos a desempacar". ¡No! Vas hacia donde te indique la señal y conduces hasta llegar a tu verdadero destino. El propósito de la señal de tránsito es apuntar hacia la realidad.

Ese era el problema de la gente y de su reacción hacia Jesús. Habían experimentado el *milagro*, pero no vieron la *señal*. La bendición física del pan tenía la intención de apuntar hacia una realidad espiritual mucho más profunda, y Cristo dijo: "No lo están entendiendo". Se estaban concentrando en el milagro del pan como si esto fuera la realidad suprema. Cristo es muy agudo en lo que dice. La terminología que Él usa al decir que ellos "comieron pan hasta llenarse" podría traducirse literalmente como "ustedes han pastado". Lo que está diciendo es: "Pastaron hasta que se llenaron, pero siguen sin entender".

¿Qué había, entonces, detrás de esta búsqueda de Cristo? ¿Qué querían ellos realmente? No creo que le siguieran como fruto de una sumisión humilde a Su autoridad, ni con la disposición a seguirle donde sea que Él les guiara. Su búsqueda de Cristo nacía de un amor egoísta y de la esperanza de que Cristo fuera quien supliera sus muchas necesidades. Estaban entusiasmados con la idea de seguir al Rey, pero por todas las razones equivocadas.

Me temo que muchos de nosotros le respondemos a Jesús de la misma manera. Lo que nos mueve o nos motiva en todo lo que hacemos no es una sumisión a la voluntad de Dios, ni un deseo ferviente de darle gloria, sino nuestros propios deseos y sueños personales. Estamos entusiasmados con seguir al Rey porque vemos esto como el sistema más eficiente para hacer nuestros sueños realidad. Podemos darnos cuenta de lo que realmente nos entusiasma cuando caemos en el desánimo y en la murmuración, cuando Él no hace realidad ese "bien" que anhelábamos. Los labios que en otro tiempo alababan, ahora se quejan; y los labios que en otro tiempo animaban, ahora acusan. Para evitar esto, debemos aprender a preguntarnos: "¿De quién son estos sueños que estoy persiguiendo? ¿Cuál es el pan que realmente deseo?" Una vez más, vemos como esta lucha en nuestro corazón determinará lo que sale de nuestros labios.

El pan físico y el engaño espiritual

Esta lucha entre el pan físico y el pan espiritual es central en la vida cristiana. Es una lucha central en la vida *humana*. El engañador, que está en medio de esta lucha, quiere que creamos que la vida solo consiste en el pan físico y que las cosas espirituales son de poca importancia. Somos bombardeados con este mensaje desde que nacemos. Está presente en todo nuestro alrededor; en las revistas, en los periódicos, en la televisión, en vallas publicitarias, en el centro comercial y en las conversaciones en el metro o en el trabajo. La vida consiste en qué tanto pan físico eres capaz de ganar, mantener y disfrutar. Se nos dice que la verdadera felicidad se encuentra en las personas, en las posesiones y en las posiciones. Y puesto que "solo se vive una vez", nos dicen que debemos disfrutarlo todo al máximo.

Esta lucha por el pan es ilustrada en muchos pasajes de la Biblia. Lo vemos cuando Satanás tienta a Jesús (Mt 4:1-11), y también cuando Judas vende al Mesías por treinta piezas de plata (Mt 26:14-15). Es una de las formas más poderosas en que se evidencia esa tendencia humana a intercambiar la adoración y el servicio al Creador, por la adoración y el servicio a las criaturas (Ro 1:21-25). Es de lo que nos advierte Juan cuando nos llama a dejar el amor al mundo (1Jn 2:13-15) y es lo que vemos ilustrado en la parábola de Jesús acerca del rico insensato, que engrandece sus graneros para almacenar sus bienes solo para morir y encontrarse con su Hacedor (Lc 12:13-21). Pablo se refiere a esta lucha en términos de vivir con los ojos puestos en la eternidad, diciendo que él pone sus ojos "no en las cosas que se ven, sino en las que no se ven" (2Co 4:16-18). El Salmo 73 también revela esta lucha cuando el salmista siente envidia al ver la afluencia y la tranquilidad de los malos. El mensaje del engañador está en todo nuestro alrededor, y es parte de lo que hace que esta lucha espiritual sea central para todo ser humano.

Hay cuatro mentiras sutiles entretejidas en el mensaje tentador del engañador. Aparentan ofrecer vida, pero aceptarlas conduce a la muerte. Cada mentira tiene la intención de alejarnos del mismo propósito para el cual fuimos creados: una vida de amor y sumisión al Creador. Consideremos estas cuatro mentiras sutiles, que a la vez son muy persuasivas:

1. *Las cosas físicas son permanentes.* La Biblia nos dice muchas veces y de muchas maneras que el mundo es pasajero. Juan dice: "El mundo se acaba con sus malos deseos" (1Jn 2:17). Pablo nos dice que "por fuera nos vamos desgastando" (2Co 4:16). El Salmista dice que la vida y la abundancia de los malos es como un sueño que pasa rápidamente cuando uno se despierta (Sal 73:18-20). Y es por esto que Cristo nos hace esta exhortación: "Consíganse bolsas que no se hagan viejas, y háganse en los cielos un tesoro que no se agote. Allí no entran los ladrones, ni carcome la polilla" (Lc 12:33 RVC).

2. *El pan físico es el único pan.* Los pecadores tienden a deificar a la creación y elevar su importancia por encima de Aquel que la hizo. Tienden a abandonar la búsqueda del Dios invisible por la acumulación de posesiones personales. Por esto, se nos anima a no hacernos tesoros en la tierra, sino a buscar primero el reino de Dios (Mt 6:19-34). Por eso se nos dice que vivamos como peregrinos, como nómadas, no entregándonos a la acumulación de cosas materiales como si fueran el único pan que realmente importara. La persona que cree esta mentira es un insensato (Lc 12:20).

3. *El éxito humano se mide por la cantidad de pan físico que posees.* ¿Quién de nosotros no ha envidiado a los ricos? ¿Quién de nosotros no ha soñado con ganarse la lotería y vivir una vida idílica? ¿Quién no ha pensado en algún momento que sería más feliz si tan solo tuviera más dinero? ¿A quién de nosotros no le afectan, aunque sea un poquito, esas imágenes de dinero, poder y éxito que vemos en la televisión? ¿Quién de nosotros no quisiera echar un vistazo a través de las rejas para ver cómo viven los "ricos y famosos"?

En momentos como esos, la Escritura nos confronta con estas poderosas palabras: "¿De qué sirve ganar el mundo entero si se pierde la vida? ¿O qué se puede dar a cambio de la vida?" (Mt 16:26). Cristo habla directamente en contra de esta mentira diciendo: "¡Tengan cuidado! Absténganse de toda avaricia; la vida de una persona no depende de la abundancia de sus bienes" (Lc 12:15). Jesús define el éxito humano en términos de dos compromisos fundamentales: amar a Dios sobre todas las cosas y amar al prójimo como a uno mismo (Mt 22:37-40). Cuando logramos hacer estas cosas, somos ricos, por más pequeña que sea nuestra colección de bienes terrenales.

4. La vida se encuentra en el pan físico. Esta es la mayor de todas las mentiras, la que nos dice que de algún modo, de alguna manera, puedes tener vida sin tener una relación con Dios. Esta fue la mentira que el engañador dijo en el jardín y es la mentira que escuchamos cada día, una y otra vez. Si solo te alimentas con el pan físico, lo único que experimentarás es más hambre. La única manera de saciarte es alimentándote de Jesús por medio de la fe, recibiendo así Su vida. Él es *el* Pan. ¡Él *es* vida! Todas las demás ofertas de vida llevan a la gente sedienta a beber en pozos secos. Él es el Pan verdadero. Él es la fuente de vida. Síguele y de tu interior fluirán ríos de agua viva (Jn 4:13-14). Sin Él estás muerto, aunque físicamente estés vivo (Ef 2:1-10).

Es muy fácil creer la mentira de que la vida puede ser encontrada en la aceptación humana, en posesiones y posiciones. Es muy fácil dejarnos controlar por sueños de éxito en nuestra profesión. Es muy fácil creer que nada satisface como el amor romántico. Es muy fácil caer en la búsqueda de los ídolos de la cultura occidental—una casa grande en una zona residencial, un carro lujoso, vacaciones opulentas, etc. Cuando lo hacemos, dejamos de alimentarnos de Cristo. Nuestra vida devocional empieza a afectarse. Oramos menos, y cuando oramos, lo hacemos de forma egoísta. Nos damos cuenta de que nuestro horario no nos permite mucho tiempo para el ministerio, y pasamos más tiempo con nuestros colegas en el trabajo que con nuestros hermanos en el cuerpo de Cristo. Funcionalmente, nos alimentamos del pan del mundo, y no de Cristo.

Toda nuestra vida estará determinada por el pan que estemos buscando. No hay mentiras más peligrosas que aquellas que nos alejan de la esperanza amorosa y la sujeción al Creador que no podemos ver, y que nos llevan a la esclavitud de una búsqueda insatisfactoria e interminable de las cosas pasajeras.

¿De quién es el sueño?... ¿de Cristo o tuyo?

Ahora considera tu propia vida: tu matrimonio, trabajo, hijos, amigos, hogar e iglesia. ¿Qué quieres de Cristo? ¿De quién es el sueño que traes delante de Él? ¿Es tu sueño una definición personal de lo que es el paraíso? Estoy seguro de que todo esposo y esposa ha soñado con tener el cónyuge perfecto. Todo padre ha soñado con el hijo perfecto. Todo hijo ha soñado con los padres perfectos. Todo empleado ha soñado con el jefe perfecto. Cada uno de nosotros ha soñado con el amigo perfecto, la iglesia perfecta o el pastor perfecto. Cada uno de nosotros ha soñado con la casa perfecta y la vida financiera perfecta, en la que todas las cuentas se pagan sin problemas. Pero la pregunta aquí es: ¿De qué tienes más hambre hoy? ¿Estás insatisfecho con el presente? ¿Te cuesta aceptar lo que Dios te ha dado hoy? Pedro nos ayuda a recordar en qué debe consistir nuestro "*ahora*".

¡Alabado sea Dios, Padre de nuestro Señor Jesucristo! Por Su gran misericordia, nos ha hecho nacer de nuevo mediante la resurrección de Jesucristo, para que tengamos una esperanza viva y recibamos una herencia indestructible, incontaminada e inmarchitable. Tal herencia está reservada en el cielo para ustedes, a quienes el poder de Dios protege mediante la fe hasta que llegue la salvación que se ha de revelar en los últimos tiempos (1P 1:3-5).

Esto suena maravilloso, ¿no es así? Pedro dice: "¿Es que no entienden lo que tienen? Han sido salvados por la misericordia de Dios. Sus pecados han sido perdonados. Son parte de la familia de Dios. Y no solo eso, sino que les aguarda una herencia que no puede ser destruida ni contaminada, y que nunca se marchitará". Y nosotros contestamos: "¡Sí! ¡Esto es maravilloso!".

Pero tenemos que seguir leyendo. Pedro ha estado hablando acerca del pasado y de nuestro perdón gracias a la misericordia de Dios. Y ha estado hablando acerca del futuro y de la herencia que nos espera. Pero ¿y *ahora* qué? ¿Qué está pasando en el presente? Continuemos leyendo el pasaje:

… a quienes el poder de Dios protege mediante la fe hasta que llegue la salvación que se ha de revelar en los últimos tiempos. Esto es para ustedes motivo de gran alegría, a pesar de que hasta ahora han tenido que sufrir diversas pruebas por un tiempo. El oro, aunque perecedero, se acrisola al fuego. Así también la fe de ustedes, que vale mucho más que el oro, al ser acrisolada por las pruebas demostrará que es digna de aprobación, gloria y honor cuando Jesucristo se revele. Ustedes lo aman a pesar de no haberlo visto; y aunque no lo ven ahora, creen en Él y se alegran con un gozo indescriptible y glorioso, pues están obteniendo la meta de su fe, que es su salvación (vv. 5-9).

¿En qué consiste el *"ahora"*? La vida en el presente consiste en algo mucho más profundo que levantarse en la mañana con una sonrisa, que tener un trabajo satisfactorio, que disfrutar de fines de semana románticos con tu esposa, que gozar de amistades alentadoras, que tener hijos obedientes, que poseer una casa bonita en una buena comunidad. Va más allá de tener un pastor al que parezcas realmente importarle, y va más allá de manejar bien tu presupuesto.

El punto de Pedro es que Dios está dispuesto a negarnos estas cosas con tal de producir algo más grande, pleno y profundo en nosotros: una fe genuina. Esta es la intención de Dios en esas experiencias que nos llevan a preguntarnos si Él realmente nos ama o si escucha nuestras oraciones; en las experiencias que nos llevan a envidiar a otros creyentes, o tal vez incluso a personas que no le conocen. ¿Por qué Dios nos hace pasar por tales experiencias? Porque Dios no ha terminado Su obra en nosotros. Él está obrando para que obtengamos la meta de nuestra fe, la salvación de nuestras almas. En lugar de murmurar, quejarnos y dudar de la fidelidad de Dios, deberíamos ser capaces de responder en adoración. En vez de decir: "Señor, ¿por qué a mí?", debemos ser capaces de decir: "Gracias, Dios. Quiero más de Tu salvación. Señor, quiero todo lo que me puedas dar. Sé que todavía no has terminado Tu obra en mí". Las luchas no ocurren por error. Son una evidencia de Su amor redentor. Las pruebas no deben llevarnos a *dudar* del amor del Rey; nos deben *convencer* del mismo.

En mi opinión, en el corazón de cada pecador está el deseo de que la vida sea un complejo vacacional. Pago y me dan todo lo que quiera, cuando lo quiera. Alguien una vez me explicó una de estas ofertas. Me dijo: "Doce comidas al día". ¡Doce! "La última comida es a medianoche, y a las 2:00 a.m. puedes pedir pizza desde tu habitación si lo deseas". ¡Suena genial! ¡Nadie te puede decir que no! Puedo elegir lo que quiera, cuando quiera y sin límites. Si Dios hubiera querido que la vida fuera un complejo vacacional, hubiera sido así.

Reconociendo las señales

El principio es el siguiente: Las bendiciones que Dios te da a través de tu familia, trabajo, hogar, iglesia, amigos y comunidad están diseñadas para producir algo en ti. Su intención es apuntarte hacia la bendición más profunda y plena de la presencia del Señor Jesucristo en tu vida. ¡Él *es* vida! Ni tu cónyuge, ni tus hijos, ni tu casa, ni tu carro, ni tus posesiones, ni tu trabajo, ni tus amigos, ni tu iglesia, ninguno es vida abundante. ¡Jesucristo es vida abundante! ¡Y lo increíble es que Él es nuestro y nosotros somos Suyos! Este es el pan por el que vale la pena vivir. No por el pan de las bendiciones físicas, sino por el pan espiritual, que es Cristo; y es precisamente a Cristo que el pan terrenal representa. La única razón por la que a algunos de nosotros nos emociona Cristo es porque pensamos que Él nos dará más pan físico. Y luego sucede que cuando Él nos quita ese pan físico para que volvamos a tener hambre del pan que realmente satisface, caemos en una depresión espiritual. ¿Puedes ver más allá del pan físico hasta ver a Cristo y las glorias de Su gracia? ¿O simplemente consumes ese pan físico sin ningún deseo por las bendiciones espirituales que Él da: amor, gozo, paz, paciencia, benignidad, bondad, fe, mansedumbre y templanza?

En Juan 6 Jesús dice: "Yo soy el Pan de vida". Pregúntate lo siguiente: ¿Cuál es el pan que suele apetecerme? ¿Cuál es el tipo de pan con el que realmente quiero alimentarme? No estoy diciendo que las cosas físicas sean de poca importancia o que no deberíamos tratar de mejorar nuestras vidas (matrimonios, trabajos, iglesias, familias, etc.), pero pienso que podemos perder de vista el punto principal. Podemos hasta ver los milagros, pero pasar por alto la señal. Podemos gozarnos por los empleos obtenidos, las amistades restauradas, las casas abastecidas y las cuentas pagadas, pero no tener hambre por las bendiciones espirituales que están representadas en esas provisiones físicas. Podemos ser aquellas personas que solo buscaban a Jesús para que llenara continuamente sus estómagos, pero que en realidad no lo querían como su Rey. Ellas querían que Él fuera su Gran mesero, dedicado a mantenerlos satisfechos físicamente.

Hoy muchos de nosotros acudimos a Jesús porque tenemos un sueño y queremos que Él nos ayude a conseguirlo de alguna forma. Si somos honestos, tendríamos que admitir que eso es lo único que realmente queremos de Él. Y si no lo conseguimos, nos sentimos miserablemente decepcionados.

Si estamos viviendo para tener pan terrenal y lo vemos como la fuente de nuestra vida, cuando no lo tengamos vamos a estar en serios problemas. Pero si estamos viviendo para recibir el pan espiritual y así tener una comunión más íntima con Jesucristo, entonces nuestras vidas (con todos sus problemas) se vuelven lugares maravillosos para conocer y crecer en la comunión con Aquel que *es* vida. Llevaremos a cabo esta búsqueda del Pan verdadero en las habitaciones, cocinas, oficinas, vecindarios y pasillos de la vida. Y esto tendrá implicaciones para nuestra comunicación.

Cuando tienes una comunidad de personas (familia, amigos, cuerpo de Cristo) que están comprometidas con Cristo, que anhelan conocerle mejor, y quieren que sus vidas expresen alabanza, adoración y gloria al Señor, su forma de hablar se verá afectada. Sus palabras van a animar y fortalecer, y experimentarán una unidad y una intimidad de comunión que el mundo desconoce. Cuando renunciamos a nuestros sueños y expectativas personales, somos capaces de experimentar la unidad del Espíritu que nos ha sido dada como hijos de Dios.

En cambio, aquellos que tienen sus ojos puestos en el pan físico se devorarán unos a otros. Su hablar provocará el mundo de problemas descrito en Santiago 3, porque este pan no satisface. Amar ese pan te convertirá en un parásito en la vida de los que te rodean; intentarás chuparle toda la sangre, pero ellos nunca, nunca, nunca podrán darte lo suficiente. Solo hay un Pan, y es Jesús. Solo tendremos vida si nos alimentamos de Él por medio de la fe. No hay otra manera.

Discípulos desilusionados

¿Recuerdas qué ocurrió cuando Jesús proclamó ese mensaje? Jesús le dijo a la multitud: "Ciertamente les aseguro que si no comen la carne del Hijo del hombre ni beben Su sangre, no tienen realmente vida" (Jn 6:53). La multitud no solo le abandonó, sino que muchos de Sus discípulos también le dejaron (v. 66). Ellos dijeron: "Dura es esta palabra" (v. 60). Estaban en lo cierto. Es dura porque el evangelio nos dice que Dios no envió a Su Hijo para que podamos llevar a cabo nuestra agenda, sino para que podamos ser parte de la Suya.

Te animo a que respondas estas preguntas con una honestidad humilde. ¿Qué revelan tus palabras respecto a los verdaderos amores de tu corazón? Ese hambre interno y profundo que siempre procuras satisfacer, ¿de qué es? ¿Es un hambre por Cristo? Si Él es el anhelo de tu corazón, entonces tendrás oportunidades maravillosas de crecer en gracia y conocimiento en medio de toda clase de dificultades. Pedro nos recuerda que el que nos envía estas experiencias es un Dios que se acuerda de nosotros con un amor redentor. Él está completando la obra salvífica que comenzó en nosotros. Seremos refinados a través de las pruebas. La vida no es un complejo vacacional, sino un camino pedregoso diseñado para conformarnos cada vez más a la imagen de Cristo. Podemos enfrentar los tropiezos con un gozo genuino, sabiendo que cada piedra fue puesta en nuestro camino por un Padre celestial amoroso y que cada una es para nuestro bien.

En una ocasión, conversaba con una señora que había estado casada por muchos años. Estaba casada con alguien que, honestamente, tengo que decir que era un hombre malvado. Era iracundo, controlador y manipulador. Con regularidad decía y hacía cosas muy hirientes. Lamentablemente, ella había soñado con tener el marido perfecto, y se había amargado tanto pensando en la bendición que disfrutaban otras mujeres de la iglesia que dijo que ya no podía ir al culto. Sentía como si Dios la hubiera olvidado, tanto así que no podía leer su Biblia ni orar.

Yo quería que ella entendiera su identidad en Cristo y el amor del Señor. Quería que entendiera que Dios es refugio y fortaleza, un pronto auxilio en los problemas, así que le leí varios pasajes que hablaban del maravilloso amor de Dios, hasta que en medio de un versículo, gritó: "¡Basta!". Miré su rostro enojado. Golpeando la silla repetidas veces con su puño, me decía: "Ya no me diga más que Dios me ama. ¡Yo quiero un *esposo* que me ame!".

Aprendí algo ese día. En la medida en que hayas basado tu vida sobre algo o alguien que no sea el Señor, en esa misma medida serás indiferente al consuelo que ofrecen el amor de Dios y la esperanza del evangelio. No te consolará porque tienes hambre de otro tipo de pan. Lo que quieres es un rey que te dé el pan que anhelas. Ese pan puede ser una relación, una circunstancia o una posición. Puede ser el amor o respeto de los demás, el deseo de venganza o cierto estado económico. ¡Puede ser cualquier cosa de la creación, literalmente! Pero solo hay dos tipos de pan: Cristo, el Pan de vida, y todo lo demás. Si nuestros corazones no están anhelando a Cristo, seguro están anhelando otra cosa.

Y aprendí algo más ese mismo día. Las palabras airadas de esa señora revelaban el verdadero amor de su corazón, su sueño, el pan que su corazón anhelaba. Seguramente, ella hubiera dicho que era creyente; hubiera dicho que creía en las verdades de la Escritura. Y, probablemente, hasta hubiera dicho que amaba al Señor. No obstante, sus oraciones al Señor no eran una expresión de su gratitud, sino una lista de exigencias en forma de peticiones. Ese día, sus palabras revelaron que, a pesar de su profesión de fe, lo que realmente quería era un rey que le concediera sus deseos. Esperaba que Dios le concediera su sueño y estaba enojada porque no lo había hecho. No tenía ojos para ver que a través del vehículo de un matrimonio difícil su Rey quería darle algo mejor. Al considerar nuestras propias vidas y las cosas en las que invertimos, debemos preguntarnos: ¿De quién es el sueño que perseguimos? ¿Cuál es el pan que anhelamos?

Otra pregunta: ¿Qué nos pasa cuando no conseguimos nuestro sueño? ¿Nos revolcamos en la autocompasión? ¿Explotamos, culpando a todos a nuestro alrededor? ¿Nos consumen la envidia y la codicia? ¿Comenzamos a expresar nuestras dudas acerca de la bondad, la fidelidad y el amor de Dios? ¿Nos cuesta adorar, alabar, leer la Biblia, orar, tener comunión con otros creyentes o compartir el evangelio con aquellos que no conocen al Señor?

¿Qué nos dicen nuestras palabras? ¿Nos dicen que estamos viviendo para conseguir el pan terrenal? Independientemente de que consigamos o no ese pan terrenal, la bondad, el amor, el poder, la gloria y el llamado de Dios para nosotros no cambian. Si *Él* es el objeto de nuestro hambre, podemos tener gozo aun en medio del sufrimiento. ¿De quién es ese pan que realmente buscamos? ¿Qué revelan nuestras reacciones y palabras? Puede que muchos de nosotros, aun cuando no hemos abandonado al Rey físicamente hablando, hemos perdido nuestro entusiasmo por Su gracia y misericordia, porque seguirle no ha conducido al cumplimiento de nuestros sueños. Pero al igual que los discípulos que se alejaron tristemente cuando Él los desafió a comprometerse con su fe, nosotros también lo hemos abandonado en nuestros corazones.

¿Qué ocurre cuando el sueño desaparece?

Un profeta del Antiguo Testamento (Habacuc) echó un vistazo al pueblo de Dios y dijo: "Dios, no entiendo lo que está pasando aquí. Tu pueblo está lleno de maldad y Tú no has hecho nada para impedirlo. ¿Por qué permites esto? ¿Por qué no haces algo respecto al pecado de Tu pueblo?" Dios respondió: "Yo *voy* a hacer algo. Enviaré desde el norte a una nación malvada y violenta para que destruya a Mi pueblo".

¡El profeta no podía creer lo que estaba escuchando! Cuando él le pidió a Dios que hiciera algo, estaba pensando en un avivamiento—¡lo del juicio no estaba en su menú! Entonces, protestó: "Dios, ¿cómo puedes hacer esto? ¿Cómo puedes usar a una nación más malvada que nosotros para juzgarnos? ¡Esto no tiene sentido!". El profeta empezó a debatir con Dios y, en medio del debate, Dios le revelaba Su poder y Su gloria. Habacuc concluye su libro con estas preciosas palabras:

Aunque la higuera no dé renuevos,
ni haya frutos en las vides;
aunque falle la cosecha del olivo,
y los campos no produzcan alimentos;
aunque en el aprisco no haya ovejas,
ni ganado alguno en los establos;
aun así, yo me regocijaré en el Señor,
¡me alegraré en Dios, mi libertador!
El Señor omnipotente es mi fuerza;
da a mis pies la ligereza de una gacela
y me hace caminar por las alturas (Hab 3:17-19).

El profeta estaba describiendo la pérdida total de una cultura agrícola. Ya no queda nada—ni plantas, ni árboles, ni animales. No hay pan físico. En medio de todo esto, Habacuc dice: "Señor, aunque todo ha desaparecido, de todas maneras me gozo porque Tú, mi Salvador y Señor, mi vida y fortaleza, aún estás aquí".

Si tu sueño llegara a derrumbarse, si no quedara nada, ¿te levantarías en medio de tus lágrimas y dirías: "Estoy lleno de gozo porque el Señor es mi señor, el Señor es mi vida, el Señor es mi fortaleza, y en medio de toda esta pérdida y destrucción, le tengo a Él"? Puedes ir tras tu sueño, o puedes ir tras el sueño del Señor para ti. Puedes pedirle que te conforme a Su imagen, para que cada vez más tu vida y tus palabras sean para la alabanza de Su gloria, o puedes desear que Cristo se adapte al alcance y enfoque de *tu* sueño. ¿De quién es el sueño que estás persiguiendo?

Que Dios nos ayude a ser personas que ven la señal detrás del milagro, que ven las bendiciones terrenales y dicen: "Estas bendiciones me apuntan hacia la realidad más profunda y plena de la presencia de Cristo en mi vida. Tengo hambre de Cristo y quiero que mi vida refleje comunión íntima, amor y obediencia". Mi oración es que tanto tú como yo seamos personas que siguen a Jesús aunque ya no haya más cosecha, más animales, más pan. Mi oración es que seamos personas que se levanten por la mañana y digan: "¡Estoy lleno de gozo! Soy un hijo del Rey. Él es mi vida y le seguiré por fe".

Tus sueños y tus palabras

Evidentemente, las verdades de Juan 6 tienen repercusiones importantes sobre la manera en que pensamos acerca de la comunicación. Juan 6 nos apunta hacia la cuestión central en cuanto a nuestras palabras: Nuestras palabras son moldeadas por el sueño que reside en nuestros corazones. Son determinadas por el pan que estemos buscando.

Por ejemplo, piensa en un esposo y su esposa. Si cada uno está aferrándose a su sueño personal, alimentándose con pan terrenal, es inevitable que ambos terminen frustrados y mutuamente decepcionados, aparte de todo el conflicto que vendrá cuando vean que sus sueños chocan. Sin dudas, su mundo de palabras será un mundo de problemas. Terminarán maldiciendo al cónyuge que Dios les dio, e incluso podrían maldecir a Dios en medio de su rencor. Sus lenguas solo serán domadas cuando sus corazones sean controlados por el gobierno del Rey, el sueño del Rey y el pan del Rey.

Como pecadores, tendemos a seguir al Rey por todas las razones equivocadas. Esto contamina nuestras palabras con el veneno del egoísmo y debilita nuestra alabanza al Señor y nuestro ministerio hacia los demás. Ya no nos gozaremos en ser Sus discípulos y nos alejaremos con tristeza. Cuando nuestras palabras revelen que hemos reemplazado una posición de esperanza, confianza y descanso en el Rey por un pan que nunca satisface, necesitaremos volvernos a Él y orar: "Señor, con qué facilidad nos quedamos inmersos en nuestros propios deseos y sueños. Con qué facilidad llegamos a verte solo como el proveedor de esos sueños. Con demasiada frecuencia nos emocionamos, al igual que la multitud, y perdemos de vista la realidad espiritual detrás de los regalos que nos das. Señor, oramos para que Tú nos libres de ir tras nuestras propias esperanzas y sueños; para que Tú nos des hambre y sed de Jesucristo, y un deseo de conocer Su voluntad en cada área de nuestras vidas. Que podamos estar delante de Ti en amor y sumisión gozosa, alimentándonos de Ti por medio de la fe. Que permanezcamos firmes en nuestro gozo, fe, valentía y obediencia, aun cuando no estemos recibiendo el pan físico. En medio de las pruebas, que podamos decirte: 'Gracias, Señor, por Tu amor. Gracias porque estás procurando completar Tu obra de salvación en nosotros'. Para esto necesitamos Tu ayuda y oramos para que todo esto sea para Tu gloria. Amén".

Examínate

Llegando al corazón de tus palabras

¿Cómo podemos determinar lo que realmente está gobernando nuestros corazones? Hazte las siguientes preguntas:

1. ¿Qué pasa con mis oraciones y mi hablar acerca de Dios cuando no obtengo lo que quiero?
2. ¿Cómo le hablo a los demás cuando parecen estar estorbando la realización de mi sueño?
3. ¿Qué ocurre con mis palabras cuando las circunstancias son difíciles y desagradables?

4. ¿Qué ocurre con mis palabras cuando veo que otros son bendecidos, mientras que yo estoy luchando?

5. ¿Qué tanto se enfocan mis oraciones en los cambios profundos que Dios está obrando en mi corazón, y en el contexto más amplio de la obra de Su reino?

6. ¿Cuánto de mi hablar expresa un espíritu de gratitud y contentamiento?

7. ¿Animan mis palabras a otros a poner su confianza en el Señor?

8. ¿Son la queja y el chisme una parte regular de mis conversaciones cotidianas?

9. ¿Hay evidencias de amabilidad, gentileza y paciencia en mis conversaciones?

10. ¿Está mi conversación contaminada por palabras exigentes, críticas, impacientes, acusadoras y condenadoras?

11. ¿Qué ocurre con mis palabras cuando otros pecan contra mí?

12. ¿Qué ocurre cuando mis oraciones no son contestadas como yo esperaba?

13. En mi intento de responder estas preguntas con humildad, ¿cuáles sueños de mi corazón están siendo revelados? ¿Qué hago con ellos?

7

Hablando por el Rey

Se me ha dado toda autoridad... Por tanto, vayan y hagan
discípulos de todas las naciones (Mateo 28:18)

Vivimos en la era del video omnipresente. Pareciera que todas nuestras vidas están siendo grabadas. Las familias suelen grabar una buena parte de los días festivos, de las fiestas de cumpleaños, de las vacaciones y de los momentos chistosos. Incluso hasta esconden cámaras de video en la sala para vigilar que la niñera no abuse de los niños. Hay cámaras de seguridad en las tiendas, en los supermercados y en el banco. No hay evento relevante en nuestras comunidades—ya sea una celebración, un desfile, una persecución policíaca, unas elecciones, un accidente, un incendio o un desastre natural—que no sea capturado por una cámara de video.

Un día estaba parado en un muelle observando a alguien que estaba grabando un video de unos peces, y me vino a la mente esta pregunta: Si las personas pudieran ver la grabación completa de mi vida, ¿qué concluirían acerca de mí? ¿Para quién, dirían ellos, estoy viviendo? ¿Cuál, dirían ellos, es mi misión en la vida?

Mi mente fue más allá. ¿Cómo verían mi interacción con los demás? Por ejemplo, ¿qué dirían de la manera como trato a mi familia? ¿Qué concluirían acerca de mi matrimonio, mi paternidad y mis relaciones con los vecinos? ¿Cuál es mi razón de ser según ellos?

Como consejero, cuando alguien me cuenta su historia, suelo darme cuenta de que le es más fácil describir las acciones, reacciones y palabras de los demás que las suyas. Y muchas veces he tenido que decir: "Sabes, hemos estado viendo el video de tu vida, pero hay algo curioso en tal video: *¡No* *apareces en él!* Está toda la gente importante en tu vida, con sus reacciones y palabras, pero tú no apareces. Ahora, giremos la cámara hacia ti para ver cómo estás enfrentando todo lo que está pasando en tu vida. Veamos qué es importante para ti y cómo lidias con las situaciones y relaciones en las que te encuentras a diario".

Me gustaría hacer algo similar contigo como lector. Te animo a que te enfoques de manera particular en tu vida conversacional. Si yo viera una grabación de tu vida, poniendo especial atención a tu comunicación con la gente importante en tu mundo, ¿qué encontraría? ¿Qué pensaría que estás tratando de lograr? ¿Qué concluiría acerca de lo que es importante para ti?

Este capítulo habla de la *misión* de Dios para nuestras bocas. Comenzamos este libro diciendo que nuestras palabras le pertenecen al Señor. Fueron creadas por Él, existen por medio de Él y deben ser usadas para Él. Se nos dio la capacidad de comunicarnos para que nuestras palabras nos ayuden a hacer Su obra y a darle gloria a Él. Él es la fuente, el estándar y la meta de todas nuestras palabras. ¡Él es el Señor de nuestras bocas! Por tanto, es vital que tengamos un sentido claro de Su propósito para nosotros en esta área. Una vez que lo hagamos, necesitamos revisar las grabaciones de nuestras vidas y preguntarnos: ¿Estamos hablando en nombre del Rey?

Cuando hablamos de la misión de Dios para nuestras bocas, estamos hablando de una responsabilidad que se nos ha encargado. Una misión es un conjunto particular de objetivos que le da orden y propósito a lo que hace una persona o grupo. Es una tarea especial, un llamado interno a hacer una obra específica. Nuestra pregunta es: ¿Cuál es la misión que el Gran orador tiene para nuestras bocas? Necesitamos una respuesta clara a estas preguntas antes de considerar todos los pasajes bíblicos prácticos que tratan acerca de la comunicación. También necesitamos ver cómo el gran engañador quiere tentarnos para que nos alejemos de la meta de Dios para nuestras palabras.

Ningún pasaje define tan clara y concisamente la misión de Dios para nuestras palabras como lo hace 2 Corintios 5:11-21 (RVC).

Así que, puesto que conocemos el temor del Señor, procuramos convencer a todos. Para Dios es evidente lo que somos; y espero que también lo sea para la conciencia de ustedes. No estamos recomendándonos otra vez a ustedes, sino que les damos la oportunidad de estar orgullosos de nosotros, para que tengan con qué responder a los que presumen de las apariencias y no de lo que hay en el corazón. Si estamos locos, lo estamos para Dios; y si estamos cuerdos, lo estamos para ustedes. El amor de Cristo nos lleva a actuar así, al pensar que si uno murió por todos, entonces todos murieron; y Él murió por todos, para que los que viven ya no vivan para sí, sino para Aquel que murió y resucitó por ellos.

Así que, de aquí en adelante, nosotros ya no conocemos a nadie desde el punto de vista humano; y aun si a Cristo lo conocimos desde el punto de vista humano, ya no lo conocemos así. De modo que si alguno está en Cristo, ya es una nueva creación; atrás ha quedado lo viejo: ¡ahora ya todo es nuevo! Y todo esto proviene de Dios, quien nos reconcilió consigo mismo a través de Cristo y nos dio el ministerio de la reconciliación. Esto quiere decir que, en Cristo, Dios estaba reconciliando al mundo consigo mismo, sin tomarles en cuenta sus pecados, y que a nosotros nos encargó el mensaje de la reconciliación. Así que somos embajadores en nombre de Cristo, y como si Dios les rogara a ustedes por medio de nosotros, en nombre de Cristo les rogamos: 'Reconcíliense con Dios'. Al que no cometió ningún pecado, por nosotros Dios lo hizo pecado, para que en Él nosotros fuéramos hechos justicia de Dios".

Llamados a ser embajadores

Un jueves por la noche fui al cuarto de mi hijo para saludarlo y conversar con él algunos arreglos que necesitábamos hacer para el fin de semana. Toqué la puerta, entré al cuarto ¡y encontré una escena de destrucción total! No tenía idea de cómo encontraba su ropa (creo que en ese momento estaba toda en el suelo) o cómo encontraba su cama para dormir (solo veía una esquinita debajo del desorden). Habían libros de texto universitarios, calcetines, revistas, equipos musicales, discos compactos, partes de una patineta y un sinfín de otros objetos no reconocibles. Mi ira y frustración fueron inmediatas. Recuerdo que pensé: *¡Está sentado en medio de este desastre y no le molesta en lo absoluto!*

Me saludó con naturalidad y afecto, y perdí los estribos. En vez de saludarlo y preguntarle acerca de su día, comencé a regañarlo severamente por la condición de su habitación, y le dije que estaba seguro de que esto era un reflejo de la condición de su vida (lo cual realmente no era cierto). Con enojo le recordé cuán duro trabajaba para proveerle las cosas que tenía desparramadas por todas partes. Le pregunté qué pasaría si su mamá y yo tuviéramos toda la casa de esa manera. Lo sermoneé y le hice preguntas—preguntas y nada de tiempo para responderlas, porque en realidad no eran preguntas. Solo me estaba desahogando. Le dije que no sabía cómo podía soportar estar en ese cuarto así como estaba, porque yo no podía. Le dije que más le valía limpiarlo rápidamente, y me fui.

Caminé por el pasillo sintiéndome enojado y vacío, y me dejé caer en el sofá de la sala de estar. Allí me di cuenta de que no había conversado *nada* de lo que originalmente quería decirle. Hice mi mejor esfuerzo por justificar mi comportamiento: (1) El cuarto estaba hecho un desastre (muy cierto). (2) Era evidencia de una mala mayordomía de su parte (cierto). (3) Él necesitaba que alguien lo confrontara respecto a este asunto (cierto también). Pero a pesar de todo eso, sabía que lo había hecho mal. Ese encuentro no iba a producir cambios positivos en mi hijo, y sabía que Dios no estaba complacido. Oré pidiendo perdón, me calmé, y fui de nuevo a hablar con mi hijo de la manera correcta.

Las palabras de Pablo en 2 Corintios 5 explican al detalle lo que estuvo mal en mi "conversación" aquella noche. Si queremos hablar de acuerdo con el estándar de Dios y de acuerdo con Su diseño, necesitamos entender los principios prácticos que se encuentran en este pasaje.

1. Necesitamos hablar con el entendimiento de que somos los embajadores de Dios. Un embajador político es alguien que ha sido llamado desde su tierra natal para vivir en otro país y representar el mensaje, los métodos y el carácter de su líder (presidente, rey, primer ministro, etc.). El mensaje de Pablo aquí es radical: ¡Hemos sido llamados a ser embajadores del Rey! Dios nos ha puesto justo donde Él quiere que *le representemos*. Si realmente quiero hablar como Él me ha ordenado que hable, debo ser consciente de mi posición como embajador. Estoy donde estoy porque fui llamado a representar al Señor. Pablo dice que para el cristiano, esa vida antigua que giraba alrededor de uno mismo ya pasó. Somos una nueva creación; lo viejo ya pasó. Esa vida en la que solo procurábamos nuestros propios intereses y en la que hacíamos casi cualquier cosa por obtener lo que deseábamos, está muerta y enterrada.

Pablo dice que hemos sido reconciliados con Dios y que ahora tenemos un nuevo ministerio: Su obra de reconciliación.

No tenemos la libertad de procurar nuestros propios intereses con nuestras palabras. La agenda de nuestra comunicación siempre debe estar alineada con nuestro rol como embajadores (dar a conocer la misión, los métodos y el carácter del Rey). Pero aquí necesitamos ser honestos. No hay situación en la vida en la que no haya una lucha entre nuestros propios intereses y los del Señor. Siempre hay cosas que queremos que sean de cierta manera y en cierto momento. Siempre será fácil alejarnos del propósito de Dios y dirigirnos hacia el nuestro. Ese cambio de dirección puede ser sutil y engañoso, especialmente debido a que como creyentes todavía no estamos libres del pecado del egoísmo, el cual sigue siendo uno de los pecados fundamentales que yacen detrás de nuestras palabras. Esta tendencia hacia el egoísmo es lo que la posición de un embajador aborda de manera tan enfática. *No puedes* ser un embajador exitoso si eres motivado primariamente por tus propios intereses. No puedes ser un embajador a medio tiempo. Siempre debes recordar que estás donde estás porque eres un representante. *Has sido enviado por el Rey para hablar por Él.*

Existe otra manera de pensar acerca de este llamado a ser embajadores. Hemos sido llamados a representar al Rey de una manera que lo *encarne*. Encarnar significa tomar forma humana, personificar. Esta posición de gran honra y majestad se le ha dado pecadores indignos. Si pudiéramos entender lo maravilloso que es todo esto, ¡estaríamos asombrados de que somos capaces de hacer o decir *algo* que muestre la gloria de Dios! Pero es precisamente para esto que Dios nos ha escogido: para que encarnemos Su misión, Sus métodos y Su carácter en la tierra. Somos Sus manos, Sus ojos, Sus oídos y Su boca. Le damos vida a lo que Él es y a lo que Él quiere para aquellos a nuestro alrededor. Somos llamados a hacer que Su carácter y Su voluntad sean vistos, escuchados y conocidos. Eso era lo que tenía que hacer esa noche que entré al cuarto de mi hijo, pero había olvidado completamente mi llamado. Solo estaba pensando en mis propios intereses, y mis palabras no tenían la más mínima intención de encarnar a Cristo.

Cuando vivimos y hablamos con la intención de encarnar a Cristo, reflejamos la obra que Él hizo sobre la tierra: Él vino a dar a conocer al Padre. Cuando Jesús vino, dijo que las obras que Él hacía y las palabras que Él decía no eran Suyas, sino que venían de Su Padre (ver Jn 14:5-14). Jesús estaba comprometido con la voluntad de Su Padre en las cosas que hacía y decía, porque Él entendía cuál era Su misión. Él se había hecho carne con el propósito de dar a conocer a Dios. Hoy, de la misma manera en que Cristo reveló al Padre, nosotros somos llamados a revelar a Cristo. Somos llamados a encarnar a Jesús, el Conciliador y Redentor. Es por esto que nuestras palabras siempre tienen una agenda superior a nuestros propios propósitos y deseos.

Me gusta mucho la manera en la que Pablo habla acerca de esta agenda superior. Dice que es "como si Dios les rogara... por medio de nosotros (2Co 5:20 RVC). Hablar como un embajador significa que siempre estamos preguntándonos qué es lo que Dios quiere lograr en nuestros corazones y en los corazones de nuestros oyentes. ¿Cuál es el ruego que Dios está haciendo? Las tres palabras que he estado usando son útiles aquí: *misión*, *métodos* y *carácter*.

Hablar como un embajador significa hablar de una manera que represente la *misión* (es decir, la voluntad y propósitos) del Rey. Significa preguntarse: ¿Reflejan mis palabras aquello que es valioso para el Señor? También significa considerar los *métodos* del Rey. Esto significa preguntarse: ¿Cómo respondería el Señor a esta persona en esta situación? Aquí vemos al Señor como nuestro modelo supremo de comportamiento. Nuestro llamado es a responder como Él respondió, a actuar como Él actuó y a hablar como Él habló. Finalmente, hablar como un embajador requiere que pensemos acerca del *carácter* del Rey. La representación del Señor no es simplemente un asunto de metas y métodos correctos, sino también de actitudes correctas. Aquí nos preguntamos: Al responderle a esta persona en esta situación, ¿estoy representando fielmente el carácter del Rey? (ver Col 3:12-14). Si me hubiera hecho estas preguntas aquella noche en el cuarto de mi hijo, mis palabras hubieran sido totalmente diferentes.

La misión del Rey

2. Los embajadores necesitan hablar basados en un entendimiento claro de la misión del Rey. ¿Qué está haciendo Él en la tierra? ¿En nuestras vidas? ¿En esta situación y en este momento? ¿Cuál es Su misión? Un vez más, Pablo nos lo explica muy claramente. Nos dice que Dios está obrando "para que los que viven ya no vivan para sí, sino para Aquel que murió y resucitó por ellos"

(2Co 5:15 RVC). El enfoque de Dios está en nuestros corazones y en nuestra tendencia hacia la idolatría. Como vimos antes, el ídolo más poderoso y dominante es el ídolo del "yo". Todos los pecadores le sirven de alguna manera u otra. Al igual que Adán y Eva, cada pecador tiene el deseo de ser Dios y de tener al mundo operando de acuerdo con su placer y voluntad. Jesús vivió, murió y resucitó para destruir nuestra esclavitud a este ídolo. Su meta es que nosotros, que antes vivíamos para nuestro beneficio, seamos transformados, por medio de Su gracia, para adorarle y servirle solo a Él. A medida que Él nos vaya cambiando, nos pareceremos más a Él. Podremos representarlo fielmente, y como Sus embajadores, podremos hablar en formas que contribuyan con Sus propósitos en las vidas de otros y en las nuestras.

Notemos que el blanco de nuestra misión es el corazón, donde ocurre nuestra adoración, ya sea a Dios o a los ídolos. Como embajadores de Dios, debemos hablar enfocándonos en el corazón. Esto no se da de manera natural en los seres humanos. La mayor parte del tiempo, hablamos de los asuntos físicos de la vida—trabajos, casas, carros, gente y posesiones. Nuestras palabras reflejan nuestro intento por obtener lo que queremos, o nuestra frustración cuando fallamos. Un esposo le grita a su esposa cuando ella se está demorando demasiado en estar lista. Una madre le grita a su hija por su cuarto desordenado, o un hijo se queja de que su ropa le hace ver ridículo. Un niño hace una rabieta cuando no lo llevan a su juguetería favorita, o un padre explota porque no puede encontrar su periódico.

Toda esta comunicación se enfoca en el mundo físico y sale de corazones que adoran y sirven a la creación más que al Creador. Una sutil deificación de la creación hace que nos olvidemos de la voluntad y la gloria del Creador. Debido a que estas conversaciones son idolátricas en sí mismas, Dios nunca las usará para cumplir Su misión, que es liberar a las personas de su esclavitud a todo tipo de ídolos.

En estos momentos, la agenda de Dios es fundamentalmente espiritual. Él sabe que es solo cuando Él posea nuestros corazones sin oposición que podremos relacionarnos con el mundo de la manera como Él nos lo ha ordenado. Por esta razón, Dios está enfocado no solo en la solución momentánea de nuestros problemas, sino en un cambio duradero del corazón. Su deseo es volver a cautivar los corazones de Su pueblo para que le sirvan solo a Él (ver Ez 14:1-6). Para lograr esto, está dispuesto a sacrificar nuestra comodidad personal. Permitirá que entremos en situaciones que realmente nos incomoden, como el caso del cuarto desordenado de mi hijo. Él quiere que los pecados del corazón sean revelados porque necesitamos verlos para poder arrepentirnos. Muy a menudo, nuestras palabras suelen ser las que más claramente revelan lo que hay en nuestros corazones. Cuando nuestras palabras hacen más daño que bien, lo más probable es que tengamos propósitos contrarios a los del Rey. Muy probablemente, estamos centrados en nuestro propio interés egoísta, y no en Su agenda redentora. Para Dios, ese es el mayor problema.

Aquella noche en el cuarto de mi hijo, me olvidé completamente de la guerra que se estaba librando por su corazón. No lo vi como un alma eterna. No lo vi como una criatura de Dios que estaba en medio de una batalla espiritual. Olvidé que mi propia lucha no era contra seres humanos, sino contra poderes, autoridades y potestades (Ef 6:12). Me olvidé de quiénes éramos ante los ojos de Dios. En lugar de esto, me enfoqué en la creación (el cuarto de mi hijo) y cómo yo quería que fueran las cosas. Sí, yo estaba en una misión—¡y lamentablemente fui capaz de comunicar mi misión con bastante claridad! Pero había olvidado que Dios me tenía allí como un embajador para representar *Su* misión. En eso fallé, y perdí una oportunidad maravillosa de ser parte de algo más alto, mejor y más maravilloso. Opté por el pan físico y olvidé la gloria del Pan de vida. ¿Revelaba la condición de la habitación asuntos con los que había que lidiar? Sí, pero debí abordarlo de una manera que representara la misión gloriosa y libertadora del Rey.

El método del Rey

3. *Los embajadores necesitan hablar con un entendimiento de los métodos del Rey.* Un embajador es llamado no solo a decir lo que el Rey diría, sino a decirlo de la *manera* en que lo diría. No tenemos la libertad de cumplir con la misión de Dios de la manera en que creamos conveniente. La *manera* como hacemos lo que se nos llama a hacer debe ser coherente con Su carácter y propósitos. Una vez más, esto forma parte de encarnar a Cristo: Al hablar, nuestros métodos deben reflejar la manera en que Dios trata con las personas.

Volvamos a aquella noche en el cuarto de mi hijo. No solo estuve equivocado con respecto a las metas que perseguía. También utilicé la metodología equivocada. ¿Cómo quería lograr cambios? A través del enojo, de la culpa, de la condenación, de las amenazas y de un ultimátum. Estas fueron mis "herramientas". Pero Aquel a quien he sido llamado a representar no usaría estas herramientas; estas no producen el cambio duradero del corazón que se supone es mi objetivo. Proverbios dice que "la respuesta grosera aumenta el enojo" (Pro 15:1 RVC). Incrementa la hostilidad y las actitudes defensivas, en lugar de crear la atmósfera de receptividad y apertura que pueden venir de una respuesta amable.

¿Cómo produce Dios cambios duraderos en nuestros corazones? O, como lo dice Pablo en otra traducción, ¿cómo es que Él nos "obliga" a dejar de vivir para nosotros mismos y a vivir para Él? 2 Corintios 5:11-21 enseña claramente que lo que obliga a Pablo—y a nosotros—es el *amor de Cristo*. Al fin y al cabo, lo que nos cambia no es solo la soberanía de Dios, Su santidad, Su ira en contra del pecado o Su gran poder. Sabemos por Romanos 2:4 que la *bondad* de Dios es lo que lleva a las personas al arrepentimiento. Y es lo mismo que Pablo le dice a los corintios—el amor de Cristo es lo que nos aleja del "yo" y nos motiva a vivir para Él. El amor glorioso y sacrificial de Cristo es el argumento más contundente para el cambio—y es Su medio más poderoso para lograrlo.

Piensa en esto por un momento. En cada escenario y circunstancia de la vida, hemos sido llamados a hablar de una manera que muestre el amor de Dios. ¡Qué estándar tan alto y humillante! ¿Quién puede decir: "Sí, Señor, lo estoy haciendo"? ¿Quién de nosotros no tiene que clamar honestamente y decir: "Señor, me falta tanto para cumplir con Tu llamado. Ven y sé mi fortaleza o nunca podré hablar de manera que sean dadas a conocer Tu gloria y Tu bondad"?

Necesitamos admitir humildemente que los métodos que el Señor utiliza—y que nos llama a *nosotros* a utilizar—son muy diferentes de aquellos que seleccionaríamos de manera natural. Mi primera respuesta a la persona que me maltrata no es bendecirla (Ro 12:14). No tiendo a perdonar a la persona que está pidiendo perdón siete veces al día por el mismo pecado (Lc 17:3-4). Mi primera elección no es vencer el mal con el bien (Ro 12:21) u olvidarme de la venganza para hacer las paces (vv. 17-20). Se me hace difícil ser paciente, humilde y perseverante cuando me provocan (Ef 4:2). Prefiero esperar que la persona que me ofendió se acerque a mí, en vez de yo ir a hablar con ella (Mt 18:15-17). Se me hace difícil lidiar con ciertos asuntos y restaurar relaciones antes de que se ponga el sol; quiero aferrarme a las ofensas, y repasarlas una y otra vez en mi mente (Ef 4:26-27). Quiero manipular a las personas demostrándoles mi dolor y mi enojo, en lugar de ser paciente y simplemente perdonarles (Stg 1:20). Hablo demasiado rápido y me desespera tener que escuchar con paciencia y atención (v. 19). Me dejo llevar por la emoción del momento, en vez de detenerme y prepararme para contestar de una manera piadosa (Pro 15:28).

Pero Dios no piensa como nosotros. Él no hace lo que haríamos de forma natural, y es por eso que necesitamos entender y seguir Su método. Como dice Pablo en 2 Corintios 10:4: "Las armas con que luchamos no son del mundo, sino que tienen el poder divino para derribar fortalezas". Como embajadores, somos llamados a poner a un lado las armas ineficaces del mundo, que son incluso destructivas, y a tomar las herramientas del evangelio que el Rey ha puesto en nuestras manos. Él las usará para lograr un cambio drástico en nuestras propias vidas, y nos permitirá ser parte de Su obra en la vida de otros.

Pablo señala tres herramientas (métodos) de cambio en 2 Corintios 5: el *autosacrificio*, el *perdón* y la *reconciliación*. Es bueno que no solo veamos estos tres términos como métodos, sino también como límites para nuestras palabras como Sus embajadores. No podemos permitirnos decir palabras que traspasen estos límites. Tomemos un momento para considerar lo que todo esto significa.

Primero, es evidente que la obra que Cristo hizo en nuestras vidas requirió de un *autosacrificio*. Para salvarnos, Él tuvo que morir. También vemos claramente en la Escritura que Él nos ha llamado, como Sus seguidores, a morir a nosotros mismos con tal de servir y amar a otros como Él nos ha amado. El llamado a morir a uno mismo, el llamado a ser intencionalmente sacrificiales como Sus siervos, fue algo que el Señor le enseñó continuamente a Sus discípulos durante Su tiempo sobre la tierra (ver Mt 10:37-38; 16:24-28; Lc 9:23-27; 14:25-27, 31-33; Jn 12:23-26).

Cristo nos transformó por medio de Su autosacrificio. Hemos llegado a ser partícipes de Su naturaleza divina porque Él estuvo dispuesto a dar Su vida por nosotros. Si Cristo se hubiera aferrado a Sus derechos y autoridad como Hijo de Dios, estaríamos atrapados sin esperanza en la esclavitud del pecado, destinados irrevocablemente a la condenación. Pero Jesús no solo estuvo dispuesto a dejar la gloria del cielo para sufrir como un hombre en esta tierra caída; ¡también estuvo dispuesto a morir por pecados que Él no cometió! Como Sus embajadores, Él nos llama a tener esta disposición de autosacrificarnos, con tal de que nuestras vidas puedan contribuir con Su gloriosa obra de transformación en los corazones humanos. Pablo escribió acerca de esto en su carta a la iglesia en Filipos:

> Por tanto, si hay alguna consolación en Cristo, si algún consuelo de amor, si alguna comunión del Espíritu, si algún afecto entrañable, si alguna misericordia, completen mi gozo sintiendo lo mismo, teniendo el mismo amor, unánimes, sintiendo una misma cosa. No hagan nada por contienda o por vanagloria. Al contrario, háganlo con humildad y considerando cada uno a los demás como superiores a sí mismo. No busque cada uno su propio interés, sino cada cual también el de los demás. Que haya en ustedes el mismo sentir que hubo en Cristo Jesús, quien, siendo en forma de Dios, no estimó el ser igual a Dios como cosa a que aferrarse, sino que se despojó a Sí mismo y tomó forma de siervo, y se hizo semejante a los hombres; y estando en la condición de hombre, se humilló a Sí mismo y se hizo obediente hasta la muerte, y muerte de cruz (Fil 2:1-8 RVC).

Pablo no pudo ser más contundente respecto a este llamado de seguir el ejemplo del amor sacrificial de Cristo. Él dice: "No hagan nada por contienda o por vanagloria". Nuestras conversaciones cotidianas deben cumplir con este estándar. Personalmente, creo que es más fácil ser motivado por mis derechos y mi posición particular. Lucho internamente cuando me piden que renuncie a mi tiempo, mis planes, mi horario, mis posesiones y mi control. La mayoría de mis problemas al hablar ocurren cuando intento aferrarme a estas cosas. Le hablo con impaciencia a la hija que tiene la osadía de estar en el baño cuando yo necesito estar allí. Me irrito con mi esposa cuando sus planes entran en conflicto con mi horario. Arremeto contra el niño que acaba de romper el botón del radio, o me siento tentado a enfadarme cuando la familia no considera que mis planes para el día son emocionantes y geniales. ¿Cuál es el problema en todas estas reacciones? Están basadas en mi interés por mí mismo, por lo tanto, la comunicación que le sigue *no* le da gloria a Dios ni contribuye a la obra que Él está haciendo en mi familia.

El asunto del autosacrificio es central en mi lucha como pecador. Recuerda, el ídolo más poderoso de todos es el ídolo del "yo". El deseo de ser Dios reside en el corazón de todo pecador. *Esto* es lo que Dios desea romper en cada uno de nosotros para que vivamos para Su gloria y no para la nuestra. Como Sus embajadores, somos llamados a morir a nosotros mismos para que podamos hablar por Él.

La segunda herramienta (método) es el *perdón*. Es asombroso considerar que, por razones que solo pueden ser explicadas por Su infinito amor, ¡Cristo nos ha perdonado completamente! Pablo dice que Dios ya no toma en cuenta los pecados de los que se arrepientan. Si nuestro Rey, nuestro Juez, Aquel que es completamente santo, está dispuesto a perdonarnos a *nosotros*, ¿cómo no vamos a estar dispuestos a perdonar a los demás? (Lee la poderosa parábola del siervo rencoroso en Mateo 18:21-35). Podemos salir de nuestro escondite, de nuestra vida de excusas, de culpar a otros, de estar siempre a la defensiva, de nuestra autojusticia y autoprotección, para confesar nuestros pecados, y esto gracias a la promesa de Dios de perdonarnos completamente. Su perdón ha sido una herramienta poderosa de cambio en nuestras vidas, y será una herramienta poderosa de cambio cuando le representemos ante otros.

Tristemente, las palabras que le dije a mi hijo aquella noche no salieron de un corazón perdonador. Había olvidado que a mí me habían perdonado pecados mucho más grandes que dejar un cuarto desordenado. Había olvidado el amor y la gracia paciente de Dios hacia mí. No tuve compasión por la vida caótica de un adolescente. No fui tardo para hablar y pronto para escuchar, como debería ser alguien que es consciente de sus propios pecados y de su propia necesidad de perdón. No hice preguntas que estimularan a mi hijo a examinar su corazón. No esperé pacientemente sus respuestas. No le ofrecí palabras de ánimo. En vez de esto, mis palabras salieron de un corazón soberbio que había olvidado que necesitaba la gracia de Dios tanto como mi hijo. En esencia, no había ninguna diferencia entre nosotros en ese momento. Éramos y somos iguales—pecadores necesitados de ese perdón de Dios que transforma radicalmente nuestros corazones. ¿Cómo pude olvidar el perdón que había recibido? ¿Cómo pude negarle ese perdón a mi hijo? Dios nos llama a amar como Él nos ha amado (Jn 13:34-35) y a perdonar como Él nos ha perdonado (Ef 4:32-5:2). Nuestras palabras deben cumplir, por medio del poder de Su Espíritu, con este estándar.

La tercera herramienta (método) que el Rey usa para transformarnos es la *reconciliación*. Reconciliar significa arreglar o resolver algún asunto con la finalidad de restaurar una relación. Es la obra que Dios hace para restaurar nuestra comunión con Él, esa comunión que fue rota por el pecado. Puedes notar esta ruptura inmediatamente después de que Adán y Eva comieron del fruto prohibido. Dios descendió para caminar con ellos en la frescura del jardín, y encontró algo que nunca antes había ocurrido: ¡Adán y Eva se estaban escondiendo de Él! El pecado había roto su comunión. Ahora Adán y Eva le tenían miedo al Dios con el cual habían disfrutado una comunión perfecta. Trataron de evadirle, y esto es lo que han hecho los pecadores desde ese entonces: esconderse. La comunión con Dios, que era el objetivo mismo de la existencia de Adán y Eva (y de la nuestra), fue horriblemente rota por el pecado. Tendría que venir un Conciliador para cerrar el abismo que ahora había entre Dios y el hombre. Jesús vino y llenó ese abismo con Su vida, muerte y resurrección, para que una vez más podamos disfrutar esa comunión con Dios para la cual fuimos creados.

Este es el mensaje del evangelio—que Dios está obrando, a través de Cristo, para reconciliar al mundo consigo mismo. El Señor luego usa esa relación restaurada para transformarnos. Al volver a tener comunión con Él como sus hijos, como ciudadanos de Su reino y como miembros de Su cuerpo, la iglesia, Él entonces prosigue hacia Su meta de transformar nuestros corazones. Nos justifica con el fin de santificarnos. Nos reconcilia para que seamos partícipes de la naturaleza divina, santos como Él es santo. Como embajadores de Cristo, debemos recordar que esta es la meta que debe guiar las palabras que escogemos para comunicarnos con las personas que Dios ha puesto en nuestras vidas.

¿Qué significa esto en la práctica? Sí, queremos resolver nuestros problemas terrenales, pero queremos algo más que eso. Los problemas humanos son oportunidades que Dios puede usar para llevar a los que nos rodean a tener una comunión más íntima y completa con Él. Esta agenda superior está presente en cada relación y en cada situación. Dios está obrando de una forma redentora en todas ellas. Queremos que nuestras palabras contribuyan con lo que Él está haciendo. Sin embargo, no seremos instrumentos de reconciliación si nuestras propias relaciones están rotas. Somos llamados a hablar palabras de paz, palabras de restauración, y palabras que fomenten la comunión y la unidad. Hacemos esto no solo para llegar a ser felices, sino para que Dios pueda obrar de forma redentora en el contexto de esta unidad y comunión.

Somos llamados a hablar por el Rey. Dios nos ha colocado justo donde Él quiere que estemos para hacer Su ruego a través de nosotros. Necesitamos estar comprometidos con Su agenda superior, viviendo y hablando con un amor autosacrificial, perdonando humildemente y comprometiéndonos con la reconciliación.

En este sentido, una de las experiencias de aprendizaje más vívidas que he tenido ocurrió durante los primeros años de mi ministerio pastoral. Mi familia vivía en una casa duplex, teniendo a la dueña y a su hija en la casa de al lado. Por un tiempo, nuestra relación fue buena y nos encantaba vivir allí. Pero luego, por razones que no podíamos entender, las cosas comenzaron a cambiar. Elena, la hija de la dueña, parecía estar enojada cada vez que nos veía. Le gritaba a nuestros hijos. Nos acusaba de decir y hacer cosas que no habíamos hecho. Ya tarde en la noche, ponía su equipo de sonido tan alto como fuera posible y despertaba a nuestros hijos. Nuestra vida pronto pasó de ser placentera a ser intolerable.

Vivíamos con unos ingresos muy bajos, y justo después de mudarnos a esta casa, nuestro refrigerador se estropeó. Elena nos prestó el suyo. Ya era verano, y los padres de mi esposa habían venido a visitarnos. Antes de ellos llegar, habíamos llenado el refrigerador con comida. Pero al día siguiente de su llegada, recibimos una llamada de Elena, diciéndonos que quería que le devolviéramos su refrigerador inmediatamente. Le pregunté si el de su mamá se había estropeado. Me dijo que no, pero que ese refrigerador le pertenecía y que se lo teníamos que devolver. Le dije que estaba lleno de comida y le pedí si podía devolvérselo como en una semana. Me dijo que lo quería a las cinco en punto ese mismo día.

Cuando colgué el teléfono, estuve a punto de explotar. Esto era el clímax de lo que habíamos estado soportando en los últimos meses, ¡la indignación final! Sacamos la comida del refrigerador, la pusimos sobre la mesa de la cocina de nuestra calurosa casa sin aire acondicionado, y pusimos el refrigerador en el garaje. Salí deseando encontrarme con Elena, pues ¡tenía un par de cosas que decirle! Afortunadamente, Dios tenía otro plan.

Esa tarde, Luella estaba haciendo pan y, como siempre, le pedí que hiciera unos rollos de canela. Mientras colocaba los rollos en el horno, me dijo:

"Sabes, Paul, deberíamos darle unos rollos a Elena". (Claro—¡justo lo que estaba pensando!). "Dios nos dice que debemos vencer el mal con el bien, y que debemos buscar maneras de hacerle bien a aquellos que nos maltratan. Ya que estoy haciendo los rollos, ¿por qué no le escribes una nota a Elena diciéndole cuánto la amamos y cuánto nos gustaría tener una buena relación con ella?" (¡Genial!).

Esa fue una de las notas más difíciles que he tenido que escribir. Me invadía el sentimiento de haber sido ofendido. Quería herir a Elena de la misma manera en que ella nos había herido. Quería que su vida fuera tan difícil como había sido la nuestra esos últimos meses. Quería que supiera cómo se siente andar de puntillas todo el tiempo con tal de no hacer enojar a otro solo para que te griten igualmente. Fue difícil dejar que actuara la ira de Dios (Ro 12:19 RVC), porque ya le había dado rienda suelta a la mía.

Pero, por la gracia de Dios, hice lo que Luella me había sugerido. Llevé la nota y el plato de rollos calientes a la casa de al lado. La dueña abrió la puerta. Cuando le dije que los rollos eran para su hija, me dijo que yo debía estar loco. (Ella había estado muy apenada por el comportamiento de su hija). Le dije que esto era lo que yo entendía que Dios quería que yo hiciera.

Ese plato de rollos representaba nuestra sumisión a la misión y a los métodos de Dios en medio de la dificultad personal. Procuramos aprovechar todas las oportunidades de hacerle bien y de hablarle amablemente a Elena. Procuramos amarle y servirle cada vez que podíamos. Sí, a veces resurgía ese antiguo enojo, pero continuábamos animándonos mutuamente a vencer el mal con el bien.

Al finalizar una tarde de otoño, escuché que alguien llamaba a la puerta. Cuando vi que se trataba de Elena, se me cayó el alma a los pies. Pensé: "¿Ahora qué? ¡Nos hemos esforzado tanto en ser amables!". Cuando llegué a la puerta, me di cuenta de que Elena estaba contrariada. Preguntó si podía entrar para hablar con nosotros. Luella y yo nos sentamos con ella mientras ríos de lágrimas corrían por su rostro. Dijo: "Sé que he sido insoportable y que he hecho muchas cosas para complicarles la vida. No sé por qué he sido tan mala, ni por qué he estado tan molesta. He alejado a mi familia y a todos mis amigos cercanos. Ustedes son las únicas personas que me aman de verdad, de eso estoy segura. He venido aquí porque necesito su ayuda". Esa tarde, en nuestro comedor, hablamos con Elena acerca de la ayuda que solo Cristo puede dar.

Luella tenía razón. Ella había visto la agenda de Dios para nuestra relación con Elena. Mis palabras de enojo y mi autojusticia nunca hubieran podido producir aquella escena. Si me hubiera permitido a mí mismo entrar en la guerra de palabras, no se hubiera producido este resultado. Esa tarde me di cuenta de que toda esta situación no había sido un error. No habíamos pasado por esta prueba porque Dios nos hubiera olvidado. ¡No! Él había estado obrando en todo el proceso, santificándonos, y también había estado obrando *a través de* nosotros. Nos había puesto allí como Sus embajadores para Él reconciliar a Elena consigo mismo. Nos llamó a hablar palabras de amor y bondad, a hablar con corazones dispuestos a morir al egoísmo, dispuestos a perdonar, dispuestos a ser parte de Su obra de reconciliación. Y nos dio Su Espíritu para liberarnos de la esclavitud al "yo", y así nuestras palabras *pudieran* ser herramientas de gracia para el cambio.

Dios nos llama a vivir y a hablar como Sus embajadores. Estamos en este trabajo las veinticuatro horas del día. Todo lo que hacemos o decimos refleja la conciencia que tenemos de Aquel a quien representamos. Dios nos ha llamado a ser parte de Su agenda, que es superior a cualquier necesidad que tengamos en estos momentos. Somos llamados a llevar Sus palabras redentoras a cada situación en nuestras vidas.

Examínate

Hablando como un embajador

1. Al evaluar tu vida, ¿dónde ves irritación, enojo o frustración que revela un compromiso con tus propios planes, y no con los de Dios?
2. ¿Dónde están tus oportunidades de ser parte de lo que Dios está haciendo en otros?
3. ¿En qué situaciones tiendes a luchar usando las armas del mundo?
4. ¿Cómo te está llamando Dios al sacrificio personal para que seas Su embajador?
5. ¿Existen en tu vida personas a quienes no has perdonado?
6. ¿Dónde quiere Dios usarte como un agente de reconciliación?

8

Llegando a destino

Pero Él me dijo: "Te basta con Mi gracia, pues Mi poder se perfecciona en la debilidad" (2 Corintios 12:9)

Cuando escribí este libro, estaba disfrutando de mi año sabático en Clearwater, Florida. Hay una hermosa carretera elevada, rodeada de agua por ambos lados, que conecta a Clearwater con la ciudad de Tampa. En una ocasión, le comenté a alguien que Clearwater se veía espectacular desde el lado de la bahía de Tampa, y que esa carretera elevada facilitaba la llegada allí. Esa persona me contó que hubo un huracán que azotó la parte este de Florida, y que el agua llegó a cubrir esa carretera por completo. Me dijo: "Podías ver Clearwater, podías describírselo a alguien, pero no podías llegar allí porque la carretera estaba inundada".

Puede que esa sea tu perspectiva de lo que has estado leyendo en este libro. Te he descrito un destino, el diseño de Dios para nuestras palabras, pero es como si tu carretera estuviera inundada y no ves la forma de llegar hasta allí. Puede que hayas visto claramente, ahora más que nunca, cuán lejos está tu comunicación del punto en el que Dios quiere que esté. Desafortunadamente, ¡esto solo te deja sintiéndote más desalentado que nunca!

El propósito de este capítulo es calmar la tormenta y mostrarte una carretera que sea transitable. Quiero darte esperanza. Quiero ayudarte para que empieces a reconstruir tu mundo de palabras.

Pasos prácticos para llegar a destino

1. No empieces a lamentarte. Es muy fácil caer presa del remordimiento. Es fácil quedarnos paralizados por todos los "si tan solo..." y distraernos cuestionando los tiempos de Dios. Aquí están algunas cosas que debemos considerar.

Dios es Consejero admirable. Él es el mejor maestro del universo. Conoce exactamente cuánto de la verdad somos capaces de entender y soportar. Una de las últimas cosas que Cristo le dijo a Sus discípulos fue que tenía mucho más que decirles, pero que no eran capaces de soportarlo. Prometió enviar a otro Maestro que continuaría instruyéndoles. Dios siempre nos revela Su verdad en el momento apropiado. No hay equivocación alguna en Sus tiempos. En lugar de lamentarnos, necesitamos descansar en Su sabiduría soberana.

Además, la Escritura promete que Dios restaurará "los daños que les causaron la oruga, el saltón, el revoltón y la langosta" (Jl 2:25 RVC). Es importante que recordemos que el Dios que perdona también restaura, reconstruye y reconcilia. Al vivir a la luz de las cosas nuevas que Él nos ha enseñado, experimentaremos restauración en lugares que ya habíamos dado por perdidos. Por medio de nuestra obediencia presente al nuevo entendimiento que tenemos, Dios obra para restaurar el daño hecho en el pasado. He visto que esto ocurre una y otra vez con padres, amigos y matrimonios que fueron tentados a creer que el daño del pasado no podía ser deshecho.

2. Abraza la esperanza del evangelio. No debemos ver nuestras luchas de comunicación como gigantes que no pueden ser derrotados. Pablo le dijo a Timoteo: "Pues Dios no nos ha dado un espíritu de timidez, sino de poder, de amor y de dominio propio" (2Ti 1:7). Cuando nos olvidamos de quiénes somos en Cristo, nos sentimos abrumados, temerosos y tímidos.

En primer lugar, debemos recordar que somos receptores de la gracia que abunda dondequiera que abunde nuestro pecado. Sí, nuestro pecado nos va a desconcertar, pero no desconcertará al Salvador. Su vida, muerte y resurrección garantizan la victoria. Romanos 6:14 dice: "Así el pecado no tendrá dominio sobre ustedes, porque ya no están bajo la ley, sino bajo la gracia". Esta gracia está disponible para nosotros en cada situación y relación de nuestras vidas, ¡y se perfecciona en nuestra debilidad!

En segundo lugar, debemos recordar que tener problemas no significa que Dios nos ha abandonado. El salmista nos recuerda en el Salmo 46 que Dios es "nuestro pronto auxilio en todos los problemas" (RVC). No es suficiente con decir que Él se preocupa por nosotros cuando estamos en problemas o que está dispuesto a ayudarnos en los problemas. ¡No! Él nos promete más. Él está allí *en medio* de los problemas como nuestro refugio y fortaleza. Nunca nos quedaremos sin un lugar donde refugiarnos ni nos quedaremos sin una fuente de fortaleza, ¡porque Dios siempre está cerca!

En tercer lugar, Dios sabía que nuestra condición como pecadores era tan desesperada y Su llamado era tan alto que el perdón no sería suficiente. Después de darnos Su perdón, Él entra literalmente en nosotros por medio de Su Espíritu. Pablo captura esta asombrosa realidad así: "Y a Aquel que es poderoso para hacer que todas las cosas excedan a lo que pedimos o entendemos, según el poder *que actúa en nosotros*" (Ef 3:20 RVC). Su poder no solo *está* en nosotros, ¡sino que también *actúa*! Sí, Él nos perdona, pero también nos capacita. No nos llamará a hacer algo sin darnos lo que necesitamos para poder realizarlo. Si el Señor te llama a cruzar el Mar Rojo, ¡enviará un barco, construirá un puente, abrirá las aguas o te ayudará a nadar!

3. Examina tus frutos. ¿Cuál es el fruto producido por tu comunicación? ¿Haces que otros se sientan animados, esperanzados y amados? ¿Conducen tus palabras al perdón, a la reconciliación y a la paz? ¿Imparten tus palabras sabiduría y fortaleza? ¿O llevan tus palabras al desánimo, a la división, a la condenación, a la amargura y a la necedad?

El cambio comienza con una disposición humilde a examinar tu cosecha. Gálatas 6:7 dice: "No se engañen: de Dios nadie se burla. Cada uno cosecha lo que siembra". Uno de los trucos más crueles del enemigo es convencernos de que nuestra cosecha realmente le pertenece a otra persona. ("¡Él me hace enojar tanto!". "Nunca tuve problemas con mis palabras, hasta que tuve hijos". "Si estuvieras casada con mi esposo, ¡también gritarías!". "Mi jefe siempre saca lo peor de mí").

Refúgiate en las promesas del Señor, cree que Él te concederá Su perdón y el poder de Su presencia; luego examina el fruto de tus palabras. Responsabilízate de tu cosecha delante del Señor. Es aquí donde comienza el cambio duradero.

4. Identifica tus raíces. Lucas 6:45 registra una de las cosas más importantes que Cristo dijo acerca de nuestra comunicación: "… porque de lo que abunda en el corazón habla la boca". Los problemas con las palabras siempre apuntan a un problema del corazón. Examinar esas áreas en las que tenemos problemas con nuestras palabras revelará lo que está gobernando nuestros corazones.

Cuando era pequeño, mis padres nos llevaban a las reuniones familiares que hacía nuestra familia materna. Todos los hermanos de mi mamá eran incrédulos. Cuando íbamos a estas reuniones, mis padres se quedaban para la comida y luego nos sacaban rápidamente antes de que comenzaran a beber.

En una de estas reuniones, mi madre estaba distraída conversando y no se dio cuenta de que mi tío se había emborrachado en otro cuarto, y estaba diciendo cosas sexualmente provocadoras respecto a las mujeres presentes, enfrente de mí y de mi hermano, Marcos. Cuando mi mamá se dio cuenta de lo que estaba pasando, corrió, tomó nuestras manos y nos metió en el carro. Camino a casa, nos dijo: "No hay nada que salga de la boca de un borracho que no estuviera allí antes". Nunca olvidaré esas palabras.

Debemos comenzar admitiendo que las personas y las situaciones no son las que nos hacen hablar de la forma en que lo hacemos. Nuestros corazones controlan nuestras palabras. Las personas y las situaciones simplemente proveen la ocasión para que el corazón se exprese abiertamente. La confesión humilde de esto abre las puertas del perdón y del poder de Dios: "Si confesamos nuestros pecados, Dios, que es fiel y justo, nos los perdonará y nos limpiará de toda maldad" (1Jn 1:9).

5. Busca el perdón. El antiguo proverbio dice que la confesión es buena para el alma. ¡Cuán cierto es esto! Si tu corazón ha sido expuesto a la verdad y has pensado, hecho o dicho algo malo, solo tienes dos opciones. Puedes confesar tu pecado y colocarte nuevamente bajo la gracia perdonadora de Cristo, o puedes construir algún sistema de autojustificación que haga aceptable para tu conciencia aquello que Dios llama pecado. ¡Cuánto talento tenemos para hacer esto! Reestructuramos los eventos en nuestras mentes ("En realidad no estaba molesto, solo trataba de enfatizar mi opinión"). Culpamos a los demás ("¡Ella es la única que me saca de mis casillas!"). Apelamos a nuestra debilidad física ("No me sentía bien, normalmente no soy así"). Apelamos a la situación ("¡Es que fue uno de esos días!"). Hacemos todo esto buscando excusarnos por lo que Dios dice que es inexcusable.

¿Cuál es el fruto de esto? Proverbios lo dice bien: "Quien encubre su pecado jamás prospera" (Pro 28:13). Buscar el perdón es como deshierbar un jardín. Hay que limpiar el suelo del alma para que pueda nacer una nueva vida de obediencia. Las hierbas de pecados no confesados ahogan la vida del alma.

Una parte importante de la reconstrucción de tu mundo de conversación es hacerte la pregunta: ¿Cuáles pecados específicos de comunicación (tanto del corazón como de la boca—ver Lucas 6:46) está el Señor llamándome a confesarle a Él o a otros? Al hacerte esta pregunta, te mantienes en sintonía con el Espíritu, quien está obrando para conformarte a la imagen del Hijo (Gá 5:16-26). Y al hacerlo, estás limpiando el suelo de tu alma para que el Espíritu pueda plantar las semillas del carácter de Cristo.

La búsqueda del perdón es un paso crucial. Es aquí donde dejamos de luchar en contra de lo que el Señor está tratando de hacer en nuestras vidas, y nos volvemos participantes cooperativos y sumisos. El resultado siempre es una cosecha de buen fruto. Nuestras almas se convierten en un jardín para Su gloria, y nuestras bocas se convierten en un huerto lleno del dulce fruto del Espíritu (palabras de amor, gozo, paz, paciencia, benignidad, bondad, fe, mansedumbre y templanza).

6. *Concede gratuitamente el perdón.* Hay dos aspectos en este paso del proceso de reconstrucción. En primer lugar, debe haber un perdón *judicial*. Esta es nuestra disposición a olvidar, ante Dios, las ofensas de los demás. Se trata de rendirnos y entregarle al Señor cualquier derecho que creamos tener o cualquier deseo de venganza. Pablo dice: "No tomen venganza, hermanos míos, sino dejen el castigo en las manos de Dios, porque está escrito: 'Mía es la venganza; Yo pagaré', dice el Señor" (Ro 12:19).

Cuando Dios dice: "Deja el castigo en Mis manos", en esencia está diciendo: "Hazte a un lado y déjame hacer Mi trabajo". El perdón comienza verticalmente. Se trata de entregarle la ofensa al Señor y descansar en Su justicia.

En segundo lugar, debe haber perdón *relacional*. Esta es la disposición a perdonar a todo aquel que nos pida perdón. "Más bien, sean bondadosos y compasivos unos con otros, y perdónense mutuamente, así como Dios los perdonó a ustedes en Cristo" (Ef 4:32).

En mi experiencia como consejero, he visto que no hay mayor impedimento para el cambio que la falta de disposición a pedir y conceder el perdón. La falta de perdón nos lleva a luchar contra Dios en vez de someternos a Él, y nos lleva a luchar contra los demás en vez de luchar junto con ellos.

7. Cambia las reglas. Después de haber obedecido este dulce mandato de perdonar, lo que debe seguirle es un compromiso a cambiar nuestra manera de hablar. Este compromiso necesita ser tan específico como el pecado que fue confesado. ¿Qué es lo que Dios te está llamando a cambiar en tu comunicación? ¿Qué nuevas maneras de hablar deben reemplazar esos viejos hábitos?

Cuando las parejas se confiesan sus pecados de esta manera, les animo a establecer nuevas metas para su comunicación. Les pido que acepten gritar: "¡Falta!" cuando uno de los dos tiene alguna recaída momentánea. Les sugiero que acepten levantar la mano en medio de una conversación para decir: "Acordamos no hablarnos el uno al otro de esta forma. Hagamos un alto y oremos, y luego intentemos tener esta conversación de una manera que le agrade al Señor". He visto que esta estrategia renueva radicalmente la comunicación entre un esposo y su esposa.

El "despojarse", que se logra con la confesión y el arrepentimiento, debe ser seguido por un "vestirse" de un compromiso práctico y específico para lograr esa una nueva manera de hablar. Este compromiso a cambiar las reglas está enraizado en una fe viva en la Escritura (que me llama a hacer lo correcto y lo mejor) y en una fe viva en la presencia del Señor (Él está conmigo dondequiera que vaya, supliendo todo lo que necesito para hacer lo que Él me ha llamado a hacer [ver 2P 1:3-9]).

8. Busca oportunidades. Esto no trata tanto de un cambio de dirección sino más bien de un cambio de perspectiva. Esas situaciones que eran la fuente de tanta dificultad, aquellos momentos en los que se decían palabras groseras, egoístas e impías, aquellas situaciones que antes temías, ahora se convierten en oportunidades para experimentar la gracia habilitadora del Señor y para ejercitarte en tu nuevo carácter y obediencia.

A medida que dejes de lamentarte, que te empapes del evangelio, que enfrentes tu pecado, que pidas y concedas el perdón, tendrás una nueva visión de tu vida de comunicación. No verás la vida como una jungla peligrosa llena de animales voraces, serpientes venenosas y trampas de arena movediza. ¡No! Verás la vida como un jardín de oportunidades en el que realmente puedes experimentar todas las cosas maravillosas que Dios ha planeado para Sus hijos.

Proverbios 28:1 dice: "El malvado huye aunque nadie lo persiga; pero el justo vive confiado como un león". Tienes que salir con la confianza de un león. No te rindas ante el cinismo y el miedo. No te rindas ante la duda y la evasión. Vive confiadamente. Busca y aprovecha esas oportunidades redentoras. Usa las provisiones que el Señor te prometió. ¡Él te dará muchas oportunidades de hablar de manera diferente!

9. *Escoge tus palabras.* Proverbios dice: "El corazón del justo medita sus respuestas" (Pro 15:28). Se nos dice en Proverbios que es necio hablar sin pensar. En nuestra búsqueda de esas oportunidades que Dios nos da para hablar de forma diferente, debemos aprender a pensar antes de hablar. Debemos aprender a escoger nuestras palabras sabiamente. En la sección final del libro explicaremos más detalladamente lo que esto significa. He escuchado a mucha gente decir con pesar: "No debí responder tan rápido", o: "Me dejé llevar", o: "Cómo quisiera borrar esas palabras".

Dios quiere que nuestras palabras vayan por dos sendas. La primera senda es Su gloria. Primeramente, las palabras de nuestra boca deben ser aceptables ante Él. La segunda senda es la edificación de nuestro prójimo. El llamado de Dios es a que escojamos palabras que puedan transitar bien por estas dos sendas.

10. *Confiesa tu debilidad.* Una señal segura de que no hemos entendido el evangelio es cuando seguimos sintiéndonos temerosos, desanimados o poco dispuestos a aceptar nuestra debilidad. ¡Cristo vino precisamente porque *somos* débiles! No hay indicación alguna en la Escritura de que superaremos nuestra necesidad de Su gracia para cada momento de nuestras vidas. Si le obedeciéramos por mil años, le necesitaríamos tanto como le necesitamos el primer día en que creímos.

Ser consciente de nuestra debilidad, lejos de ser una señal de inmadurez, es realmente una señal de lo contrario. Mientras más nos acercamos al Señor, mientras más caminamos con Él y más entendemos Su Palabra, más entendemos nuestra debilidad, incapacidad y pecado. Pablo dijo: "Gustosamente haré más bien alarde de mis debilidades" (2Co 12:9). No porque le gustara ser débil, sino porque era en su debilidad que el poder de Cristo reposaba sobre él. Nuestras debilidades no son un estorbo para que el Señor haga Su voluntad en nuestras vidas. ¡El engaño de que somos fuertes sí lo es! ¡El poder de Dios es para los débiles! ¡La gracia de Dios es para los incapaces! ¡Las promesas de Dios son para los que desfallecen! ¡La sabiduría de Dios es para los necios!

En nuestra debilidad, incapacidad, desfallecimiento y necedad, es solo por Su gracia que podemos correr libremente hacia Él, en vez de alejarnos de Él. Realmente podemos venir a Él tal y como somos. Nada demuestra mejor nuestra necesidad de Él que nuestra lucha constante con las palabras. Acepta tu debilidad y corre con gozo hacia la única fuente de fortaleza.

11. No le des una oportunidad al diablo. Cuando Pablo habla de nuestra comunicación, dice: "No den lugar al diablo" (Ef 4:27 RVC). Satanás es mentiroso y embustero. Quiere dividir y destruir. Es enemigo de todo lo bueno y recto. Quiere sembrar la cizaña de la duda, de la desesperación y de la rebelión. Odia la fe viva. Lucha en contra de la vida nueva. Su propósito es alejarnos de Dios y ponernos en contra de los demás. Debemos ser sabios frente a sus trampas y hacer todo lo necesario para evitar que se salga con la suya. No debemos cederle ningún terreno.

Existen dos cosas que podemos hacer en nuestra vida de conversación que frustrarán la obra cruel de Satanás. La primera es comprometernos a ser *valientes* y *honestos.* Un compromiso con la verdad es una protección maravillosa contra la obra destructiva del enemigo. Él habita en las tinieblas; obra en medio de nuestro silencio. Cuando sacamos nuestros pecados a la luz, cuando los ponemos sobre la mesa, limitamos su capacidad de obrar.

La segunda es comprometernos a ser *humildes* y *amables.* Cuando ese compromiso de hablar la verdad se combina con una disposición humilde a escuchar a los demás, es como si estuviéramos cerrándole la puerta a Satanás en su misma cara. Muchos de nuestros problemas de comunicación ocurren cuando, sin darnos cuenta, le damos lugar al diablo.

La bendición de hacerlo a la manera de Dios

Desde el principio de nuestra relación, Luella y yo nos dimos cuenta de que la comunicación sería una de nuestras áreas problemáticas. Luella provenía de una familia que tenía muy buenos modales y que hablaba suavemente. La regla de su casa era nunca decir algo que pudiera ser considerado controversial. Si surgía algún desacuerdo, alguien inmediatamente cambiaba el tema. Yo crecí en una familia donde todos hablábamos al mismo tiempo. Lo usual era que el volumen de nuestras conversaciones fuera subiendo poco a poco. La regla en nuestra familia era hablar rápidamente sin pensarlo mucho, ¡o perdías tu oportunidad de decir algo!

Como podrás imaginarte, esta mezcla de patrones de comunicación fue desastrosa para nosotros como pareja joven. Ambos luchábamos con el enojo—Luella callaba mientras yo explotaba. No pasó mucho tiempo antes de que nos desanimáramos. Dios utilizó un principio sencillo de Su Palabra para producir cambios e infundir nueva vida a nuestra comunicación. Estábamos leyendo Efesios y encontramos este versículo: "Reconcíliense antes de que el sol se ponga" (4:26 RVC). Ambos tuvimos uno de esos momentos reveladores. ¡Claro! Era una pauta simple y elegante a la vez.

Determinamos que no nos dormiríamos sin haber lidiado con las cosas que habían sucedido durante el día. Las primeras noches, nuestra terquedad nos llevó a quedarnos allí en la cama sin decir nada, muriéndonos del sueño mientras esperábamos que el otro iniciara. De lo que no nos habíamos dado cuenta era que para obedecer ese principio no solo tienes que lidiar con tus palabras, sino que también tienes que lidiar con tu corazón. Ahí es donde realmente se está librando la guerra. Pero comenzamos a ver el increíble beneficio de hacer las cosas a la manera de Dios. En poco tiempo, ya ni esperábamos hasta la noche. Comenzábamos a buscarnos para pedirnos perdón el uno al otro poco después de haber hablado de forma desagradable. Ahora estamos en un punto en el que prácticamente salimos corriendo a pedirnos perdón y así poder restaurar nuestra relación.

Hablando con esperanza

Pero puedes estar pensando: "Paul, tú no sabes lo mal que estamos. ¡No hay esperanza para nosotros!". Te ruego que no veas al gigante de tus problemas de comunicación como el ejército de Israel veía a Goliat, comparando su tamaño con el de él. Mira tus problemas de comunicación con los ojos de David, comparando al insignificante Goliat con la grandeza y la gloria asombrosa de Dios. ¡Él es capaz! ¡Él es el gran Autor del cambio! ¡Él es el Restaurador! ¡Hay vida en Sus Palabras! ¡Él no te llamará a hacer algo para lo cual no te ha capacitado!

Recuerda las perspectivas centrales de este libro:

- Dios tiene un plan maravilloso para nuestras palabras que sobrepasa cualquier cosa que podamos inventarnos nosotros mismos.
- El pecado ha alterado radicalmente la agenda para nuestras palabras, y eso ha producido mucho dolor, confusión y caos.
- En Jesucristo encontramos la gracia que nos provee todo lo que necesitamos para hablar como Dios quiere que hablemos.
- La Biblia nos enseña simple y llanamente cómo ir desde donde estamos hasta donde Dios quiere que estemos.

¡Podemos llegar hasta Clearwater! No tenemos que conformarnos con admirar su belleza desde lejos, desanimados porque la carretera elevada está inundada. Dios nos ha dado todo lo que necesitamos para secar y reconstruir el camino hacia una comunicación que honre a Dios y edifique a los demás. Necesitamos salir hacia adelante con el valor de la fe, confesando nuestro pecado y debilidad y abrazando la esperanza que se encuentra únicamente en Su perdón y en Su gracia habilitadora.

Deja tus remordimientos atrás. Aférrate a la esperanza que hallamos en la presencia y la obra de Jesús. Examina el fruto de tu comunicación y trata de identificar los problemas de raíz que hay en tu corazón. Pide y concede el perdón no solo una vez, sino hasta que esto llegue a ser un patrón en tu vida. Ponte de acuerdo con los que te rodean para cambiar las reglas. Deshazte de tus formas humanas pasadas; te garantizo que solo conducen a la muerte. Asume con gozo los maravillosos mandamientos y principios de la Palabra. Busca oportunidades para aplicar las cosas nuevas que Dios te está enseñando acerca de Su diseño para la comunicación. Con gozo, habla palabras que hayan sido escogidas porque son aceptables ante el Señor y de beneficio para otros. Que cada día estés listo y dispuesto a confesar tus debilidades. Este es el secreto para experimentar Su fuerza. Finalmente, rehúsate a darle una oportunidad al diablo. Sé valiente y honesto. Sé humilde y amable. No le des al diablo ningún pasillo oscuro o cuarto silencioso en el que pueda obrar.

Recuerda que Dios conoce tu necesidad. Si el enemigo es demasiado fuerte, Dios lo vencerá. Si estás frente al Mar Rojo, Él abrirá las aguas. Si estás sediento y sin agua, Él sacará agua de la roca. Si estás hambriento, Él proveerá el maná. Si has pecado, Él te perdonará. Si estás débil, Él te fortalecerá. ¡El Redentor ha venido! ¡Hay esperanza para nuestras palabras!

Examínate

Reconstruyendo la carretera

1. ¿En qué aspectos has sido tentado a creer las mentiras desalentadoras de Satanás? ("¡Nunca cambiará!". "Es imposible perdonarlo después de todas las cosas horribles que me dijo". "A Dios realmente no le interesa nuestra comunicación; Él tiene cosas mejores y más importantes que hacer". "Tu enojo realmente no es tu culpa. Si otros estuvieran pasando por lo mismo que tú, también se enojarían". "Ser humilde solo es darle a otros una oportunidad para que se aprovechen de ti", etc.).

2. ¿Cuáles son esos remordimientos relacionados a tu comunicación que debes dejar atrás? ¿Cuál "si tan solo…" se ha interpuesto en tu camino hacia el cambio al que Dios te está llamando?

3. ¿Cuáles pecados verbales específicos necesitas confesar? ¿A quién?

4. ¿Cuáles promesas de Dios necesitas recordar diariamente para que puedas tener esperanza en medio de tus luchas?

5. Si ya empezaste este proceso y quieres cooperar con Dios, quien está dispuesto y es capaz de restaurar tu mundo de conversación, ¿qué tienes que hacer ahora mismo? ¿Qué cambio inmediato te está llamando a realizar?

9

Ciudadanos que necesitan ayuda

Cuídense, hermanos, de que ninguno de ustedes tenga un corazón pecaminoso e incrédulo que los haga apartarse del Dios vivo... para que ninguno de ustedes se endurezca por el engaño del pecado (Hebreos 3:12-13)

Te pregunto: ¿Alguna vez te han pedido que hagas algo que realmente no quieres hacer? ¿Uno de esos trabajos que pospones una y otra vez y que solo haces cuando estás entre la espada y la pared, sin ninguna otra opción? La mayoría de nosotros nos sentimos así respecto a la confrontación. La palabra misma nos inquieta. Nos imaginamos una conversación tensa, miradas acusadoras, dedos señaladores, voces alzadas, caras enrojecidas y palabras hirientes. ¡Digamos que no es una escena que nos llene de entusiasmo!

Si te dijera que quiero ir a tu casa mañana para amonestarte, ¿te emocionarías? ¿Le dirías a tu cónyuge o amigos: "¡Tengo buenas noticias! ¡Paul viene mañana para amonestarme! No puedo esperar—¡hace tanto que no me amonestan! ¡Ya era hora!"? No. La confrontación y la amonestación nos provocan la misma emoción que nos provoca una cirugía dental. Sin embargo, la Escritura nos dice que este ministerio es una parte esencial del plan de Dios para nuestras palabras.

¿Por qué nos intimida tanto la confrontación?

La manera más fácil de contestar esta pregunta es que, como pecadores, pasamos mucho de nuestro tiempo escondiéndonos, excusándonos o culpando a otros por nuestro pecado. La Escritura dice que "los hombres amaron más las tinieblas que la luz, porque sus obras eran malas" (Jn 3:19 RVC). Y sabemos que esto es cierto. Los pecadores (y eso nos incluye a todos) no tienden a sentirse cómodos cuando sus vidas están bajo inspección. Tendemos a sentirnos mejor viendo la paja en el ojo ajeno que viendo el tronco en el nuestro.

Pero algo más está pasando aquí. Sí, le tememos a la confrontación porque no nos gusta ver nuestro pecado, pero también le tememos porque hemos visto la forma tan problemática y antibíblica en que muchos la llevan a cabo. Existen razones legítimas para nuestro temor a la amonestación.

Permíteme sugerirte varias maneras en las que nuestra agenda respecto a la confrontación se confunde con la del Señor.

1. *La confrontación suele confundir la irritación y el enojo personal con las perspectivas y propósitos bíblicos.* Como veremos más adelante, el propósito de la confrontación no es buscar la forma de que nuestra opinión domine sobre la de alguien más. No se trata de darle su merecido a una persona que ya nos tenga hartos. Usualmente, la confrontación ocurre cuando alguien ha pecado, lastimado u ofendido a otra persona. Pero en estas situaciones suele pasar que las prioridades bíblicas son desplazadas por nuestra frustración con la persona cuyo pecado nos ha afectado. Él o ella ha complicado nuestras vidas. En consecuencia, nuestro enojo termina distorsionando el asunto que necesita ser tratado, y la confrontación queda opacada por nuestra frustración.

2. *La falta de información puede llevarnos a hacer suposiciones incorrectas de los hechos, lo cual descarrila la confrontación.* El primer paso de la confrontación es la recolección de datos. Necesitamos asegurarnos de que estamos viendo los asuntos con precisión. Necesitamos estar seguros de que la persona es culpable del cargo que se le imputa. De lo contrario, esa perspectiva distorsionada estorbará la confrontación. Debemos ser cuidadosos y asegurarnos, en la medida de lo posible, de que lo que estemos percibiendo sea lo que realmente ocurrió.

3. *La confrontación suele complicarse cuando juzgamos la motivación del otro.* Cuando amonestamos a alguien, tendemos a hablar no solo acerca de lo que la persona hizo, sino también acerca de las razones detrás de sus acciones. Desafortunadamente, muchas veces esto lleva a que la persona sea incomprendida y acusada erróneamente. Hay ocasiones en las que hacemos

bien al señalar una falta, pero luego, inapropiadamente, ¡juzgamos a la persona asumiendo que su motivación era una que no tenía nada que ver! En tales casos, la persona acusada pasará por alto la parte del mensaje que sí era cierta y que necesitaba escuchar.

4. *El lenguaje hiriente, las palabras de condenación y los tonos emocionales suelen manchar la confrontación.* Lo usual es que haya mucha tensión en nuestras confrontaciones. Nuestras declaraciones suenan más como juicios airados y no como dice la Escritura que deben ser nuestras palabras al amonestar: amables pero firmes. En estas situaciones, la persona confrontada olvidará el mensaje y recordará las palabras airadas y los tonos que controlaron el momento.

5. *Las confrontaciones suelen ser momentos de conflicto, en lugar de ser momentos de preocupación amorosa por la persona que necesita la amonestación.* Al confrontar, se nos puede olvidar quiénes somos. Podemos dejar de recordar que, si no fuera por la gracia de Dios, estaríamos en el mismo lugar que la otra persona. Tendemos a olvidar que, en realidad, solo hay un enemigo—¡y no es la persona que estamos confrontando! El propósito de la confrontación no es ponernos en contra de la persona, sino ponernos a su lado para señalarle las cosas que Dios quiere que vea, confiese y abandone.

6. *En la confrontación tendemos a usar la Escritura más como un palo que como un espejo y una guía para el cambio.* Al utilizar la Escritura en la amonestación, debemos recordar que no la usamos principalmente para advertir acerca del castigo, sino por la manera poderosa en que esta funciona como espejo. La Escritura permite que las personas se vean como son en realidad. No solo nos muestra lo que está mal en nuestro comportamiento, sino también lo que está mal en nuestros corazones. La meta principal de la confrontación no es amenazar a la persona con el juicio, sino llevarla a la confesión.

7. *La confrontación suele confundir las expectativas humanas con la voluntad de Dios.* El propósito de la confrontación no es lograr que alguien haga lo que tú quieras o que viva como a ti te complazca. La meta de la amonestación no es lograr que la persona esté de acuerdo contigo, se someta a tu

interpretación de los hechos o siga tu agenda. La confrontación siempre debe ser un llamado a someterse únicamente a la voluntad de Dios.

8. *La confrontación suele darse en el contexto de una relación rota.* Es muy común que antes de la confrontación ya haya una distancia dañina entre las partes involucradas. Ambas partes entran al cuarto alimentando sus heridas y con una actitud negativa contra el otro. Esto ya hace que la confrontación vaya por mal camino, incluso antes de comenzar. La confrontación es más eficaz en el contexto de una relación en la que ambos perciben amor y confianza de parte del otro. De esta manera, se podría decir con certeza que "más confiable es el amigo que hiere que el amigo que besa" (Pro 27:6).

9. *La confrontación suele exigir que el cambio sea un evento inmediato en lugar de un proceso.* Cuando confrontamos, muchas veces nos pasa que no le damos tiempo al Espíritu para que obre. No hay nada en la Escritura que nos diga que debemos esperar que una persona experimente un cambio completo de corazón y de comportamiento después de una reunión. De hecho, la Biblia describe el cambio más como un proceso que como un evento. Nuestra labor es llamar a la persona, sin presionarla, a que se someta al Señor y obedezca Su Palabra, y esperar que el Espíritu haga la obra.

El fruto equivocado de la confrontación

Todos hemos sido afectados negativamente por estos errores. Estas cosas son las que tienden a producir en nosotros ese sentimiento de terror cuando nos hablan de la confrontación. Al igual que como sucede con nuestras visitas al dentista, tendemos a imaginarnos las peores escenas y tratamos de planear qué hacer si pasa tal o cual cosa. No solo tememos ser de los que reciben la confrontación, sino que la mayoría de nosotros tememos ser quien confronta. Nos tortura pensar si lo diremos de la manera correcta, si encontraremos el momento y el lugar apropiados, cómo serán recibidas nuestras palabras y qué quedará de nuestra relación cuando haya terminado la confrontación. La mayoría de nosotros, en ambos casos, piensa que estos momentos son tensos, incómodos y nada naturales. Es por esto que, a pesar de que somos ciudadanos del reino de Dios, tendemos a evitar la confrontación siempre que sea posible.

Recuerdo una vez que un pastor me pidió que asistiera a una reunión en la que él iba a confrontar a un miembro de su congregación. (Yo había sido el consejero de este hombre en el pasado). Esa noche fue muy extraña. Lo primero que me sorprendió fue el intercambio de saludos forzados entre el pastor, los ancianos y este hombre. Todos estos hombres habían tenido una relación cercana en el pasado. Intentaron ser amables y cálidos, pero se vio como algo artificial y difícil. Después de los saludos, nos sentamos en el cuarto, en medio de un silencio que pareció durar una eternidad. Nadie se veía relajado, nadie tenía una sonrisa, ni siquiera una expresión agradable en el rostro, y nadie hacía contacto visual con los demás. Quería pararme y gritar: "¿Qué es lo que está pasando aquí? ¡No se supone que sea de esta manera!", pero me contuve.

El pastor sugirió que comenzáramos con una oración y nos dirigió. Parecía estar tan incómodo como lo estuvo durante los saludos. Luego dijo: "Carlos, ya sabes para qué hemos venido. Estamos aquí para hablar contigo acerca de algunas cosas que nos han estado preocupando por mucho tiempo". Carlos estaba sentado allí, seguramente con deseos de estar en el sillón de su dentista. El pastor luego sacó de su maletín unas seis páginas impresas que contenían los cargos en contra de este hombre y, literalmente, comenzó a leer. No hubo discusión, no hubo interacción. A medida que se leían todos los cargos, Carlos solo se retorcía en su silla, en silencio. Cuando leyó la última página, le preguntó a Carlos si ya estaba listo para confesar y arrepentirse de estas cosas. Él parecía confundido, lastimado y enojado. El pastor le miró como un juez desde su tribunal.

En ese momento, ya no pude contenerme más. Interrumpí y pregunté si podía hacer algunas sugerencias (usando algunos principios básicos de confrontación que veremos más adelante en este capítulo). Tenía la esperanza de que, de alguna manera, podríamos ponernos de acuerdo y sacarle algún beneficio duradero a ese momento tan horriblemente incómodo.

Una manera muy diferente

He pensado muchas, muchas veces en esa noche. ¡No debe asombrarnos que a la gente no le guste ni hablar acerca de la confrontación ni de la amonestación! No es fácil admitir nuestro pecado y hablar sobre él, pero nuestra manera de proceder lo ha hecho aún más difícil. Como resultado, muchas cosas que necesitan salir a la luz solo salen cuando llegan a un punto tan serio que ya no se pueden ignorar. Los asuntos que eran pequeños y sencillos ahora son enormes y complicados, y el proceso de confrontación es mucho más difícil.

Siempre que pienso en la confrontación, pienso en Natán (2S 12). ¡Vaya tarea la que le tocó! Natán fue llamado por Dios para confrontar al rey David. Esta historia nos enseña muchas cosas. Primero, nos debe impresionar la razón por la cual David necesitaba ser confrontado. Los asuntos que Natán iba a tratar no eran sutiles, como el orgullo o el egoísmo, cosas difíciles de notar. ¡David había cometido adulterio y homicidio!

También nos debe impresionar que Natán esté confrontando a *David*, el rey ungido de Israel. Este hombre que había sido instruido en el temor de Dios desde su nacimiento. David conocía la ley de Dios. ¿Por qué no le remordía la conciencia? ¿Por qué no fue consumido por la convicción de pecado? ¿Por qué necesitó que alguien se pusiera frente a él y le señalara lo que debió haber sido tan descaradamente obvio?

Por eso es que esta historia es tan importante. Nos permite ver lo que hay en el corazón del hombre y nos ayuda a entender la fidelidad de Dios a Su pacto. La gracia redentora de Dios siempre interviene en nuestra ceguera y rebelión. David había tomado la mujer de otro para sí, había mandado a asesinar a su esposo y había regresado a sus labores como el líder designado por Dios sin ningún tipo de arrepentimiento. No fue sino hasta que Natán le contó la historia del hombre pobre y su única oveja que David vio la horrenda naturaleza de su pecado en contra de Dios, de Urías, de Betsabé y del pueblo de Israel. ¡Qué ejemplo tan claro de lo engañoso que es el corazón! ¡Qué recordatorio tan poderoso de nuestra necesidad de que alguien intervenga en nuestras vidas! Nosotros, al igual que David, somos capaces de vivir tranquilamente con nuestro pecado en contra de Dios y de los demás. También somos capaces de continuar como si nada hubiera pasado y sentirnos bien. También necesitamos que Dios levante gente que esté dispuesta a aceptar la difícil tarea de ayudarnos a ver las cosas como Dios las ve. De esto trata este capítulo—de examinar la naturaleza de la intervención que Dios nos está llamando a hacer en las vidas de los demás. ¿Cuál es la naturaleza de nuestra necesidad y qué tipo de ayuda nos ha llamado Dios a darnos de manera mutua?

Aunque hemos sido trasladados del dominio de las tinieblas al reino de la luz, como creyentes todavía somos *ciudadanos que necesitan ayuda*. No queremos minimizar la importancia de nuestro rescate del dominio de las tinieblas al reino del Hijo de Dios, pero esta redención no es el *final* de la obra salvífica de Cristo; es el *principio*. Cuando Él destruye el dominio de las tinieblas *sobre* nosotros, comienza a remover todas las tinieblas que hay *dentro* de nosotros para que seamos santos como Él es santo. Esto es parte de lo que continuamente se lleva a cabo en Su reino: nuestra santificación. Todos los escritores de las epístolas de la Biblia reconocen la gloria de nuestra justificación, pero también reconocen nuestra gran necesidad de que Dios nos siga santificando. (Lee Romanos 8 y 1 Pedro 1 para considerar dos ejemplos clásicos de este balance).

Al considerar el enfoque primario de la obra del reino de Dios (nuestra santificación), alcanzamos un entendimiento aún más detallado del llamado de Dios respecto a nuestra comunicación. Una vez más, vemos que la Biblia nos da barreras protectoras para todo lo que nos decimos los unos a los otros. Nuestras palabras siempre deben tener en cuenta la obra principal del reino de Dios. La batalla aún no ha terminado. El pecado ya no nos domina, pero todavía hay que sacar todas esas tinieblas que hay en nuestro interior y desarraigarlas. Dios ha determinado que nuestras conversaciones sean una parte vital de esa labor. La posición radical del Nuevo Testamento es que la intervención no se limita a los momentos ocasionales de confrontación. Se trata más bien de un estilo de vida, un compromiso que le da forma a todas nuestras interacciones como miembros del cuerpo de Cristo. Esta es la nueva agenda que hace que nuestra conversación sea muy diferente a la del mundo. Al escoger nuestras palabras, siempre debemos hacerlo a la luz de la redención. Siempre debemos esforzarnos por ir más allá de la superficie, de los asuntos horizontales del momento. Siempre hemos de considerar esa dimensión vertical.

Quizá te preguntes: "Entonces ¿se supone que nunca debemos lidiar con los asuntos reales de la vida—el comentario desagradable, la deuda sin pagar, la promesa rota, la riña familiar, el esposo desatento, la esposa fastidiosa, el carro otra vez descompuesto, la música rock escandalosa, el anciano dominante, los turnos para usar el baño, etc.? ¿Somos llamados a ministrar todo el tiempo?". El asunto no es *si hay* que lidiar con estas cosas, pues debemos hacerlo. El asunto es *cómo* lidiamos con ellas. Debido a nuestro pecado y a la obra de santificación que Dios sigue haciendo en nosotros, somos llamados a tener una comunicación que tenga una meta más alta que simplemente resolver los problemas del momento. Debemos ver nuestras palabras como Sus herramientas. Así que la idea es que resolvamos el problema del momento de una manera que impulse la obra que Dios está haciendo a través de este. El reconocimiento de la realidad del pecado que mora en nosotros es un elemento clave para tener una vida de conversación que honre a Dios.

Tus palabras y el engaño del pecado

Hay un poderoso pasaje que muestra lo que ocurre con nuestra comunicación cuando reconocemos el pecado que mora en nosotros.

> Cuídense, hermanos, de que ninguno de ustedes tenga un corazón pecaminoso e incrédulo que los haga apartarse del Dios vivo. Más bien, mientras dure ese "hoy", anímense unos a otros cada día, para que ninguno de ustedes se endurezca por el engaño del pecado. Hemos llegado a tener parte con Cristo, con tal que retengamos firme hasta el fin la confianza que tuvimos al principio. Como se acaba de decir: "Si ustedes oyen hoy Su voz, no endurezcan el corazón como sucedió en la rebelión" (Heb 3:12-15).

Este pasaje no solo es una advertencia para nosotros, sino que también nos ayuda a entender lo que significa hablar como un embajador del Señor en la práctica. Reconoce la dura realidad de la vida en el reino de Dios. La batalla aún no termina; la obra no está terminada. Todos somos ciudadanos que necesitan ayuda y también somos llamados a darla. Cualquier otra perspectiva sobre la vida cristiana no está tomando en cuenta este pasaje.

Notemos la manera en que este pasaje nos advierte sobre el peligro de alejarse del Señor. Hay un himno antiguo que dice:

> Oh, cuánto le debo a la gracia;
> día a día es mi porción.
> Tu bondad, como cadenas,
> ate a Ti mi extraviado corazón.

Tiendo, Señor, a extraviarme;
al Dios que amo, a abandonar.
Toma mi corazón y séllalo;
séllalo para Tu corte celestial.

Este himno nos recuerda esa poderosa advertencia del pasaje de Hebreos. Hemos sido rescatados, pero todavía somos propensos a alejarnos de nuestro Salvador. Aunque somos ciudadanos del reino del Hijo, nuestros días como nómadas aún no han terminado.

Nos alejamos cuando expresamos el enojo que sentimos hacia nuestro cónyuge o hijos. Nos alejamos cuando codiciamos la bendición que tiene un amigo. Nos alejamos cuando negociamos nuestras convicciones bíblicas con tal de ser aceptados, de adquirir posesiones o de conseguir cierto estatus. Nos alejamos cuando nos entregamos a un momento de lascivia. Nos alejamos cuando dudamos de Dios y de Su bondad. Nos alejamos cuando tenemos la oportunidad de ser sal y luz, pero permanecemos en silencio e inactivos; cuando las preocupaciones de este mundo desplazan nuestra búsqueda diligente de Dios. Alejarse no solo se refiere a una franca apostasía. Mucho de nuestro alejamiento es sutil y pasa desapercibido. Por eso nos necesitamos unos a otros.

Notemos también que este pasaje está dirigido a creyentes, a los "hermanos". Se usan cuatro palabras para describir este alejamiento de los creyentes: *un corazón pecaminoso, incrédulo, apartado* y *endurecido*. El escritor está describiendo algo más fundamental que la comisión de pecados específicos. Nos está diciendo que nuestro corazón puede alejarse sutilmente de Dios, y eso cambia la forma en que vemos a Dios y en que nos vemos a nosotros mismos. Esto, a su vez, altera radicalmente la manera como vivimos nuestras vidas.

Esta cadena de palabras que nos describe el alejamiento del creyente tiene un carácter progresivo. El corazón *pecaminoso*, no queriendo vivir bajo la luz verdadera, vive en tinieblas y se vuelve débil e *incrédulo*. El corazón incrédulo, habiendo perdido su confianza en Dios, no tiene razón alguna para perseverar, y comienza a *apartarse*. Y el corazón que se ha apartado, siendo ya insensible a la verdad de Dios, comienza a estar más y más *endurecido* hacia las cosas de Dios. Lo que el pasaje describe es una aceptación sutil de patrones pecaminosos, una aceptación que crece hasta convertirse en un endurecimiento y una separación del Dios vivo. ¡Qué advertencia tan aterradora!

Quizá te estés preguntando: ¿Cómo puede pasarle esto a un creyente? Después de todo lo que Cristo ha hecho por él, ¿cómo puede un creyente endurecerse hasta llegar a ese punto? Esta pregunta va directo al corazón de la advertencia y del pasaje. Al responder esta pregunta, entenderemos mejor esa agenda práctica de Dios para nuestras palabras.

Esta horrorosa progresión en la vida de un creyente nos la explica una pequeña frase, que probablemente sea la frase clave del pasaje. El texto dice que podemos endurecernos "por el engaño del pecado". Hay todo un mundo de teología escondido en esta pequeña frase. El pecado, por su propia naturaleza, es engañoso. El corazón, por su propia naturaleza, es engañoso (ver Jer 17:9). El escritor de Hebreos nos está advirtiendo acerca de la realidad de la ceguera espiritual que existe, de diferentes medidas, en la vida de todo pecador. No nos vemos a nosotros mismos con precisión. El pecado es engañoso—y ¿adivina a quién engaña primero? No tengo que esforzarme para ver los pecados de mi esposa y de mis hijos; sus pecados son muy obvios para mí. Pero ¡suelo sorprenderme cuando me señalan los míos! Y muy a menudo, cuando me confrontan por mi pecado, soy tentado a llegar a la conclusión de que no he pecado. Prefiero pensar que mis acciones y motivaciones fueron malinterpretadas una vez más. Amigos míos, esto se llama ceguera espiritual, y todos la sufrimos en cierta medida.

Si aceptas esta realidad, cambiará tu manera de ver la vida cristiana y tus relaciones. Ser cristiano no significa ser libres de la ceguera espiritual o de la posibilidad de ser autoengañados. Mientras el pecado siga morando en nosotros, seguirá existiendo la ceguera espiritual y el autoengaño. Por esta realidad es que el escritor dice que nos necesitamos unos a otros diariamente. Otros me ven en maneras en las que yo nunca me veré. Al caminar en la verdad, otros creyentes pueden darme cierto grado de claridad que yo no tendría por mí mismo. Necesito su ánimo cada día para que mi pecado no me ciegue. El ánimo que me dan es uno de los medios principales que Dios usa para guardarme del pecado y de la incredulidad.

Cuando aún era un pastor joven, recibí una llamada de una pareja que había asistido a nuestra iglesia. Estaban desesperados por conseguir ayuda porque querían remediar su situación. Pero, al mismo tiempo, eran víctimas de su propia ceguera. La noche que me llamaron me senté con ellos en su sala y escuché su triste historia. Ella había caído en una depresión paralizante; él tenía una creciente adicción a las drogas y al alcohol; y sus cuatro hijos estaban cada vez más fuera de control. Lo que más me impresionó aquella noche fue que, desde su perspectiva, la vida les daba muy pocas razones para continuar. Eran ciegos a dos realidades fundamentales, las que luego serían la base de mi ministerio hacia ellos.

Primero, eran ciegos respecto a sí mismos. No veían que ahora estaban cosechando lo que habían estado sembrando, así que les parecía que no había una salida. Segundo, eran ciegos a la poderosa presencia del Señor, por lo que se sentían impotentes y desesperanzados. Dios me estaba llamando a ser un instrumento en Sus manos para que ellos pudieran ver estas dos realidades y así entendieran que tenían razones poderosas y sólidas para seguir hacia adelante. Todos necesitamos este ministerio para no ceder ante el pecado y la incredulidad.

¿Qué significa esto en la práctica? Significa que ninguno de nosotros puede decir que no necesita ayuda. Sí, ¡aun los ciudanos del reino de la luz necesitamos la intervención diaria de nuestros conciudadanos! Nota, también, que no somos llamados a exhortarnos y animarnos unos a otros diariamente sobre algún pecado particular que veamos a alguien cometer. No somos llamados a ser detectives espirituales, tratando de descubrir los "trapitos sucios" de los demás. No se nos llama a atrapar a alguien cometiendo pecado. ¡No! La razón de este ministerio diario no es un *acto* específico de pecado, sino la *condición* general de ceguera espiritual que resulta del engaño del pecado. Sufrimos de esta condición aun cuando no estemos cometiendo pecados que sean obvios y visibles para los demás. Esto significa que, de este lado de la eternidad, no habrá un momento en el que no necesite tu ayuda. Mientras haya pecado en mí, necesitaré tu ministerio diario hacia mí.

La presencia y el poder del pecado que mora en nosotros

Yo creo que la iglesia de Jesucristo subestima grandemente el poder y la presencia del pecado que mora en nosotros y sus efectos en nuestra vida espiritual. Recuerda que aunque hemos sido rescatados del reino de las tinieblas,

Dios todavía está obrando para remover las tinieblas que hay en nuestro interior. (Lee Romanos 7:14-25 para considerar una ilustración clara del pecado que mora en nosotros y la guerra interna que produce).

Cuando vamos a confrontar a alguien por su pecado, el propósito de nuestra intervención no debe ser criticar ni condenar. Nuestra meta es apuntar hacia Cristo y hacia las glorias de Su gracia, para que estas cosas nos animen a seguir corriendo la carrera con mayor humildad, cuidado y fidelidad.

Cada uno ayuda, cada uno necesita ayuda

¿Notaste que este pasaje de Hebreos no hace distinción entre personas? Está describiendo un ministerio humilde, mutuo e interdependiente entre iguales. Cada creyente es llamado a reconocer humildemente su necesidad diaria de ayuda, y cada creyente es llamado diariamente a ser uno de los ayudantes de Dios. ¡Todos somos ayudantes que necesitan ayuda! Cada uno es llamado a servir y a estar dispuesto a ser servido. De hecho, este humilde reconocimiento de nuestra propia necesidad es lo que nos permite ser instrumentos de Dios para animar a otros. Lo hacemos reconociendo que necesitamos todo lo que hemos venido a dar.

El ministerio descrito en este pasaje no puede limitarse al clero profesional. Debido a que este es un ministerio que debe llevarse a cabo cada día y en todas partes, los hombres que han sido entrenados y que están ordenados nunca serán suficientes. Es un llamado que incluye a cada miembro del cuerpo de Cristo. El plan de Dios es que el clero profesional se concentre en el entrenamiento y equipamiento de cada miembro del cuerpo de Cristo para que todos puedan ser parte de este ministerio tan esencial. También es evidente que la mayor parte de este ministerio no se llevará a cabo en las reuniones regulares y formales de la iglesia. Es en los momentos cotidianos de la vida que más lo necesitamos, y es allí donde este ministerio tendrá más éxito. Necesito tu ánimo en el camino, en esos momentos en que estoy haciendo lo que Dios me ha llamado a hacer en mi vida personal, familiar, eclesiástica y comunitaria. Necesito que me animes a permanecer firme y a perseverar.

Pero hay algo más que decir acerca de este gran pasaje. No solo es una *advertencia*, sino que también es un *llamado*. El punto crítico de este pasaje es un mandato—un mandato a comunicarnos unos con otros con cierta *frecuencia*, con un *espíritu* particular y con un *mensaje* específico. Si comprendemos estos tres elementos, comenzaremos a entender la agenda de Dios para nuestras palabras. Analicémoslos uno por uno.

La frecuencia: una disposición diaria

Cuando piensas en el ministerio—cómo se hace y quién lo hace—, ¿qué te viene a la mente? Quizá pienses inmediatamente en los ministros "profesionales", es decir, los pastores, consejeros, evangelistas y misioneros con una formación profesional (y con sueldo). Quizá pienses en todas las oportunidades de servicio que proveen los ministerios de tu iglesia local: el culto de adoración, la escuela dominical, las clases de membresía, las clases de discipulado, los grupos pequeños en las casas, los equipos de evangelización, los operativos médicos, las misiones a corto plazo, el grupo de damas, de hombres y jóvenes. Por supuesto que debemos estar agradecidos por todos estos programas, pero el escritor de Hebreos ve el ministerio del cuerpo de Cristo en términos mucho más amplios. ¡Él asume que *todos ministramos todos los días*!

Este increíble llamado a ministrar cada día es necesario debido a la magnitud de nuestro problema. Refleja la lucha espiritual de todo pecador. Mientras el pecado permanezca en nosotros, habrá cierto grado de engaño en nuestros corazones, que tendrá como resultado una ceguera espiritual. Esto es parte de nosotros, no importa dónde estemos. Esto significa que en toda situación y para toda persona el ministerio diario es necesario. Este llamado se extiende mucho más allá de las reuniones regulares del cuerpo de Cristo.

Esto nos hace ver que nuestras palabras están destinadas a ser herramientas por las cuales Dios nos protege no solo del mal externo a nosotros, ¡sino también de nosotros mismos! Cuando una madre está en la cocina hablando con su hijo acerca de su día en la escuela, está haciendo algo más que simplemente recibiendo un reporte de noticias. Está buscando esos momentos espontáneos y dados por Dios que le dan la oportunidad de animar a su hijo a serle fiel a Cristo. Un joven está en la cafetería con su amigo, pero está haciendo algo más que simplemente hablar acerca de las noticias, el clima, los deportes y el mercado laboral. Él se ha sometido al llamado de Dios: ha aceptado la dura realidad de la vida cristiana, y está buscando oportunidades para recordarle a otros la esperanza que tenemos en Cristo. Un esposo y su esposa están en una cita, pero permanecen abiertos a este llamado superior porque reconocen la necesidad espiritual que ambos tienen.

Lo que todas estas personas tienen en común es su disposición. Todos ven el ministerio en términos mucho más amplios que las oportunidades formales que les dan los programas eclesiásticos y están preparados para sacarle el mayor provecho a las oportunidades que Dios les da cada día. Realmente creen que cada día es un día para ministrar. Entienden las implicaciones de ser pecadores; creen y se gozan en el hecho de que Dios les ha colocado justo donde Él quiere usarlos como Sus instrumentos; ven su propia necesidad y están listos para ser ministrados por igual. Tienen una visión del ministerio en la que *todos trabajan cada día.* Se gozan en el hecho de que son ciudadanos del reino de la luz, pero a la vez reconocen que todavía son ciudadanos que necesitan ayuda.

El espíritu: la humildad del evangelio

El espíritu que hay detrás del plan de Dios para nuestras palabras es uno de *humildad.* Esa es la única respuesta apropiada a las realidades del evangelio reveladas en este pasaje. En el evangelio se revelan la magnitud de nuestro pecado y la grandeza de la gracia de Dios. Ambas realidades nos hacen ver que no tenemos razón alguna para jactarnos (ver Ro 3:23-24, 27-28; 1Co 1:26-31; Gá 6:15; Ef 2:8-9). Esta humildad es un eco del espíritu de Pablo, que se veía a sí mismo como el peor de los pecadores (1Ti 1:15-17). No solo reconoce la gracia que recibimos en la conversión, sino también la que recibimos cada día para poder vivir y hablar como Dios lo ha planeado.

Un ministerio diario de intervención no puede estar basado en nuestros logros personales, experiencia, sabiduría ni éxito. Tampoco en la sutil creencia de que las personas que ministran son diferentes a las personas que son ministradas. Debemos reconocer que no hay nada que podamos darle a otros que nosotros mismos no necesitemos. Puedo tener mucho tiempo de haber conocido al Señor, pero sigo necesitando Su gracia tanto como en el primer día en que creí. Si en mi vida hay evidencias de verdad, esperanza, gracia y bien, es por Su obra. Lo único que yo aporto es mi debilidad y mi pecado. Así que no voy a ministrarte confiando en mi propia fortaleza y sabiduría, animándote a ser como yo. ¡No! Voy en debilidad y pecado, para guiarte hacia el Único que puede ofrecer fortaleza y liberación. Cuando Pablo describe la comunicación del cuerpo de Cristo, siempre tiene este espíritu en mente:

> Por eso yo, que estoy preso por la causa del Señor, les ruego que vivan de una manera digna del llamamiento que han recibido, siempre humildes y amables, pacientes, tolerantes unos con otros en amor (Ef 4:1-2).

Ser humilde significa reconocer que la única ayuda que puedo ofrecer es Cristo. Cuando reconocemos que somos hermanos luchando juntos y que Su gracia es nuestra única esperanza, nuestro ministerio será dulce, bondadoso y compasivo.

El mensaje: ánimo para perseverar

El mensaje que somos llamados a comunicar en estas oportunidades diarias es: "¡No te des por vencido! ¡Hay razón para continuar! ¡Anímate! ¡No te apartes! ¡Cree en las promesas de Dios! ¡Mantén tu corazón sensible y sigue obedeciendo al Señor!". El mensaje no se limita a la confrontación. No trata de juicio, crítica ni condenación. Somos llamados a hacer algo más que solo señalar los pecados de los demás; somos llamados a animar a otros a ser fieles en la batalla hasta vencer.

Como soldados de Dios, todos nos cansamos en la guerra, así que todos necesitamos este ministerio de ánimo. A veces somos como ese niño pequeño que está en el carro en medio de un largo viaje familiar y que cada tres seis kilómetros pregunta: "¿Ya casi llegamos, papi?". Todos tenemos que enfrentar la dura realidad de que el viaje apenas comienza. La vida es un largo viaje. La vida cristiana es una larga guerra. Todos perdemos de vista nuestra meta. Pasamos por períodos en los que todo parece ser demasiado grande y difícil. Atravesamos períodos en los que simplemente queremos renunciar. Tenemos corazones que tienden a alejarse.

En una ocasión, estuve en mi oficina con un padre y su hijo adolescente. Ya había presenciado la escena varias veces en el pasado. Ninguno quería estar allí. El padre no pensaba que necesitaba ayuda; solo había venido para hacer que su hijo viniera. El hijo estaba tirado en su silla con la mirada clavada en el suelo. No parecía estar dispuesto a participar. Casi que podía sentir el enojo entre ellos. No había calidez, ni amistad, ni amor familiar. Estaban atrapados en esa relación y ninguno de los dos lo soportaba.

El padre habló primero. No tardó mucho en enrojecerse y alzar la voz. Le hice una pregunta, pero él le hablaba directamente a su hijo. "Te he alimentado y vestido. Te he llevado de vacaciones. Te acompañé en tus partidos de béisbol y natación. Te enseñé a conducir y te compré un carro. ¿Y qué me das a cambio? Nada, solo añades sufrimiento a mi vida. ¡Mírate! ¡No sirves para nada! No tienes trabajo, estás reprobando—ni siquiera puedes mantener limpio tu propio cuarto; ¡es tu vertedero personal! Cuando tenía tu edad, participaba en deportes, tenía dos trabajos, era líder en mi grupo juvenil y sacaba notas excelentes en la escuela. Respetaba a mis padres y podías caminar por mi cuarto sin tropezar con la basura del día anterior. No sé cuál es tu problema, pero más te vale resolverlo rápidamente, ¡o te vas de la casa! Algunas veces me pregunto de dónde saliste. No puedo identificarme con lo que eres ni con lo que haces. ¿Por qué no le dices a Paul lo bueno que eres y cuánto te maltratamos en casa?".

Supongo que, en el sentido más amplio de la palabra, podrías ver esto como una confrontación o una exhortación. Sabemos que el padre seguramente la definiría como tal, pero esta no es la definición de Dios. ¿Se parece esto a tus pesadillas respecto a la confrontación? No es de extrañar que tratemos de evitar algo tan cruel e improductivo. Este tipo de conversación no cumple con ninguno de los estándares de Dios para la comunicación, sobre todo en cuanto al mensaje. Lo que el padre le estaba comunicando, sin darse cuenta, era esto: "En esencia, eres diferente a mí. Eres un mediocre; yo soy un hombre de éxito. Eres un irresponsable; yo siempre he sido responsable. Yo tengo esperanza; para ti no creo que haya mucha. Yo soy justo; tú estás trágicamente atado al pecado, y pronto vendrá el juicio".

Estoy seguro de que esta no era la teología "oficial" del padre. Pero en medio de su lucha, lo único que él le transmitió al corazón pecaminoso, incrédulo, apartado y endurecido de su hijo fue impaciencia, juicio y condenación. No le ofreció lo que realmente necesitaba: un mensaje humilde y compasivo de la gracia de Dios para que pudiera enfrentar su lucha. Por favor, entiende esto: la gracia de Dios *nunca* minimiza nuestro pecado, pero *sí* nos da una razón para enfrentarlo, confesarlo y abandonarlo. La gracia es la única razón por la que tenemos esperanza para continuar nuestra lucha contra el pecado. Es todo lo que tenemos para ofrecerle a aquellos que, en su ceguera, están comenzando a alejarse.

Este padre no se daba cuenta de que él y su hijo eran iguales—no en sus pecados ni en sus actitudes, sino en que ambos necesitaban la gracia de Dios en cada momento de sus vidas. Eran iguales en el hecho de que, sin la gracia de Dios, no podían pensar, hablar ni hacer el bien. Ambos necesitaban ver la mano de Dios obrando en sus vidas diarias. También eran iguales en su necesidad de seguirle por fe, de amarle sobre todas las cosas.

Pero ninguno de los dos veía estas cosas. Ambos estaban allí sentados, cansados, desanimados, dudando del otro, rebeldes, engañados, llenos de justicia propia y confundidos. El papá pensaba: "Yo soy mucho mejor padre que tú como hijo, y tengo derecho a tirar la toalla contigo". José, su hijo, pensaba: "Yo soy mucho mejor hijo que tú como padre, y tengo derecho a tirar la toalla contigo". Ambos estaban engañándose a sí mismos y estaban listos para darse por vencidos. Ambos necesitaban una razón para continuar. Necesitaban a alguien que, en amor, les ayudara a ver sus pecados, tal y como el rey David en una ocasión necesitó que Natán lo ayudara de esta manera. Pero también necesitaban ver la poderosa presencia del amante Redentor, y Su gloriosa gracia obrando en sus vidas. Tenían que, movidos por Su amor, dejar de vivir para ellos mismos, y comenzar a vivir para Él. Este es el ministerio de aliento que debe caracterizar todas nuestras conversaciones con los demás, todos los días de nuestras vidas. Cuando nos encontramos con creyentes que están desanimados en la batalla y que están ciegos por el pecado, ¿les damos razones para no rendirse, para que permanezcan firmes, para que sigan luchando?

Un modelo de confrontación bíblica

¿Qué debió haber hecho el padre de José? ¿Cuáles son los elementos de una confrontación que es verdaderamente bíblica? ¿Qué debemos hacer para evitar los peligros que hemos discutido en este capítulo? Para responder estas preguntas, permíteme presentarte el siguiente modelo de confrontación.

1. Examina tu corazón. La confrontación siempre comienza contigo. Debido a que todos luchamos con el pecado, debemos comenzar con nosotros mismos. Tenemos que estar seguros de que ya hemos lidiado con nuestro enojo, impaciencia, justicia propia y amargura. Cuando comenzamos con nuestra propia confesión, estamos en una mejor posición para llevar a otro a confesar.

2. Toma en cuenta tu llamado. Recuerda que la confrontación no está basada en tu opinión acerca de la persona. Estás allí como un embajador y tu trabajo es representar fielmente el mensaje del Rey. En otras palabras, tu meta es ayudar a las personas a ver y a aceptar la perspectiva de Dios.

3. Revisa tu actitud. Cuando hablas, ¿lo haces con amabilidad, humildad, gentileza, paciencia, perdón, tolerancia, compasión y amor? No hacerlo impedirá que esa confrontación honre a Dios y produzca cambios. Necesitamos examinar tanto nuestro mensaje como nuestra actitud al hablar.

4. Admite tus propias faltas. Al entrar en un momento de confrontación, es de vital importancia hacerlo con un reconocimiento humilde de lo que somos en realidad. Al admitir nuestra propia necesidad del perdón del Señor, podremos ser pacientes y perdonadores con aquel a quien Dios nos ha llamado a ministrar.

5. Usa las palabras sabiamente. La confrontación eficaz requiere de preparación, particularmente de nuestras palabras. Necesitamos pedirle a Dios que nos ayude a usar palabras que lleven Su mensaje, no que interfieran con el mismo.

6. Reflexiona en la Escritura. El contenido de la confrontación *siempre* es bíblico. La Biblia debe guiar lo que decimos y cómo lo decimos. Debemos entrar a los momentos de confrontación con un entendimiento específico de lo que la Escritura dice acerca del asunto en cuestión. Esto es más que citar versículos como evidencia; significa entender cómo los temas, principios, perspectivas y mandamientos de la Escritura moldean nuestra manera de pensar en cuanto a los asuntos que tenemos delante.

7. Siempre debes estar listo para escuchar. La mejor confrontación, la más eficaz, es la interactiva. Tenemos que darle a la persona la oportunidad de hablar, ya que no podemos ver lo que hay en su corazón ni leer su mente. Necesitamos escuchar sus preguntas y buscar señales de que está viendo las cosas que necesita ver. Necesitamos escuchar su confesión y su compromiso a dar pasos concretos hacia el arrepentimiento. Al escuchar, sabremos en qué parte del proceso estamos.

8. Debes darle tiempo para responder. Debemos darle tiempo al Espíritu Santo para que obre. No hay nada en la Escritura que nos prometa que la confesión y el arrepentimiento serán inmediatos si hacemos bien nuestro trabajo de confrontar. En lugar de esto, la Biblia nos enseña que el cambio suele ser un proceso. Necesitamos imitar la misma paciencia que Dios tiene con nosotros. Esta paciencia no pone en peligro la obra transformadora de Dios, sino que fluye de un compromiso con ella.

9. Anima a la persona con el evangelio. Lo que realmente nos motiva a alejarnos de nuestro pecado es la sublime gracia de Dios, Su amor inagotable y Su ayuda continua. La Escritura dice que es la bondad de Dios lo que lleva a la gente al arrepentimiento (Ro 2:4). Las verdades del evangelio—tanto en su desafío como en su consuelo—siempre deben caracterizar nuestra confrontación.

¿Recuerdas aquella escena tan tensa e incómoda entre el hombre que yo aconsejé, su pastor y los ancianos? ¡Qué diferente hubiera sido su interacción si el pastor hubiera seguido este modelo! ¡Imagínate cuán diferentes hubieran sido los resultados si el padre de José hubiera actuado de esta manera! Imagínate el bien que resultaría si llegamos a entender que la confrontación no es un palo, sino una luz; no es una sentencia de juicio, sino un llamado amoroso al cambio; no es un anuncio de desesperanza, sino ánimo para continuar peleando en contra del pecado, ¡hasta que la batalla finalmente sea ganada!

Todos, a nuestra manera, batallamos contra el cansancio, el desánimo, la duda, la rebelión, el engaño, la justicia propia y la confusión. Todos necesitamos más que a alguien solo señalándonos todos nuestros pecados.

Necesitamos a alguien que nos apunte hacia Cristo, recordándonos la confianza que una vez tuvimos en Él, y llamándonos a renovar nuestra fe. Necesitamos que nos quiten las vendas de los ojos—no solo la venda que nos impide ver nuestro pecado, sino la que nos impide ver a Cristo. Es solo a la luz de Su gracia que podemos encontrar una razón para confesar y abandonar el pecado. Este es el aliento que necesitamos cada día.

¡No te rindas! *¡Sí hay razones para continuar!* Abre tus ojos a la verdad de Dios, abre tu corazón a Su convicción, abre tu vida a Su gracia, y síguele por fe. ¡Hay ayuda y hay esperanza!

Dios es nuestro amparo y nuestra fortaleza, nuestra ayuda segura en momentos de angustia. Por eso, no temeremos aunque se desmorone la tierra y las montañas se hundan en el fondo del mar; aunque rujan y se encrespen sus aguas, y ante su furia retiemblen los montes (Sal 46:1-3).

Examínate

Evalúa tu forma de confrontar

1. Evalúa la última vez que confrontaste a alguien (cónyuge, hijo o amigo) usando como guía el modelo presentado en este capítulo. ¿En qué maneras seguiste el modelo bíblico? ¿Qué necesitas cambiar en tu forma de confrontar a los demás?
2. ¿Cuándo has evitado la confrontación, dejando ciertos asuntos sin resolver y relaciones sin reconciliar?
3. ¿Estás albergando enojo o amargura hacia alguien, obstaculizando así alguna oportunidad de tener una confrontación constructiva?
4. ¿Qué pecados te ha mostrado Dios recientemente para recordarte que necesitas de Su gracia en cada momento? ¿Piensas que esto te mantiene humilde al considerar las fallas de los demás?
5. ¿Qué pasajes de la Escritura te ayudan a enfrentar tu pecado y a continuar en tu lucha contra el mismo? ¿Qué oportunidades te ha dado Dios para compartir esto con otros?

10

En la misión del Rey

Dios estaba reconciliando al mundo consigo mismo...
encargándonos a nosotros el mensaje de la reconciliación.
Así que somos embajadores de Cristo (2 Corintios 5:19-20).

Mientras la contaba, me di cuenta de que sería una de esas historias difíciles de olvidar. Tenía todos los ingredientes necesarios para terminar en una confrontación explosiva entre un padre y su hijo mayor. El hijo era rebelde, mentiroso y, en este caso, quiso salirse con la suya usando la computadora de su padre; en fin, todo lo que suele sacar a un papá de sus casillas. Pero esta vez las cosas fueron diferentes. La explosión no sucedió. El resultado de aquel evento que empezó como algo horrible, fue mucho más bueno de lo que uno hubiera podido imaginar. ¿Qué hizo la diferencia? Déjame contarte la historia.

Había terminado una larga jornada de trabajo. Jorge estaba loco por llegar a casa, comer algo y relajarse por un par de horas antes de sentarse a escribirle unos correos electrónicos a unos clientes. Estaba agotado, pero al entrar en casa, se alegró con el rico aroma de la gran cena que le esperaba. Tuvo tiempo de leer el periódico antes de cenar y de descansar un poco después de haber comido. Al sentarse frente a la computadora en la oficina de su casa, se sentía renovado. Pero al revisar su bandeja de entrada, encontró algo que cambiaría sus planes para esa noche.

Había llegado un correo electrónico para su hijo. No solía leer los correos de Martín, pero mientras lo imprimía para dárselo, Jorge miró la pantalla de la computadora y vio un montón de palabras sucias escritas con mayúsculas. Se detuvo para leer el mensaje. Al ver el contenido, se le cayó el alma a los pies. Era sexualmente repugnante, irrespetuoso, e insinuaba hechos que, de ser ciertos, le hacían preguntarse si realmente conocía a su propio hijo.

Inmediatamente comenzó a buscar en la computadora todos los correos electrónicos que Martín le había enviado a sus amigos. No tardó mucho en encontrar el correo más reciente. Con profunda tristeza, se dio cuenta de que el correo de su hijo era el peor. Tanto así que Jorge no pude contener las lágrimas. Estaba aturdido. "¿Esta basura fue escrita por mi hijo, quien dice ser un cristiano comprometido? ¿Cómo pudo escribir esto? ¿Cómo se atrevió a escribir esto en la computadora de la empresa? ¿Cómo puede escribir esa porquería y enviarla sabiendo que cualquiera lo puede leer?". La tristeza se convirtió rápidamente en enojo. Salió a buscar a Martín con el rostro enrojecido y el correo en la mano.

Por la gracia de Dios, su hijo no estaba en casa. Dios tenía algo bueno en mente para ambos. Jorge llamó a su esposa, Paula, para que viniera al cuarto. Le mostró el correo y le dijo: "¡Mira lo que nuestro dulce hijito ha estado haciendo!". Al igual que Jorge, Paula lloró al leer lo que su hijo había escrito. "¿Dónde está? ¡Quiero hablar con él ahora mismo!", demandó Jorge, pero Paula le dijo que Martín estaba estudiando con unos amigos. Llegaría a casa bastante tarde. Jorge explotó, diciendo: "¡Increíble! Uno necesita hablar con él, ¡y no está aquí!". Paula respondió: "Tal vez es lo mejor, mi amor. Nos dará tiempo para pensar". No pudo haber tenido más razón.

Mientras hablaban, su perspectiva empezó a cambiar. En una conversación que duró la mayor parte de la noche, Jorge dejó de ver el asunto como una afrenta personal y empezó a verlo como una oportunidad para ministrarle a su hijo, quien parecía estar sumergido en su pecado. Paula pudo ir más allá de la meta de calmar la ira de su esposo para que ambos pudieran dar un paso hacia atrás y así ver mejor la situación.

Ambos se maravillaron al darse cuenta de que Dios amaba tanto a su hijo que trajo su pecado a la luz. El hecho de que Jorge tuviera que utilizar la computadora esa noche, de que "casualmente" le acababa de llegar ese correo a Martín y de que él no estaba en casa cuando supo el secreto, todo era parte del plan de Dios para rescatarlo. Dios, el Redentor, extendió Su mano para evitar que Martín continuara por el camino en el que andaba. Y Dios estaba llamando a Jorge y a Paula para que fueran parte de lo que *Él* estaba haciendo en la vida de Martín en ese momento.

En medio del dolor y la tristeza de estos padres, este entendimiento llenó sus corazones de gozo y esperanza. Estas perspectivas les llevaron a cambiar completamente tanto lo que le querían decir a Martín como también la forma en que se lo querían decir. Imaginaron lo que hubiera pasado si Martín hubiera estado en casa cuando Jorge descubrió los correos electrónicos. Jorge hubiera explotado de ira, Martín hubiera explotado igual o se hubiera retraído en un silencio defensivo, y no hubiera ocurrido nada de lo bueno que Dios tenía planeado.

La mañana siguiente, Jorge se despertó y se sentó al borde de la cama mientras le hablaba a Paula: "Lo acabo de entender, cariño. Nada de esto se trata de nosotros. Este es el momento de Dios; nosotros solo somos Sus instrumentos. Mientras estaba aquí acostado, recordé que Martín no es nuestro en realidad; le pertenece a Dios. Dios lo ha puesto en nuestras manos para que podamos ser Sus instrumentos en la vida de él. Estoy dolido y sé que tú también lo estás, pero esta es una gran oportunidad de hablar con Martín acerca de lo que realmente importa en la vida. Quizá te suene gracioso, pero me di cuenta de que este es un momento *redentor*. Eso es lo que Dios está haciendo en la vida de Martín. Está obrando para rescatarlo del pecado y de la muerte, y por eso no permitió que siguiera escondiendo su pecado. Él permitió que saliera a la luz. Dios puso esto en nuestras manos, no para que nos deprimiéramos y nos desanimáramos, sino para que seamos Sus instrumentos redentores en la vida de Martín. Es muy importante que manejemos las cosas como Dios quiere. No podemos permitir que nuestro dolor y enojo se interpongan en lo que Dios está haciendo. Estoy muy agradecido de que hayamos tenido tiempo para pensar y orar antes de hablar con Martín".

Hablaron con Martín esa misma noche. Pero la conversación no comenzó con un reproche por el correo, diciéndole: "¡¿Cómo te atreves a hacerme esto?! ¡¿No tienes vergüenza?!". En lugar de eso, Jorge comenzó pidiéndole a Martín que oraran antes de hablar. Al instante, Martín le prestó toda su atención. ¡Su padre nunca había hecho eso antes! Luego, Jorge le dijo a Martín lo que había descubierto, y con mucha calma le dijo las dos cosas que estaba sintiendo esa noche. La primera era tristeza por el engaño y el pecado de Martín. La segunda era gozo, porque toda la situación mostraba claramente cuánto Dios lo amaba y cómo Él había estado obrando para rescatarlo del pecado. Le dijo a Martín que, al final de todo esto, su oración era que él quedara sobrecogido por el amor de Dios. Fue una conversación muy larga y ya era tarde, pero aquella noche ocurrió un verdadero cambio en el corazón de Martín. Y no solo en el corazón de Martín—en el de Jorge también.

Cuando Jorge me contó la historia, me explicó muy bien el cambio que Dios había obrado en él: "Por primera vez, comencé a pensar *de forma redentora* con respecto a mis relaciones. Entendí que si Dios estaba usando esta situación para hacer Su obra en Martín, entonces estaba haciendo lo mismo en Paula y en nuestros otros hijos—y en mí. Me ha dado una perspectiva totalmente nueva de mi familia—y no solo de mi familia, sino también de mis amistades. Me di cuenta de que la manera en que manejo las situaciones (las cosas que digo) es sumamente importante. O tomo el control y manejo las cosas como mejor me parezca, o respondo de una manera que me haga parte de lo que Dios quiere hacer a través de las circunstancias".

¡Qué buena manera de resumirlo! Necesitamos tener una *perspectiva redentora* de nuestras relaciones. Antes de hablar, necesitamos preguntarnos qué es lo que el Redentor quiere lograr en esta situación, y necesitamos estar comprometidos a ser parte de ello. Fuimos hechos para ser parte de *Su* misión. Es precisamente en el taller de la vida diaria donde Dios transforma a Sus hijos para que sean fieles, piadosos y maduros, y Él nos utiliza a nosotros mismos como herramientas. Cuando Jorge y Paula entendieron esta perspectiva, su manera de lidiar con el pecado de su hijo fue completamente transformada.

Este capítulo trata acerca de esa lección que Jorge aprendió. Para hablar como embajadores de Cristo, debemos entender la misión de Dios y cómo esta nos ayuda a lidiar con asuntos en la familia, con las amistades y con el cuerpo de Cristo de manera práctica.

Ha sido Su misión desde el principio

Desde el primer momento de la existencia del pecado sobre la tierra, la respuesta de Dios ha sido la redención. Vemos esto claramente en las palabras que Él le dice a la serpiente después de la caída.

> Dios el Señor dijo entonces a la serpiente: "Por causa de lo que has hecho, ¡maldita serás entre todos los animales, tanto domésticos como salvajes! Te arrastrarás sobre tu vientre, y comerás polvo todos los días de tu vida.

Pondré enemistad entre tú y la mujer, y entre tu simiente y la de ella; su simiente te aplastará la cabeza, pero tú le morderás el talón" (Gn 3:14-15).

En otras palabras, Dios le dice a la serpiente: "No voy a dejar las cosas como están. Traeré a un Redentor a través de la mujer, el cual te aplastará a ti y a tu obra por medio de Su sufrimiento". La respuesta de Dios a las mentiras de Satanás y a la rebelión de Adán y Eva no fue solo juicio, sino también redención. Aquí Dios presenta el plan que se desarrolla en todo el resto de la Escritura. La Biblia es la historia de la obra de Dios para redimir a Su pueblo, quienes vivirán por siempre para Su gloria. Somos llamados a ser parte de esta gran obra de Dios, lo cual significa que debemos tratar de ver cómo los eventos y la gente que nos rodea encajan en la historia de la redención—y nosotros por igual. La única esperanza para *nuestra* historia es que seamos parte de *Su* historia de redención. La única manera correcta de ver los eventos de nuestras vidas es haciéndolo de forma redentora.

Esta misión, y nuestro llamado a ser parte de ella, está claramente establecida en el llamado de Dios a Abram:

Deja tu tierra, tus parientes y la casa de tu padre, y vete a la tierra que te mostraré. Haré de ti una nación grande, y te bendeciré; haré famoso tu nombre, y serás una bendición. Bendeciré a los que te bendigan y maldeciré a los que te maldigan; ¡por medio de ti serán bendecidas todas las familias de la tierra! (Gn 12:1-3).

Se han escrito volúmenes enteros acerca del pacto de Dios con Abram, y mi propósito aquí no es añadir más a toda esa literatura. Pero quiero hacer una observación muy importante acerca de estas palabras: son tanto un *consuelo* como un *llamado*. ¡¿Qué podría ser un mayor consuelo que haber sido escogido como el objeto de las bendiciones de Dios?! Pero Dios nunca tuvo la intención de que Abram *solo* fuera el objeto de Su bendición. Desde el principio, la intención de Dios era que Abram fuera también el *canal* de Sus bendiciones para otros. Por medio de Abram, todas las naciones de la tierra serían bendecidas.

Desde el principio, Abram fue llamado a ver más allá de sí mismo y a ver su vida de forma redentora. Fue llamado a ser parte de lo que Dios iba a hacer no solo *en* él y *por causa de* él, sino también *a través* de él. Aquí está la semilla de todos los llamados al ministerio que aparecen en el resto de la Escritura. Lo que ocurre a través de toda la Escritura es que Dios riega y nutre la semilla de la misión que fue plantada aquí, hasta que llega a ser el árbol frondoso del ministerio que vemos revelado en las epístolas del Nuevo Testamento. Lo que vemos claramente en esta declaración del pacto es que Dios, quien está comprometido con redimir a un pueblo para Sí mismo, llama a Su pueblo a comprometerse con la misma misión. Nunca debemos vernos como *objetos* de Su amor, sin vernos también como *canales* de ese amor para otros.

La redención no solo es para nuestro beneficio o bienestar. Siempre ha sido parte del propósito de Dios y para Su gloria. No podemos ver la salvación como una fiesta en la que somos los invitados de honor. Es una celebración para el Rey, a la que hemos sido invitados (asombrosamente) por pura gracia. No solo celebramos nuestra invitación; lo celebramos a *Él*, y demostramos nuestro agradecimiento cuando ayudamos a que otros le conozcan, le sirvan y celebren junto a nosotros. ¡Es *Su* fiesta! *Él* es el invitado de honor. Todo lo que decimos y hacemos debe reflejar un deseo de ser parte de lo que Él está haciendo, de darle la gloria que Él merece.

Una mejor visión de la misión

La misión del Señor siempre ha sido la misma. Incluso cuando Él le estaba dando la ley a Su pueblo en el Antiguo Testamento, lo hacía con este propósito en mente. Los hijos de Israel habían sido llamados a tener un compromiso radical con la obra redentora de Dios, y este compromiso los llevaría a tener una participación radical en la vida de los demás. Fueron llamados a hablar de una manera que promoviera la obra que Dios estaba haciendo en las vidas de otros. La parte de la misión del Rey que nos corresponde a nosotros hoy la vemos claramente en Levítico 19, un pasaje al cual Cristo se refirió cuando resumió la ley en Mateo 22:

> No perviertas la justicia, ni te muestres parcial en favor del pobre o del rico, sino juzga a todos con justicia. No andes difundiendo calumnias entre tu pueblo, ni expongas la vida de tu prójimo con falsos testimonios. Yo soy el Señor. No alimentes odios secretos contra tu hermano, sino

reprende con franqueza a tu prójimo para que no sufras las consecuencias de su pecado. No seas vengativo con tu prójimo, ni le guardes rencor. Ama a tu prójimo como a ti mismo. Yo soy el Señor (Lv 19:15-18).

¿Qué es lo que este pasaje está diciendo acerca de nuestras relaciones? Dios nos está diciendo que es imposible que vivamos como si el pecado no existiera. Debido a que somos pecadores y a que nos relacionamos con otros pecadores, el pecado siempre será un problema. Es una realidad ineludible de la vida humana. La pregunta es si estamos lidiando con el pecado a la manera de Dios (de forma redentora) o de acuerdo con los deseos y propósitos de nuestro propio corazón pecaminoso.

Ama a tu prójimo como a ti mismo

Quizá lo primero y más fundamental que debemos notar en este pasaje es que el mandamiento de lidiar con los pecados de otros a la manera de Dios está directamente conectado con el mandamiento de amar a tu prójimo como a ti mismo. Amar a tu prójimo como a ti mismo significa muchas cosas, pero de una cosa podemos estar seguros: significa tratar con su pecado de una forma disciplinada y claramente bíblica. Significa reconocer que hemos sido llamados por Dios para ser parte de lo que Él está haciendo en sus vidas. *No* tenemos derecho a lidiar con las dificultades como mejor nos parezca. Cuando alguien peca contra nosotros, lo más importante no es hacerles pagar de alguna manera para sentirnos bien, sino que respondamos según el plan de Dios y que respondamos con el objetivo de darle gloria.

Cuando vivimos para cumplir este llamado, no cedemos ante muchos de los pecados del corazón ni de la boca que este pasaje detalla, aunque sigamos siendo tentados a caer en ellos cuando alguien peca contra nosotros. Recuerda, siempre estaremos lidiando con el pecado de los demás. Así será hasta que el Señor regrese. Hasta entonces, el amar al prójimo como a uno mismo tiene esta característica redentora. Significa que debes lidiar con el pecado no simplemente como una víctima, sino como un siervo de Aquel que redime.

Si somos honestos, tendríamos que admitir *siempre* que nos cuesta amar a nuestro prójimo como a nosotros mismos, ¡incluso cuando ese prójimo no haya pecado contra nosotros! Todos tendemos a ser egocéntricos, a querer que se haga nuestra voluntad y a vivir para lograr nuestra propia satisfacción y comodidad. Esto explica por qué es tan fácil caer en irritación e impaciencia cuando de alguna manera no se hace nuestra voluntad. No me refiero a situaciones de pecados escandalosos. No, ¡nos cuesta amar a personas cuya única falta es no complacernos!

Déjame darte un ejemplo de mi propia vida. Una de las cosas que disfruto es irme a la cama aproximadamente al mismo tiempo que Luella. Ella es mi compañera más cercana y mi mejor amiga, y disfruto esos momentos de calidez entre nosotros al final del día. Luella tiene una voz muy melódica y me encanta que su voz sea lo último que escuche antes de dormirme. Esos momentos que paso recostado junto a ella y conversando tranquilamente son muy preciosos.

Una noche, como a las diez, salí de la sala de estar para ir a la habitación, asumiendo que Luella haría lo mismo. Cuando entré a la cocina, ¡no pude creer lo que vi! Allí estaba Luella, con una cubeta y un cepillo, arrodillada en el suelo de la cocina, preparándose para limpiarlo. Me llené de irritación al instante. ¡No podía creer que me estuviera haciendo esto! ¿Acaso no sabía que esa hora era sagrada para nosotros? ¿Tenía que limpiar el piso *ahora*? Al parecer, tener el piso limpio era más importante que estar con su esposo.

Afortunadamente, no dije todo lo que estaba pensando. Pero cuando me iba a la habitación, sí dije con evidente molestia: "¡No puedo creer que estés haciendo esto ahora!". Desde entonces, he pensado muchas veces en esa escena. No solo me ha sorprendido mi impaciencia, sino todo el egoísmo que había detrás. Al ver a Luella, no vi a una mujer amorosa y dedicada que, queriendo irse a la cama, prefirió sacrificarse. Sé lo que le pasó por la mente. ¡Ese piso la vuelve loca! Con seis personas viviendo en la casa, es difícil mantenerlo limpio. Esta era su oportunidad de limpiarlo porque ya era tarde y no íbamos a estar pasando tanto por allí. Por su dedicación amorosa a la familia, aprovechó la oportunidad sin quejarse ni murmurar.

Pero eso no fue lo que yo vi. Cuando vi a Luella aquella noche, vi a una esposa que *debió* estar de camino a la habitación ¡para estar en la cama conmigo! No había gratitud en mi corazón ni hacia Luella ni hacia Dios. Subí las escaleras irritado porque iba a estar solo en la cama, porque Luella había preferido limpiar el piso antes que estar conmigo. ¿Ridículo? ¿Vergonzoso? Sí, pero quizá eso es lo que hace que este ejemplo sea tan poderoso. Esos *pequeños* eventos de la vida nos cuestan. Cuando estamos en medio de ellos, nos cuesta comunicarnos de una manera piadosa, aun cuando *nadie* haya pecado contra nosotros. Nos enojamos y atacamos a los demás con palabras hirientes cuando el baño está ocupado, o cuando el carro no está a nuestra disposición, o cuando alguien toma el control remoto antes que nosotros, o cuando se comen la última rosquilla, o cuando el periódico no está allí y queremos leerlo, o cuando alguien está retrasándonos, o cuando no obtenemos el reconocimiento que pensamos merecer, o cuando alguien se mete en la fila delante de nosotros, o nos empuja en el pasillo, o se olvida de ponerle seguro a la puerta, o no le pone gasolina al carro, o tarda mucho en el teléfono... ¡la lista es eterna!

Ese es nuestro día a día, donde vivimos. Si respondemos de manera egoísta ante cosas tan básicas, ¿cómo vamos a responder de forma redentora ante un pecado *grave*? Si no estamos amando a nuestro prójimo en el curso normal de las cosas, ¿cómo lo haremos cuando lo que esté en juego sea algo mucho más serio? De nuevo, necesitamos ser dominados por la grandeza de nuestro llamado y por lo que esto implica en nuestras conversaciones diarias. Necesitamos permanecer firmes en la verdad de que Dios nos ha dado todo lo que necesitamos para hacer lo que Él nos ha llamado a hacer (2P 1:3-4).

¿Cómo lidiaremos con el pecado?

Debido a que todos somos afectados de alguna manera u otra por el pecado de otro, es evidente que estamos lidiando diariamente con el pecado. El asunto que Levítico pone delante de nosotros es el siguiente: ¿Estamos lidiando con el pecado a nuestra manera o a la manera de Dios? Créeme, hay una enorme diferencia entre las dos.

Levítico nos está mostrando las maneras en las que podemos responder al pecado que nos rodea. En el centro está la senda del amor, el camino por el cual Dios nos ha llamado a andar en nuestras relaciones con los demás. En ambos lados de la senda del amor están los valles del odio: de un lado, las formas pasivas del odio; y del otro, las más activas. Dios nos ha llamado a permanecer en la senda del amor y a tener cuidado de no caer en ninguno de los dos valles.

El valle de las formas pasivas del odio abarca todas estas actitudes internas: el favoritismo y la parcialidad (Lv 19:15), el detestar en tu corazón

(v. 17), el guardar rencor (v. 18) y los deseos ocultos de venganza (v. 18). Claramente, ninguna de estas actitudes van en línea con el llamado de Dios de amar a nuestro prójimo como a nosotros mismos. Cada una de estas actitudes refleja las respuestas de un corazón egoísta y enojado contra los que no satisficieron nuestros deseos. Aquí nuestras reacciones son moldeadas por nuestras expectativas egoístas, y no por la gloria de participar en la obra de Dios en la tierra. No hay llamado que sea superior a este, pero las presiones de la vida a veces nos llevan a olvidarlo con facilidad.

En el lado activo del odio se encuentra el tratar a la gente con favoritismo y parcialidad (v. 15), juzgar a otros injustamente (v. 15), difundir calumnias (v. 16) y buscar venganza (v. 18). De nuevo, estas reacciones son el polo opuesto de lo que Dios espera de nosotros.

Dios no quiere que nos apartemos de la senda del amor ni a la derecha ni a la izquierda. Quedarnos enfocados en el pecado de alguien es una ofensa en contra del llamado que Dios nos hace. Desear que alguien sufra como nosotros hemos sufrido es una ofensa contra Su llamado. Llevar un registro de los errores de los demás es una ofensa contra Su llamado, como también lo es chismear acerca del pecado de alguien. Ejecutar cualquier forma de venganza es una ofensa contra Su llamado. Pero si examinamos nuestras vidas, encontraremos que muchas de estas reacciones están presentes (ver Mt 18:15-19).

La esposa que aplica la "ley del hielo" cuando su esposo la hiere está respondiendo con venganza y, al hacerlo, ha olvidado Su llamado redentor. La hija que ha sido herida por sus padres, se va a su cuarto, estrella la puerta y hace un recuento detallado de las maneras en que su familia le ha fallado ha olvidado Su llamado. El cristiano que comparte un chisme, disfrazándolo como un motivo de oración, se ha apartado de la senda del amor y ha olvidado Su llamado. El esposo que se va enojado a trabajar porque su familia lo retrasó y que piensa cuán fácil sería la vida sin ellos ha menospreciado el llamado de Dios.

¡Cuán fácil es apartarnos e irnos por cualquiera de estos lados del camino! ¡Cuán difícil y cuán alto es el llamado de Dios a amar! Seamos humildes y honestos respecto a nuestra lucha para amarnos unos a otros como lo describe Levítico. Admitamos las muchas formas en que nos apartamos de la senda por la cual se nos ha llamado a caminar. Confesemos nuestras faltas a Dios y a los demás, comprometiéndonos a realizar actos específicos de arrepentimiento.

La senda del amor

La senda del amor no consiste en ser "buena gente" ni tolerante con quienes vemos haciendo el mal. ¡El amor es activo! Dios quiere que seamos Sus agentes de rescate cuando veamos el pecado de otro. Nos llama a juzgar rectamente a nuestro prójimo y a amonestarnos unos a otros de forma franca y clara.

Habiendo dicho esto, nota que *no* se nos dice que condenemos soberbiamente a los demás ni que actuemos como detectives, cazando todos los pecados identificables en las vidas de otros para exponerlos. Tampoco se nos llama a ser verbalmente abusivos, llenando la confrontación con ofensas o insultos. En lugar de esto, Dios está diciendo que cuando *Él* escoge mostrarnos el pecado de alguien, debemos reaccionar con un amor sacrificial y redentor. Nos acercamos a nuestro prójimo, y con honestidad y claridad lo confrontamos con su pecado—no para que sea juzgado, sino para que se someta a Dios y busque Su misericordia y Su gracia. Lo que deseamos es que Dios, Su voluntad y Su misericordia, sean lo que resalte en la conversación, no nosotros.

Pero hay algo aún más radical. Este pasaje dice que si no lo hacemos así, que si nos amamos más a nosotros mismos que a Dios y a los demás, si nos desviamos hacia los valles del odio, ¡compartiremos la culpa del pecado de nuestro prójimo! Sí, Caín, ¡somos guardas de nuestro hermano! (Gn 4:9). El llamado de Dios no pudo haber sido más claro y enfático. Si no respondemos al pecado de otro con un amor redentor, nos hacemos partícipes de su culpa. Así lo dice Dios a través del profeta Ezequiel. Si el atalaya ve al enemigo venir y no le advierte al pueblo, su sangre está en sus manos (Ez 33:1-9). Ser parte del rescate redentor de Dios no solo es un alto llamado, sino una obligación moral.

Nuestro corazón debe ser como el de un atalaya dedicado. El trabajo del atalaya no es forzar a la gente a que responda a sus advertencias; es simplemente dar una advertencia clara y oportuna. Debe asegurarse de que su advertencia sea entendida y de pedirle a la gente que actúe con base en la misma. Cuando haya hecho estas cosas, habrá completado su misión. Habrá cumplido con su llamado.

Nuestro llamado es advertirle a otros que deben buscar el cuidado protector del Redentor. Jorge y Paula no se olvidaron de su llamado. Entraron al cuarto de Martín como atalayas, y su exhortación fue expresada como una advertencia amorosa, que fue lo que el Señor usó para cambiar el corazón de

Martín. Todo lo que dijeron surgió de desear en verdad ser parte de lo que Dios estaba haciendo. No olvides que antes de que Dios pudiera usar sus palabras para obrar en el corazón de Martín, primero tuvo que obrar en sus corazones. Y así lo hará con nosotros.

Finalmente, notemos que la frase "Yo soy el Señor" aparece dos veces en este pasaje. Dios está diciendo: "El Rey ha hablado y esta es *Mi* voluntad para ustedes. Yo soy el Señor, y les estoy llamando a amarse así. No hay nada que debatir; y no acepto excusas ni cuestionamientos. Yo soy el Señor. Ahora vayan y sean Mis instrumentos de advertencia y rescate para aquellos que he puesto cerca de ustedes".

La Gran Comisión

En Mateo 28 encontramos uno de los llamados más claros a ser parte de la misión del Rey en la tierra. Después de la resurrección, Cristo le pidió a sus discípulos que se reunieran con Él en una montaña en Galilea. Allí les declaró esas palabras que casi todo creyente conoce. Sin embargo, me pregunto si Jorge y Paula habrían pensado que esta comisión se aplicaba a lo que estaban haciendo con Martín. Me pregunto si vemos cómo se aplica en *nuestras* relaciones cotidianas. Estoy convencido de que estas palabras han perdido mucho poder por la manera en que usualmente se interpretan.

Considera la Gran Comisión que Cristo le dio a Sus discípulos y a Su iglesia, y pregúntate: ¿En qué consiste este ministerio? ¿Qué impacto tiene sobre nuestras conversaciones cotidianas? ¿Qué le exige a nuestras palabras?

Los once discípulos fueron a Galilea, a la montaña que Jesús les había indicado. Cuando lo vieron, lo adoraron; pero algunos dudaban. Jesús se acercó entonces a ellos y les dijo: "Se me ha dado toda autoridad en el cielo y en la tierra. Por tanto, vayan y hagan discípulos de todas las naciones, bautizándolos en el nombre del Padre y del Hijo y del Espíritu Santo, enseñándoles a obedecer todo lo que les he mandado a ustedes. Y les aseguro que estaré con ustedes siempre, hasta el fin del mundo" (Mt 28:16-20).

Cristo está con Sus discípulos ya como el Rey vencedor. Habiendo cumplido Su misión en la tierra y sabiendo que dentro de poco estaría sentado a la diestra del Padre, Él declara Su autoridad y llama a Sus seguidores a llevar Su mensaje a todas las naciones de la tierra. Todos hemos escuchado argumentos apasionantes basados en este pasaje para convencernos de ser parte de las misiones en el mundo. Esas invitaciones son apropiadas y necesarias. Pero, por favor, nota que si solo interpretamos este pasaje en ese sentido, dejamos a la mayor parte de la iglesia de Jesucristo sin una comisión. Eso sencillamente no le hace justicia a lo que está diciendo el texto.

Cuando el pueblo de Dios limita este pasaje al mundo de las misiones en el extranjero, está ignorando gran parte de su significado. Lo mismo ocurre cuando limitamos el pasaje al contexto del ministerio profesional. Se convierte en un pasaje acerca del misionero a tiempo completo que se va al extranjero, porque "él sí ha aceptado la Gran Comisión". Por supuesto que este pasaje *incluye* estas aplicaciones, pero aquí encontramos mucho más que eso.

Creo que la iglesia se ha debilitado por su tendencia a descuidar la segunda mitad de esta comisión. Jesús nos llama no solo a ir y hacer discípulos, sino también a enseñarles lo que significa vivir vidas obedientes a cada mandamiento de Cristo. Es un llamado de Cristo a exhortar, animar y enseñar para que sean liberados progresivamente de sus viejos hábitos pecaminosos y sean conformados a Su imagen. La Gran Comisión no solo es un llamado a *traer* a personas al reino de la luz, sino que también es un llamado a enseñarles a *vivir* como hijos de luz una vez estén allí. Cuando perdemos de vista la segunda mitad de la Gran Comisión ("enseñándoles a obedecer todo lo que les he mandado a ustedes"), perdemos de vista sus implicaciones para nuestras conversaciones cotidianas.

La Gran Comisión como un estilo de vida

Ahora, es importante preguntarnos a quién le pertenece este ministerio, y cuándo y dónde debe realizarse. La respuesta de todo el Nuevo Testamento es que este es el ministerio de todo creyente, y que debe llevarse a cabo en todo lugar y siempre que sea necesario. No solo es un llamado al ministerio de forma profesional, sino que más bien es un llamado a ver el ministerio como un *estilo de vida*. Esta comisión impide que separemos el ministerio de nuestras vidas cotidianas. ¿Dónde enseñamos y aprendemos a vivir como hijos obedientes de Dios? No solo en los programas formales de la iglesia, sino en medio de todas nuestras experiencias cotidianas, cuando estamos luchando en contra de las tentaciones del enemigo y de los deseos de nuestra naturaleza pecaminosa. Así que la relación entre un esposo y su esposa se convierte en un foro para el ministerio de la Gran Comisión. La relación padre-hijo se convierte en un foro para el ministerio de la Gran Comisión. Las relaciones dentro del cuerpo de Cristo se convierten en un foro para el ministerio de la Gran Comisión, una comisión que no solo se trata de la justificación, sino también de la santificación progresiva.

Esto significa que cuando hablo con mi esposa acerca de las dificultades y las decepciones en nuestra relación, debo hacerlo teniendo en cuenta la segunda parte de la Gran Comisión. Lo hago reconociendo que la meta primordial de la conversación es que nuestras palabras contribuyan a la obra que Dios está haciendo en nosotros dos. El hecho mismo de que tengamos que sentarnos a hablar acerca de estas cosas nos recuerda que esta obra aún no se ha completado. Y esas ofensas menores son otro indicador de que todavía no estamos obedeciendo todos los mandamientos de Cristo. Así que al tratar de entendernos y de resolver nuestros problemas juntos, queremos promover la obra que Dios está haciendo para ayudarnos a vivir más plenamente como hijos de luz. De nuevo, el asunto no es *si* estamos lidiando con problemas, sino *cómo* lo estamos haciendo. ¿Refleja la forma en que nos conducimos un deseo de ministrarnos unos a otros con Su verdad hasta que este ministerio ya no sea necesario?

Al hablar, la actitud que debe gobernar todas nuestras palabras es una que refleje que, para nosotros, la vida *es* el ministerio. No *salimos* de la vida para *introducirnos* al ministerio. ¡El llamado de Dios abarca cada momento de nuestra vida! Nuestra respuesta debe ser un sometimiento a la obligación moral de amar a nuestro prójimo como a nosotros mismos, motivados por algo más que nuestra propia felicidad, satisfacción y comodidad. Queremos ser parte de lo que el Rey está haciendo en las vidas de los que nos rodean.

Puede que estas oportunidades no se vean como esperaríamos. Son pocas las veces en que alguien te dirá: "¿Qué dice la Biblia acerca de…?", o: "Me he dado cuenta de que hay áreas en mi vida en las que no estoy haciendo la voluntad de Dios y necesito tu ayuda", o: "Papá, ¿hay otros mandamientos de la Escritura que tenga que aplicar en mi vida?". No, los momentos más poderosos del ministerio vienen en tiempos de dificultad, sea grande o pequeña.

Sabemos que el Señor utiliza la dificultad para avanzar Su obra en nuestras vidas. Y si somos uno de Sus instrumentos principales para el cambio, lo más probable es que algunas de las oportunidades más maravillosas que tengamos de ministrar vendrán en momentos que preferiríamos evitar.

En esos momentos solemos estar tan enfocados en nuestras propias emociones (dolor, temor, decepción, enojo, vergüenza, desánimo, etc.) o tan enfocados en nuestros propios deseos (de una solución rápida, de tener la razón, de ser apreciados, de escapar, de ganar, de salir con el menor daño posible, de consuelo, de que nos entiendan, etc.) que perdemos de vista la oportunidad que Dios nos ha dado para hablar palabras que promuevan Su misión redentora. Cuando Jorge leyó el correo de Martín por primera vez, no pensó: *¡Qué maravillosa oportunidad para ministrar! ¡Gracias Señor!* No. Su corazón se llenó del pesar de un padre, y eso es apropiado. Pero esas palabras tan dolorosas, escritas de tal forma que Martín no las podía negar, fueron lo que Dios usó para movilizar a Jorge y a Paula, y para rescatar a Martín. Ese momento de pesar no fue el momento de Jorge y Paula, fue el momento de Dios. Él les expuso las cosas que Él ya sabía estaban en el corazón de Martín. Él les llamó a compartir ese sufrimiento para que pudieran compartir la gloria de Su obra transformadora.

Jorge y Paula necesitaban ir más allá de una conversación dominada por emociones desenfrenadas y motivaciones equivocadas. ("¿Cómo pudiste hacernos esto? Nos desvivimos por ti, y ¿así es como nos pagas?". "Ese correo solo demuestra que encajas perfectamente con tus amigos—¡un fracasado rodeado de fracasados!". "¡Ni sueñes con volver a usar la computadora! ¡Prohibido de por vida!". "Es difícil creer que seas mi hijo. En mi juventud, ¡ni siquiera se me hubiera ocurrido hacer semejante cosa!". "¡Solo quisiéramos que alguna vez en tu vida hagas algo que pudiéramos respetar!"). Su conversación con Martín tenía que estar basada en el amor redentor de Dios. Ese amor era la razón de esta oportunidad. Les permitía rechazar las palabras arrogantes y soberbias y, en lugar de ellas, ofrecerle palabras humildes y llenas de gracia. Se acercaron a Martín como pecadores que habían experimentado la intervención del Redentor y que deseaban que él experimentara esa misma gracia poderosa y libertadora.

Una amonestación no es una condenación, es un llamado. Las palabras de exhortación no son un juicio, son un estímulo a seguir al Señor. La confrontación no es una sentencia, es una advertencia. Nos hablamos unos a otros con la Palabra de Dios, no porque seamos superiores o mejores, ni porque seamos capaces de arreglarle la vida a los demás. ¡No! Enseñamos, animamos, amonestamos, corregimos y exhortamos porque Dios nos ha comisionado hacerlo. Este llamado no es un aspecto más de nuestras vidas ocupadas, sino que es un estilo de vida. Es lo que deberíamos estar haciendo dondequiera que estemos, con quien sea que estemos.

El ministerio vendrá inesperadamente, a menudo envuelto en dificultades. En medio de estas oportunidades, nuestras palabras deben estar alineadas al llamado de Dios, pues hemos aceptado el hecho de haber sido escogidos para ser parte de la misión del Rey.

Examínate

¿Cuál misión: la tuya o la del Rey?

1. Cuando vienen los problemas, ¿cómo sueles responder? (¿Te autocompadeces? ¿Cuestionas a Dios? ¿Culpas a los demás? ¿Maldices la situación? ¿Intentas ver la mano de Dios? ¿Procuras servir?).

2. ¿En qué situaciones tiendes a convertir las oportunidades de ministrar en momentos de frustración, irritación y enojo?

3. ¿Qué significa ver las relaciones de una forma redentora? ¿Hay alguna relación en tu vida que no hayas visto de esta manera?

4. ¿Te ha llevado el temor a no decir toda la verdad, a evitar los asuntos conflictivos o a excusar el pecado de alguien en lugar de confrontarlo?

5. ¿En cuáles situaciones has tomado como algo personal lo que no lo es y, al hacerlo, has perdido oportunidades de hablar de forma redentora?

6. ¿Cuáles dificultades están dándote la oportunidad de cumplir con la Gran Comisión?

7. En tus relaciones, ¿cuándo sueles olvidarte de las promesas del evangelio y abrumarte por las oportunidades que Dios te da?

8. Confiésale a Dios y a las personas apropiadas cualquier pecado que hayas descubierto al responder estas preguntas. Aférrate a la promesa de 1 Juan 1:8-9.

PARTE TRES

Ganando la guerra de palabras

Manzana de oro con adornos de plata:
¡eso es la palabra dicha cuando conviene!

(Proverbios 25:11 RVC)

Señor, puede ser que alguien
me necesite hoy
como brazo para levantar la carga de la vida;
un ojo para guiar a los perdidos;
una mente para aprender la ley de Cristo.

Que mi brazo no se demore,
mi ojo no se debilite,
mi mente no falle en comprender.
Más bien, hazme fuerte,
dame discernimiento,
lléname de la verdad.

Señor, no quiero estar
desprevenido, vacilante, inseguro
cuando se presente su necesidad.
Así que ayúdame y úsame
para bendecir a mi prójimo
según Tu voluntad
y en Tu nombre.
Amén.

11

Lo primero es lo primero

> El que es bueno, de la bondad que atesora en el corazón produce
> el bien; pero el que es malo, de su maldad produce el mal, porque
> de lo que abunda en el corazón habla la boca (Lucas 6:45)

A estas alturas, quizás estés pensando: "Paul, entiendo el llamado de Dios con respecto al uso de mis palabras. Sé que no he estado hablando de forma redentora. Escojo mis palabras pensando en mis propios deseos, y puedo ver el fruto de mi pecado por todas partes… ¡pero no sé qué hacer!". Este capítulo es para ti. Es un capítulo acerca del cambio. Trata acerca del arrepentimiento a la manera de Dios. Si quieres deshacerte de tu antigua manera de hablar, es importante que entiendas que lo primero es lo primero, por lo que debes empezar con tu corazón. En la Escritura, el arrepentimiento es descrito como un cambio radical *en tu corazón* que produce un cambio radical *en tu vida*. Cuando Dios llamaba al pueblo de Israel al arrepentimiento, les decía: "Desgárrense el corazón, no los vestidos, y vuélvanse al Señor su Dios, porque Él es misericordioso y clemente, lento para la ira y grande en misericordia, y le pesa castigar" (Jl 2:13 RVC). En el Antiguo Testamento, desgarrarse las vestiduras era un símbolo de remordimiento, así que básicamente Dios les estaba diciendo: "Quiero ver algo más que actos simbólicos de arrepentimiento. Quiero ver corazones verdaderamente transformados".

La base del arrepentimiento: corazones aferrados al evangelio

Nos cuesta entenderlo, pero sabemos que lo cierto es que Dios no nos muestra nuestro pecado y fracaso para condenarnos, sino como un muestra de Su amor redentor. Como Padre, Él disciplina a Sus hijos *con el propósito de santificarlos*. Su intención nunca será aplastar, destruir ni abandonar. Aunque la disciplina puede ser dolorosa, Su propósito es producir en nosotros una cosecha de justicia y paz (Heb 12:1-13).

Así que no te desalientes. No permitas que el enemigo te engañe diciéndote que es demasiado tarde y que nunca podrás hacerlo bien. No permitas que tu sentido de fracaso te lleve a alejarte del Señor por la culpa y la vergüenza. Vuélvete *hacia* Él y mira en Su rostro la aceptación amorosa de un Padre que hace que te veas a ti mismo tal como eres *porque* Él te ama profunda y completamente.

Quizá tus ojos han sido abiertos por medio de este libro, y has visto cosas acerca de tu comunicación de las que no te habías percatado anteriormente. Ven al Señor en tu imperfección. Busca Su perdón y ayuda. Si Dios te ha dado convicción de pecado, tienes dos opciones: o te arrepientes, o endureces tu corazón. ¡Sé valiente y arrepiéntete! ¡Eres amado!

El verdadero arrepentimiento comienza con el corazón que descansa en la obra de Cristo y las muchas promesas que se derivan de Su victoria sobre el pecado. Quiero resaltar seis de estas promesas porque son las que me animan a salir de las tinieblas a la luz verdadera. El pecado produce culpa, vergüenza y temor, pero solo el amor perfecto del Señor echa todo esto fuera. En Sus grandes y preciosas promesas realmente encuentro todo lo que necesito para cumplir lo que Él me ha llamado a hacer (2P 1:3-4).

La primera promesa del evangelio a la que necesitamos aferrarnos es la promesa del *perdón*. La promesa del perdón de Dios es total y completa. Él dice que nunca más se acordará de nuestros pecados y que nos separará de ellos tan lejos como está el oriente del occidente. ¡Qué promesa tan asombrosa! No tengo que llevar mis pecados a todos lados como si fueran un gran bolso lleno de remordimiento, lastimando mis hombros espirituales y quebrando la espalda de mi fe. Jesús tomó el peso de mi pecado sobre Sí mismo para que yo ya no tuviera que cargarlo.

¡Cuánta libertad hay en esta verdad! No tiene sentido que el creyente viva aprisionado por el temor, por la oscuridad de la culpa ni por la vergüenza. ¡Jesús pagó la deuda! Así que, aunque vaya manchado y sucio, puedo acudir a Cristo lleno de esperanza y fe y recibir el perdón que me pertenece por ser hijo de Dios.

La segunda promesa del evangelio es la *liberación*. Cristo no solo vino para perdonar nuestros pecados, sino también para liberarnos de ellos. En la cruz, destruyó el dominio del pecado sobre mí (ver Ro 6:1-14). Ya no tengo por qué entregarme a los pecados de la lengua. Las cosas *pueden* ser diferentes. *Puedo* hablar de una forma diferente.

En el evangelio no solo encuentro perdón y liberación, sino también *fortaleza*. Tal como el Señor le prometió a Pablo: "Te basta con Mi gracia, pues Mi poder se perfecciona en la debilidad" (2Co 12:9). Sabemos que no alcanzamos la medida del estándar de Dios. Por nosotros mismos, no podemos hacer nada bueno. Pero el Señor no nos ha dejado allí. Él viene con Su poder y nos llena con Su Espíritu para que podamos hablar de manera que beneficiemos a los demás y le glorifiquemos. El mismo poder que resucitó a Cristo de entre los muertos ahora vive en nosotros (Ef 1:19-20). Así que ya no tenemos que sucumbir ante las debilidades. Podemos hablar apoyándonos en la fortaleza que es nuestra en Cristo.

Otra promesa preciosa del evangelio es la *restauración*. Es tan fácil mirar hacia atrás en nuestras vidas y enfocarnos en las ruinas que han quedado de las oportunidades perdidas. Somos tentados a querer borrar las palabras que hemos dicho y a lamentarnos continuamente por no haber dicho lo correcto. Es tan fácil cuestionar a Dios por haber tardado tanto en mostrarnos lo mal que estaban nuestras palabras.

Es aquí donde vemos la dulzura de esa promesa del Señor de restaurar: "Yo les compensaré a ustedes por los años en que todo lo devoró ese gran ejército de langostas… Ustedes comerán en abundancia, hasta saciarse, y alabarán el nombre del Señor su Dios, que hará maravillas por ustedes" (Jl 2:25-26). Dios es el Restaurador por excelencia. Tus años no han sido desperdiciados. En Su amor soberano, Dios nos ha estado trayendo hasta este punto de entendimiento y convencimiento justo en el momento correcto. Él nunca llega tarde. El proceso ha sido hecho a la medida para lograr lo que Él prometió—una cosecha de justicia. Y, maravillosamente, Dios promete restaurar lo que se había perdido en el proceso para que nosotros, Su pueblo, ¡no seamos avergonzados (Jl 2:27)!

En el evangelio también encontramos promesa de *reconciliación*. El corazón del evangelio es la venida del Príncipe de paz. En Él, encontramos la reconciliación no solo con Dios, sino también con los demás. Él es el único que puede destruir los muros que nos separan de otros (Ef 2:14-18). Solo Él puede poner amor en los corazones que una vez albergaron odio. Él transforma a personas negligentes y egoístas en personas tiernas y compasivas. De las cenizas del pecado y el fracaso humano, Él produce la joya de la piedad. Él vino para que los corazones de los padres se vuelvan hacia sus hijos, y los corazones de los hijos se vuelvan hacia sus padres (Mal 4:6 RVC). Vino para que Su iglesia sea una comunidad de amor y unidad (Jn 17:20-23). Vino para que los esposos y sus esposas vivieran como una sola carne. Así que hay esperanza de que las relaciones que han sido dañadas o aun destruidas puedan experimentar verdadera sanidad y reconciliación. ¡Tu Salvador es el Príncipe de paz!

Además, el evangelio trae promesa de *sabiduría*. Santiago habla de esto con mucha claridad: "Si a alguno de ustedes le falta sabiduría, pídasela a Dios" (Stg 1:5). Qué sencillo, pero ¡qué alentador! Puedes estar pensando: "Yo sé que mi comunicación tiene que cambiar, pero no sé por dónde empezar o qué debo hacer". Lo que necesitas es sabiduría; y Dios no solo da sabiduría, sino que la da *generosamente* y *sin reproches*. No tenemos por qué desanimarnos por nuestra ignorancia, ya que "todos los tesoros de la sabiduría y del conocimiento" están escondidos en Cristo (Col 2:3). Su invitación es sencilla: "¡Ven, pide y recibirás!".

Finalmente, el evangelio promete *misericordia*. El escritor de Hebreos nos recuerda que Jesús fue tentado en todo de la misma manera que nosotros, por eso nos entiende y se identifica con nosotros en nuestras debilidades. Podemos venir a Él para recibir amor y hallar la gracia que nos ayude en el momento que más la necesitemos (Heb 4:14-16). En las situaciones más difíciles, en las relaciones más tensas, no tenemos que luchar solos ni confiar en nuestras habilidades personales. Estamos en Cristo, y en Él podemos hacer lo que de otro modo sería imposible.

No puedo amar a mis enemigos ni tratar bien a los que me maltratan. No puedo ser paciente ante la provocación. No puedo honrar cuando soy deshonrado. No puedo dejarle la venganza al Señor. No puedo gozarme cuando sirvo sacrificialmente ni hablar con amabilidad frente al enojo de otro. No soy amable, compasivo ni perdonador por naturaleza. El estándar es muy alto y el llamado muy grande como para poder cumplirlo. Pero por eso vino Jesús. ¡En Él realmente encontramos *todo* lo que necesitamos!

El evangelio es el terreno en el que crece el arrepentimiento. Sus promesas me hacen estar dispuesto a enfrentar mi pecado y me fortalecen para dejarlo. ¡La verdadera esperanza para el verdadero cambio se encuentra en Cristo! El arrepentimiento está edificado sobre ese fundamento.

La siguiente pregunta es: ¿Cómo se ve el arrepentimiento verdadero? ¿Cómo se reflejaría en tu comunicación ese cambio real en tu corazón? Esto nos lleva a considerar los pasos del verdadero arrepentimiento, el tipo de cambio del corazón que transforma vidas.

Consideración: el primer paso del arrepentimiento

El primer paso del proceso de arrepentimiento es confesar que tendemos a ser ciegos espiritualmente. Vemos el pecado y el fracaso de otros con mucha más claridad de lo que vemos el nuestro. Siempre estamos listos para dar excusas y echarle la culpa a otros, y así nos quedamos con una imagen distorsionada de quiénes somos y de lo que hemos hecho.

El remedio es bastante sencillo. Necesitamos mirarnos fijamente en el espejo de la Palabra de Dios para vernos tal y como somos, y para ver las áreas en que necesitamos cambiar (Stg 1:22-25). Al vernos en el espejo de Dios, debemos preguntarnos: ¿Qué quiere mostrarme Dios en cuanto a mi forma de hablar que aún no he podido ver?

Al leer la Escritura, veremos que la transformación de nuestra manera de hablar no se enfoca tanto en nuevas técnicas de comunicación, sino en una nueva agenda para nuestros corazones. Lo que antes era un mundo de maldad irrefrenable pasa a ser un mundo de gracia y de bondad. Esta nueva agenda nos provee algunos principios bíblicos y prácticos de comunicación que definen lo que significa *hablar de forma redentora*. Nuestras palabras ya no dejarán un rastro de desánimo, destrucción ni división. Más bien, serán palabras de amor, verdad, gracia, esperanza, fe, perdón y paz, que producirán una cosecha de justicia.

El corazón detrás de la lucha

Hace varios años aconsejé a una pareja y creo que su caso ilustra bien nuestra gran necesidad de *considerar* los corazones que controlan nuestras palabras.

Hace mucho que aconsejaba a Roberto y a María. Una de las luchas constantes de Roberto con María era la frecuencia e intensidad con la que ella se enojaba con sus tres hijos. Animé a Roberto a no solo quejarse por el enojo de María, sino más bien a comprometerse a hablarle a ella con la verdad.

Nos habíamos vuelto a reunir los tres y Roberto estaba resumiendo lo ocurrido durante la semana. "Ah, por cierto —dijo— seguí tu consejo y confronté a María por su enojo. Le dije que necesitaba examinar lo destructivo que es y la manera en que interfería con lo que Dios quiere hacer en las vidas de nuestros hijos". Al escucharlo tuve dos reacciones diferentes. Primero, me pareció que lo que él había comunicado sonaba bien y correcto. Pero mi segunda reacción vino al observar a María mientras Roberto hablaba. Ese resumen no le gustó para nada. De hecho, ¡parecía estar bastante enojada por lo bien que él había quedado según su propio resumen!

Dije: "María, pareces estar contrariada por lo que Roberto ha dicho. ¿Podrías decirme lo que estás pensando?". María describió la escena de esta manera: "Había decidido preparar una buena comida casera para todos, cosa que no había hecho en mucho tiempo. La verdad es que con un niño de cinco años y gemelos de tres, estos últimos años se me han hecho muy difíciles. La tarde había sido un caos. Los niños parecían hacer todo lo posible para no dejarme preparar la comida. Al final logré hacer la cena, pero cuando nos sentamos a la mesa ya estaba completamente agotada. Como siempre, la cena comenzó con uno de los gemelos derramando su bebida sobre todo lo demás. Y... bueno... exploté. No solo le grité a él, sino a los otros dos por pensar que fue algo gracioso. En ese momento, vi a Roberto y noté que estaba también a punto de explotar. Al principio, solo me miraba con enojo. Luego comenzó a hablarme allí delante de los niños: '¿Cuándo vas a aprender? ¿Estás tan enfocada en ti y en tus pequeños problemas que no te das cuenta de lo que está pasando? ¿Estás tan ciega que no puedes ver en lo que te has convertido? *Tú* eres lo más destructivo en la vida de nuestros hijos. Me pregunto si algún día se recuperarán de lo que les has hecho. ¡Algunas veces me pregunto si hubiera sido mejor que nunca te hubieran conocido! ¡Ya he renunciado a toda esperanza de que cambies! Por supuesto, dices que lo sientes, pero te das la vuelta y lo vuelves a hacer. ¡Basta de esto! ¡O cambias o te alejas de los niños! Nunca me has visto *a mí* enojarme y atacarlos como lo haces tú. ¡Solo quisiera que pudieras mirarte y ver lo que veo yo!'.

Miré alrededor de la mesa y vi a nuestros tres hijos escuchando atentamente mientras Roberto me hacía pedazos".

Hay muchas cosas que se podrían decir acerca de la lucha de esta familia, pero para nuestros propósitos, quiero enfocarme en Roberto, en su papel como portavoz de Dios. Como marido, padre y creyente, él ha sido llamado por Dios para ser Su embajador. Ha sido llamado a ser un atalaya. Ha sido llamado a animar a su familia a perseverar y a ser un agente de rescate y restauración. María estaba en medio de una lucha espiritual importante. Estaba ciega respecto a sí misma y respecto a la presencia y el poder de Dios. Evidentemente, ella necesitaba ayuda, y Roberto era ese ayudador que Dios le había provisto a María. No obstante, al verla, él no se daba cuenta de esto. Él veía a alguien que estaba estropeando su vida ordenada. Veía a alguien de quien quería librarse y no a un ser querido que necesitaba ser rescatado. Las palabras de Roberto no fueron de ayuda ni fueron productivas. Sus palabras no produjeron una cosecha de justicia. Solo hicieron que María se pusiera más a la defensiva. En vez de abrir sus ojos espirituales, las palabras de Roberto solo agravaron su ceguera.

Podrías argumentar que, en cierto sentido, lo que Roberto había dicho era verdad. El enojo de María *era* dañino para sus hijos. *Estaba* ciega respecto a lo que estaba haciendo. Confesaba su falta, pero su arrepentimiento *no era* duradero. No obstante, la verdad de las palabras de Roberto estaban tan distorsionadas por sus propias actitudes pecaminosas que lo que había dicho ya dejaba de ser la verdad. Lo que realmente escuchamos fue la opinión airada de un hombre que estaba tan ciego como María. Roberto no le dio prioridad a lo primero. No lidió primero con las actitudes de su propio corazón, y por eso sus palabras no ofrecieron soluciones ni consuelo. Lo que hicieron fue agravar el problema.

Imagínate lo diferente que hubiera sido si Roberto no hubiera dicho esas palabras como lo hizo aquella noche en la mesa. Imagínate que él hubiera esperado, tomándose el tiempo para librar la guerra en su propio corazón. Imagínate que hubiera confesado su enojo hacia María y se hubiera enfocado en lo que Dios quería lograr. Imagínate que él hubiera visto aquel momento como el momento *de Dios* para redimir y restaurar. ¡Cuán diferente hubiera sido todo si hubiera hablado la verdad con paciencia, gentileza, humildad y amor!

María no estaba agradecida por la forma en que Dios había usado a Roberto en su vida. Ella no veía su franqueza como una muestra de amor. Estaba enojada con él por todas esas cosas "horribles" que le había dicho. Se sentía indignada por la forma y el lugar en que las dijo. María tenía su mirada clavada sobre Roberto tal y como la de Roberto había estado sobre ella. No estaba ocurriendo ningún cambio redentor; solo le habían agregado otra capa más de complicación al problema.

Tómate un tiempo para mirarte en el espejo de la Palabra de Dios. ¿Has hablado con otros sin antes examinar tu propio corazón? ¿Tus palabras le han dado esperanza, ayuda y consuelo a aquellos que están luchando con el pecado? O ¿complicaste más las cosas con tus palabras? Tómate un tiempo para escuchar la dulce voz del Redentor en Su Palabra.

Confesión: el segundo paso del arrepentimiento

El verdadero arrepentimiento siempre conlleva una confesión. Aceptamos nuestra responsabilidad ante Dios y ante los hombres por lo que hayamos dicho o hecho. Confesar significa aceptar humildemente lo que Dios ha dicho acerca de nosotros—que somos pecadores por naturaleza y que nuestro pecado se expresa en nuestros pensamientos, palabras y acciones. No podemos confesar pecados en nuestra comunicación sin confesar las actitudes pecaminosas que han moldeado nuestras palabras. Aquí es donde la historia de Roberto y María nos puede ayudar. ¿Qué actitudes del corazón están detrás de las palabras de ambos? Recuerda que María no era la única que estaba en medio de una batalla espiritual; Roberto también lo estaba. Recuerda también que la guerra de palabras siempre revela una guerra más profunda. Tanto Roberto como María se estaban enfrentando a un enemigo que quería dividir y destruir a toda su familia. Este enemigo estaba promoviendo varias actitudes en el corazón de Roberto. ¿Crees que necesitas confesar algunas de estas mismas actitudes?

1. Duda. El enojo de María hizo que se revelaran las dudas que habían en el corazón de Roberto. Primero, se preguntaba si había estado totalmente "fuera de la voluntad de Dios" cuando se casó con ella. ¿Se había entusiasmado tanto con su belleza física que no se tomó el tiempo necesario para conocerla bien? También tenía dudas respecto a Dios. Decía: "No puedo entender por qué Dios permitió que me casara con esta clase de persona. Nada ha sacudido más mi fe en la sabiduría de Dios que mi matrimonio".

2. Temor. Roberto lo expresaba así: "Miro a mis hijos y me pregunto en qué tipo de monstruos se convertirán. Me imagino que algún día estarán hablando con un consejero acerca de lo horrible que fue vivir en casa. Tengo la impresión de que cada vez que entro a una habitación, ahí está María y está contrariada por algo. La mayor parte del tiempo trato de no pensar en qué parará todo esto".

3. Enojo. "No pido mucho —decía Roberto— solo quiero un poquito de orden y amor en mi hogar. ¿Es mucho pedir? Estoy cumpliendo con mi parte; lo único que estoy pidiendo es que María cumpla con la suya".

4. Venganza. Roberto tenía la impresión de que María pecaba día tras día y nada pasaba. Él se preguntaba: "¿Por qué Dios permite que esto continúe? ¿Por qué no hace algo? Quisiera que ella pudiera experimentar el mismo dolor que sentimos los niños y yo, aunque sea por un momento".

5. Autojusticia. "No entiendo el enojo de María. Creo que simplemente somos diferentes. Nunca he sentido ese enojo que ella siente, ¡y ni hablar de la forma de expresarlo! Nunca se me ocurriría decir esas cosas crueles que les dice a los niños. A veces me pregunto si realmente es cristiana. Y si lo es, no puedo entender ese tipo de cristianismo".

6. Egoísmo. "Un hombre necesita un lugar para descansar. No tengo ningún sitio así. Quisiera que las dificultades terminen en el momento en que llego a casa. No quiero vivir en un hogar que me estresa más que mi trabajo. No debería estar trabajando veinticuatro horas al día. ¿Cuándo podré descansar?".

7. Desesperanza. Roberto se sentía atrapado y completamente incapaz de producir algún cambio. Decía: "La realidad es que no puedo cambiar a María, pero Dios me obliga a permanecer con ella. Si me quedo, pierdo, porque su enojo acabará con mi vida. Si me voy, pierdo, porque enfrentaré el juicio de Dios. Oro por esto todos los días, pero Dios no parece estar escuchando. Voy a la iglesia y veo a todas esas familias felices, todos sentados juntos y en armonía, y me deprimo. ¡Estoy atrapado y no sé qué hacer!".

Aunque quisiera comentar acerca de cada una de las actitudes de Roberto, no quiero perder de vista el punto principal que estamos considerando: Roberto nunca podrá hablar de forma redentora—nunca podrá funcionar como un embajador y un atalaya de Dios—si no libra primero la guerra que hay en su propio corazón, esa guerra que revelan sus palabras. Roberto veía la guerra que ocurría en María y reconocía cómo esa guerra moldeaba la comunicación de ella. No obstante, no se percataba de la presencia de esa misma guerra en él, y de cómo *esa* guerra moldeaba las palabras que le decía a su esposa.

Roberto no solo perdió la oportunidad de ser parte de lo que Dios estaba haciendo en la vida de María, sino que su comportamiento hizo que las cosas empeoraran. Ella se puso más y más a la defensiva; más y más renuente a escucharlo. Se enfocó más y más en el pecado de su esposo y no en el suyo. Roberto no había sido usado por Dios para ayudarla con su ceguera; había sido una herramienta del enemigo para intensificarla. ¿Por qué? Porque no le dio prioridad a lo primero; no enfrentó los problemas de su propio corazón. Por tanto, no estaba preparado para "hablar la verdad en amor".

Compromiso: el tercer paso del arrepentimiento

La lucha de Roberto es común para todos nosotros. Somos propensos a hablar sin haber preparado debidamente nuestros propios corazones. Es por eso que necesitamos comprometernos a comenzar primero con nuestro propio corazón. Santiago dice que debemos ser lentos para hablar (Stg 1:19-21). Proverbios dice que el corazón del justo piensa antes de responder (Pro 15:28). Pero nuestra tendencia es repasar los pecados de otros, en vez de examinar nuestros propios corazones. Cuando nos entregamos a estas tendencias, nos volvemos parte del problema, en lugar de ser instrumentos para el cambio.

En ningún otro lugar vemos un llamado más claro a preparar nuestro corazón que en las palabras de Pablo a la iglesia en Colosas:

Por lo tanto, como escogidos de Dios, santos y amados, revístanse de afecto entrañable y de bondad, humildad, amabilidad y paciencia, de modo que se toleren unos a otros y se perdonen si alguno tiene queja contra otro. Así como el Señor los perdonó, perdonen también ustedes. Por encima de todo, vístanse de amor, que es el vínculo perfecto. Que gobierne en sus corazones la paz de Cristo, a la cual fueron llamados en un solo cuerpo. Y sean agradecidos. Que habite en ustedes la palabra de Cristo con toda Su riqueza: instrúyanse y aconséjense unos a otros con toda sabiduría; canten salmos, himnos y canciones espirituales a Dios, con gratitud de corazón. Y todo lo que hagan, de palabra o de obra, háganlo en el nombre del Señor Jesús, dando gracias a Dios el Padre por medio de Él (Col 3:12-17).

Este pasaje es uno de los llamados más directos de la Biblia en cuanto al ministerio personal. Pablo nos llama a hacer ciertas cosas los unos por los otros; cosas que a menudo se le asignan a los ministros profesionales y formales. Pablo nos llama a cada uno de nosotros a ser maestros. Nos llama a todos a cantarnos la verdad unos a otros. Todos debemos aprovechar las oportunidades únicas que Dios nos da de ser parte de lo que Él está haciendo como Redentor. Pero aunque este llamado es muy relevante para el ministerio personal, la mayor parte del pasaje no trata de lo que hemos sido llamados a hacer, sino de la *preparación* para hacerlo, de la postura del corazón que hace que este ministerio sea posible.

Todos nosotros somos personas de influencia. Todos estamos tratando de entender la vida y compartir nuestras interpretaciones con otros. Este mundo de influencia y de "ministerio" es inevitable. El dar y recibir consejo es la materia prima de las relaciones humanas. La pregunta es esta: ¿Estamos *comprometidos* con el ministerio y con hacerlo a la manera de Dios? ¿Estamos dispuestos a funcionar como Sus embajadores? ¿Nos estamos preparando para que Él *pueda* hacer Su llamado a través de nosotros?

En el versículo 12, cuando Pablo describe la preparación del corazón necesaria para el ministerio, él usa una metáfora común que no debemos pasar por alto. Dice que debemos "vestirnos" con ciertas actitudes. En esencia, está diciendo: "Si van a ministrarse unos a otros, ¡deben vestirse para esa labor! Aquí está la vestidura que Dios provee para que podamos hablar de forma redentora".

1. Compasión: La compasión no solo es un conocimiento profundo de la necesidad de otro; se trata del deseo de hacer algo para aliviarla. Somos hijos de Aquel que es "Padre de misericordias y Dios de toda consolación, quien nos consuela en todas nuestras tribulaciones, para que también nosotros podamos consolar a los que están sufriendo, por medio de la consolación con que nosotros somos consolados por Dios" (2Co 1:3-4 RVC). No tiene sentido recibir una compasión tan maravillosa y responderle a los demás con dureza e insensibilidad.

2. Bondad. Ser bondadoso es ser generoso, tierno y cercano. Significa hablar y actuar de forma comprensiva y considerada. Pero ¿no es cierto que usualmente nos falta ternura a la hora de amonestar a nuestra pareja, a nuestros hijos y a los hermanos en la iglesia? Pregúntate lo siguiente: Cuando confrontas, exhortas, amonestas o enseñas, ¿te caracteriza un espíritu cercano y considerado?

3. Humildad. Nuestros ministerios personales suelen carecer de un espíritu que admita: "Yo necesito la misma gracia que necesitas tú". Sin embargo, en esencia *somos* iguales a aquellos a quienes ministramos. Por ejemplo, si soy un padre, no hay pecado alguno que mi hijo cometa que no haya estado presente en mi vida de alguna manera. *Estamos* en la misma posición de aquellos a quienes servimos; somos personas que necesitamos el perdón, la liberación y la gracia capacitadora del Señor en todo momento. La humildad simplemente significa que contribuimos con la obra del Señor sabiendo quiénes somos a luz de la Escritura. Esto nos llevará a hablar humildemente, sabiendo que tenemos la misma necesidad de Cristo que los demás. (Lee Hebreos 2:10-18 y nota el ejemplo de Cristo).

4. Gentileza. Cuando mi hijo Darnay tenía algo así como tres años, recogió algunas flores para su mamá. ¡O algo parecido! Cuando trajo el "ramo", los tallos estaban doblados y los pétalos estaban rotos. Luella decidió que la única manera de exhibir las flores era coger los restos que no estuvieran totalmente dañados y ponerlos en un plato de cristal con agua para que quedaran flotando. El gesto de Darnay no tenía nada de malo. Su problema fue que le faltó gentileza. Por fortuna, la respuesta de Luella, llena de gentileza y de gracia, salvó la situación.

La gentileza trata a los demás con ternura, hablando de una forma suave y moderada. Proverbios dice que la palabra áspera crea problemas en vez de remediarlos (Pro 15:1). Ser gentil implica no dañar a la persona que estoy tratando de ayudar. Hablar con gentileza no implica dejar de decir la verdad. Al contrario, implica evitar que la verdad se vea afectada por la aspereza y la insensibilidad.

5. Paciencia. Una de las cosas más difíciles a las que Dios nos llama en nuestra relación con Él y con los demás es a esperar. No nos gusta esperar la cosecha. Queremos plantar las semillas en la mañana y cosechar frutos maduros por la tarde. Pero el cambio que Dios obra en nosotros y en los demás es un proceso.

Queremos que el cambio sea un evento, así que hablamos rápido y aplicamos presión humana en forma de culpa y amenazas. Esto solo complica los problemas y cualquier solución que podamos disfrutar termina siendo temporal y superficial. Ser paciente significa estar dispuesto a esperar, aun cuando esto implique soportar dificultades. Ser paciente significa esperar, pero esperar *tranquilamente*. La impaciencia se revela por el enojo que crece con cada minuto que pasa. La paciencia espera sin caer en palabras y acciones impulsivas.

6. Tolerancia. La tolerancia es tener paciencia aun bajo presión. Los momentos más difíciles para ejercitar la paciencia se dan cuando somos provocados. La tolerancia significa abstenerse de la venganza, mantenerse tranquilo aun ante la provocación. Pedro dice esto de Cristo: "Cuando proferían insultos contra Él, no replicaba con insultos; cuando padecía, no amenazaba, sino que se entregaba a Aquel que juzga con justicia" (1P 2:23). ¡Qué ejemplo! Nota que la tolerancia de Cristo crecía a medida que Él confiaba activamente en la justicia del Padre.

7. Perdón. Cuando alguien ha pecado contra mí, debo renunciar a mis sentimientos de enojo y amargura y a mi deseo de venganza. Esto me ayudará a estar listo para perdonar cuando la persona confiese su pecado y me pida perdón. En este encuentro cara a cara, libero a la persona de culpa y de cualquier necesidad de pago. Como pecadores, no deberíamos atrevernos a recibir el perdón de otros cuando nosotros mismos estemos luchando por perdonar a alguien. (Lee la parábola de los dos deudores en Mateo 18:21-35).

8. *Amor.* Esta es la cualidad suprema, la virtud que mantiene unidas a todas las demás. Es el ingrediente fundamental de la redención, y debe ser el carácter fundamental de nuestro ministerio unos con otros. Amar significa estar dispuesto a sacrificar la posición, la posesión, el deseo y la necesidad personal por el bien de otra persona. Es la disposición a esperar, trabajar, sufrir y dar para el beneficio de otra persona. Amar significa estar dispuesto a dar mi vida por otro.

9. *Paz.* La paz no es la ausencia de conflicto o de lucha, sino una posición del corazón que le da forma al ministerio. La paz a la que somos llamados es la paz *de Cristo.* Esto es lo que debe gobernar nuestros corazones, y no los "y si…" que muchas veces nos controlan.

Cuando unos padres descubren que su adolescente les mintió, que fue a algún lugar prohibido o que se escapó de clases, dejan que sus mentes se vayan muy lejos y empiezan a imaginarse el peor escenario. (¿Qué más estará haciendo que yo no sepa? ¿Estará drogándose? ¿Qué otras mentiras me habrá dicho? ¿Cuántas veces se habrá escapado de clases?). En vez de reconocer que el descubrimiento del pecado de su hijo es el resultado de la presencia y el amor de Dios, sus palabras son moldeadas por el temor, suenan como acusaciones, y no conducen al cambio necesario. El error fue dejar que la comunicación estuviera dominada por el temor a las circunstancias y no por la paz de Cristo.

La paz es un descanso, un contentamiento, una seguridad y una esperanza interna que surge de una confianza activa en la presencia, el poder, el gobierno y la gracia de Cristo. Es el hábito de descansar diariamente en Cristo. Es el resultado de ver la vida considerando quién es Dios y qué está haciendo Él como Señor y Redentor.

10. *Gratitud.* Vivimos en una época de derechos y de egoísmo; una época en la que todos piensan que merecen lo mejor. Pero si recordamos lo que dice el evangelio acerca de quiénes somos y de lo que realmente merecemos,

no debería ser difícil vivir y hablar con un corazón agradecido. La gratitud es un espíritu de agradacimiento por los regalos y los dones que nunca podríamos alcanzar ni merecer. Refleja un reconocimiento de la increíble misericordia que continúo recibiendo de la mano del Señor. Soy llamado a hablar con este tipo de corazón.

Estas cualidades del carácter son la "vestidura" que debemos ponernos como instrumentos de Dios para la redención. Hay dos cosas que decir acerca de esta lista. En primer lugar, debemos confesar humildemente que no alcanzamos el estándar establecido. Simplemente no es posible alcanzarlo humanamente. Debemos clamar por la misericordia y la fortaleza de Dios, quien está obrando nosotros aun mientras oramos. En segundo lugar, es de vital importancia entender lo que Pablo realmente está diciendo que nos "pongamos": "¡Vístanse de *Cristo!*". La lista describe a Cristo. Pablo está diciendo: "Vístanse del carácter de Cristo al hablar unos con otros. Encarnen a Cristo en sus ministerios de la misma forma que Él encarnó al Padre en la tierra. Traigan con ustedes la gloria de Cristo al ministrar. Él es su única esperanza de cambio. Confróntense unos a otros no solo con palabras humanas, sabiduría humana y argumentos humanos. Confróntense unos a otros con la presencia y la gloria de Cristo. Refuercen la realidad de que Él está aquí y está activo. ¡Sean ventanas hacia Su gloria!".

Esto significa que debemos abandonar toda esperanza producir cambios por nuestros esfuerzos. Tú y yo *no* podemos producir cambios en otros; siempre es el resultado del poder y la gracia de Dios en acción. Así que renunciamos a las demandas humanas. No tratamos de impresionar a otros con nuestra sabiduría ni experiencia. No tratamos de forzar el cambio por medio de la manipulación. No buscamos obtener resultados alzando la voz ni hiriendo con las palabras. No sobornamos, regateamos ni hacemos tratos. No tratamos de hacer que la gente reaccione por medio de la culpabilidad, la condenación ni el juicio. No confiamos en nuestros argumentos sofisticados. Reconocemos que si estas cosas pudieran producir un cambio duradero en el corazón humano, Cristo nunca hubiera venido a sufrir y a morir. El encuentro más importante en el ministerio personal no es el encuentro de la gente con nosotros, sino el encuentro de la gente con Cristo. Nosotros solo somos llamados a hacer los preparativos para ese encuentro.

Así que nos preparamos para el ministerio personal vistiéndonos de Cristo y armándonos con las verdades de la Escritura. Cuando estas cosas están en su lugar, estamos listos para hablar de forma redentora.

Cambio: el último paso del arrepentimiento

Hay un principio sencillo del arrepentimiento que debe ser recordado: El cambio no ha ocurrido hasta que el cambio ha ocurrido. El arrepentimiento es un cambio de corazón que lleva a un cambio radical en tu vida, en tus relaciones y situaciones diarias. Puesto que "de la abundancia del corazón habla la boca", un cambio de corazón siempre conducirá a un cambio en la comunicación. Un corazón sometido a Cristo producirá una comunicación semejante a la de Cristo. El arrepentimiento no solo se trata de decirle "no" a la impiedad, sino también de vivir en este mundo con justicia, piedad y dominio propio. El arrepentimiento siempre implica "despojarse" y "vestirse" (Ef 4:22-24 NBLH).

¿Qué es lo que hace que una persona quiera y procure tener el carácter de Cristo? ¿Qué es lo que hace que anhelemos ser conformados a Su imagen? Al aconsejar a muchas parejas de esposos en medio de sus problemas, me ha impresionado ver cuántos de ellos tienen un entendimiento claro de la enseñanza bíblica acerca del matrimonio; pero, en realidad, la razón por la que tienen problemas maritales tan serios es porque no tienen el carácter de Cristo. Su conocimiento bíblico no es suficiente porque sus corazones no están conformados a la imagen de Cristo. De hecho, en muchas de estas relaciones el conocimiento bíblico es usado como un arma en la guerra marital. ¿Por qué hay personas que profesan ser creyentes y son activas en sus iglesias locales, pero sus actitudes son tan diferentes a las de Cristo? Pedro nos lo explica en su segunda carta:

> Su divino poder, al darnos el conocimiento de Aquel que nos llamó por Su propia gloria y excelencia, nos ha concedido todas las cosas que necesitamos para vivir como Dios manda. Así Dios nos ha entregado Sus preciosas y magníficas promesas para que ustedes, luego de escapar de la corrupción que hay en el mundo debido a los malos deseos, lleguen a tener parte en la naturaleza divina. Precisamente por eso, esfuércense

por añadir a su fe, virtud; a su virtud, entendimiento; al entendimiento, dominio propio; al dominio propio, constancia; a la constancia, devoción a Dios; a la devoción a Dios, afecto fraternal; y al afecto fraternal, amor. Porque estas cualidades, si abundan en ustedes, los harán crecer en el conocimiento de nuestro Señor Jesucristo, y evitarán que sean inútiles e improductivos. En cambio, el que no las tiene es tan corto de vista que ya ni ve, y se olvida de que ha sido limpiado de sus antiguos pecados. Por lo tanto, hermanos, esfuércense más todavía por asegurarse del llamado de Dios, que fue quien los eligió. Si hacen estas cosas, no caerán jamás, y se les abrirán de par en par las puertas del reino eterno de nuestro Señor y Salvador Jesucristo (2P 1:3-11).

Pedro nos dice que hay personas que conocen al Señor, pero cuyas sus vidas realmente son "inútiles e improductivas". Sus vidas no producen la cosecha del buen fruto que esperarías de la vida de un creyente. ¿Cuál es el problema? Bueno, Pedro dice que a estas personas les faltan las cualidades esenciales del carácter (de Cristo) que producen una buena cosecha (fe, bondad, conocimiento, dominio propio, paciencia, piedad, afecto fraternal y amor). Esto nos deja con otra pregunta: ¿Por qué un creyente no busca estas cosas con diligencia? Pedro responde: "El que no las tiene es tan corto de vista que ya ni ve, y se olvida de que ha sido limpiado de sus antiguos pecados".

Pedro dice que cuando tú y yo olvidamos quiénes somos, cuando olvidamos la magnitud de nuestro pecado y las glorias del perdón de Dios, dejamos de buscar todo lo que hemos encontrado en Cristo. Cuando te olvidas de tu pecado y de Su perdón, pierdes de vista el hecho de que sin Él, no hay nada bueno en ti. Comienzas a pensar que no eres tan malo, quizá hasta que eres bastante bueno en términos generales. Los pecados manifestados en tu manera de hablar comienzan a parecerte insignificantes. No te ves a ti mismo como Pablo se veía casi al final de su ministerio: como el "peor" de los pecadores (1Ti 1:15). Olvidas tu identidad en el evangelio y, al hacerlo, olvidas la urgencia de buscar a Cristo.

Al principio de este pasaje, Pedro dice dos cosas importantes acerca de nuestra identidad como hijos de Dios. Primero, quiere que sepamos que nuestro mayor problema no es el mal externo, sino el mal interno. Cristo vino a salvarnos no solo de las tentaciones de este mundo caído, ¡sino de nosotros mismos! Él vino para que "luego de escapar de la corrupción que hay en el mundo debido a los malos deseos, [lleguemos] a tener parte en la naturaleza divina".

Necesitábamos ser rescatados no solo de la corrupción del mundo, sino también de los malos deseos que hay en *nuestros propios corazones* y que nos hacen susceptibles a (y ser parte de) esta corrupción. ¡Necesitábamos ser salvados de nosotros mismos! El camino que nos parecía correcto era un camino de muerte. Éramos esclavos de los deseos de nuestra naturaleza pecaminosa. De hecho, nuestra condición era tan desesperante ¡que la Escritura dice que nada bueno podía ser hallado en nosotros!

Estoy convencido de que muchos creyentes pierden esto de vista. Se ven a sí mismos como básicamente buenos, y esta percepción afecta radicalmente su búsqueda de Cristo, así como su manera de responder al pecado de los demás. (Lee Lucas 18:9-14, la parábola de Cristo: El fariseo y el publicano.)

También afecta poderosamente la forma en que ven su problema con la lengua. La lengua que Santiago llama "un mundo de maldad" simplemente no se ve tan mala. Sin embargo, los que entienden el evangelio no solo se gozan por la liberación de los malos deseos que ya han experimentado, sino que también entienden su necesidad de ser liberados constantemente para poder seguir viviendo para Él y no para ellos mismos. No les basta con ser salvos; anhelan presentarse ante de Dios, santos e intachables, para la alabanza de Su gloria. Cuando esta identidad en el evangelio se apodere de tu corazón, ya no minimizarás tus fracasos en la comunicación. Anhelarás hablar de una manera que honre a Cristo.

El segundo punto de Pedro equilibra el mensaje. El evangelio no solo se trata de la magnitud de nuestro pecado, sino también de las provisiones sobrecogedoras de la gracia que tenemos en Cristo. En otra versión, Pedro dice que nos han sido dadas "todas las cosas que pertenecen a la vida y a la piedad" (RV60). Tener piedad significa reflejar el carácter del Señor en mi vida y en mis relaciones diarias. Pedro dice: "¿Acaso no saben que la pobreza de su pecado ha sido vencida por las gloriosas riquezas de Su gracia?". ¡Tienes *todo* lo que necesitas para vivir como Dios quiere que vivas!

Esto es lo que produce un corazón para Cristo. Acepto la magnitud de mi necesidad, pero también la abundancia de Su provisión. Deseo todo lo que Cristo tiene para ofrecerme. No estoy satisfecho con un poco de fe ni con un poco de piedad. No me conformo con amar de vez en cuando. No quiero seguir teniendo luchas con el dominio propio. No me siento contento con haberme limitado a chismear solo dos veces este mes. No bajo la guardia porque ya no me enojo tan explosivamente como antes. No me siento tranquilo con el hecho de que todavía tiendo a hablar con un corazón egoísta, amargado o soberbio. ¡No! ¡Quiero más de lo que me ha sido dado en Cristo!

Este es el terreno en el que crece un ministerio personal eficaz. Desde aquí puedo hablar con un sentido de mi propia necesidad y una apreciación profunda de la obra de Cristo. No me consideraré diferente ni superior a ti. Reconoceré que Dios no solo está obrando en ti, sino que también está obrando en mí.

Esta es la manera en que un corazón arrepentido se ve reflejado en tu conversación. ¡Tus palabras *pueden* ser diferentes! ¡Tus palabras *pueden* beneficiar a otros! Tu comunicación *puede* ser una herramienta de Dios para la redención y el cambio. Así que vuélvete hacia Él en arrepentimiento. Aparta un tiempo para reflexionar. Sé humilde en tu confesión. Haz nuevos compromisos, y que sean concretos. Aplica esos compromisos a tu vida y relaciones diarias, y verás cómo el Señor te bendice con una cosecha de buen fruto.

Examínate

Apartando un tiempo para examinar tu corazón

El salmista oró: "Señor, examina y reconoce mi corazón: pon a prueba cada uno de mis pensamientos. Así verás si voy por mal camino, y me guiarás por el camino eterno" (Sal 139:23-24 RVC). Mira este momento como una oportunidad que Dios te da para descubrir si vas por "mal camino" en tu comunicación. Pídele a Dios que te muestre el corazón que está detrás de tus palabras. Pídele que te revele cuándo has hablado por temor, enojo, duda, venganza o egoísmo. Pídele a Dios que te muestre de qué manera tus palabras estorban lo que Él está haciendo. Pregúntale cuáles son esas nuevas actitudes que deben llenar tu corazón y guiar tus palabras. Pídele perdón a Dios por culpar a las circunstancias ("¡No estaría molesto si no tuviera tantas cosas que hacer hoy!"), a otros ("¡Él me saca de mis casillas!") o incluso a

Dios ("Si tan solo hubiera sabido esto antes, hubiera podido..."). ¡Confía en las promesas de perdón y liberación que tenemos en el evangelio!

Finalmente, comprométete a vivir una vida de arrepentimiento. Mantente listo para pasar diariamente por el ciclo del arrepentimiento: (1) *Considera*. ¿Qué quiere Dios mostrarte en cuanto a tu comunicación? (2) *Confiesa*. ¿En cuáles situaciones está Dios llamándote a aceptar la responsabilidad por tus palabras y las consecuencias de las mismas? ¿Qué necesitas confesar delante de Dios y de otros? (3) *Comprométete*. ¿Qué nuevas actitudes del corazón está Dios llamándote a asumir? ¿Cuáles son esas nuevas maneras de hablar a las que te está llamando? (4) *Cambia*. ¿Cómo deben expresarse en tu vida diaria estas nuevas actitudes y acciones? ¿Dónde debes renovar completamente tu forma de hablar? Recuerda, Dios *ya* te ha dado "todas las cosas que pertenecen a la vida y a la piedad" (2P 1:3 RV60).

12

Ganando la guerra de palabras

No permitan ustedes que el pecado reine en su cuerpo mortal,
ni obedezcan a sus malos deseos... al contrario, ofrézcanse más bien
a Dios como quienes han vuelto de la muerte a la vida (Romanos 6:11-13)

Ya hemos identificado la batalla. No se trata meramente de una guerra de vocabularios o de técnicas. Es una guerra por el control de nuestros corazones. ¿Nos someteremos al Rey, descansaremos en Su control amoroso, y procuraremos representarle en nuestras relaciones? Para la mayoría de nosotros, esto implica arrepentirnos del egocentrismo que hace que nuestras palabras estorben la obra de Dios. Significa comprometernos con una perspectiva en la que el ministerio ya no es una pequeña parte de nuestras vidas, sino más bien un estilo de vida. Este estilo de vida refleja el llamado de Dios a que seamos Sus embajadores en las situaciones cotidianas de la vida.

Nuestras palabras son la herramienta principal que Dios usa en la obra que Él hace a través de nosotros. Así que confesamos que nuestros corazones son egoístas y errantes ("nos despojamos" Ef 4:23-25 NBLH) y nos comprometemos ("nos vestimos") con una nueva forma de hablar, una que tome en serio nuestro llamado.

Hay un punto más que debemos considerar. ¿Cómo logramos una victoria duradera en la guerra de palabras?

Las palabras importan; las palabras pueden destruir

Siendo un estudiante de preparatoria, tuve mi primer empleo. Fue allí que, por primera vez, tuve que lidiar con un problema grande fuera de casa. Mis compañeros de trabajo estaban robando y dañando la propiedad ajena. Sabía quién era el culpable, pero el jefe no lo sabía. No quería ser cómplice de lo que estaba sucediendo, ni tampoco quería ser culpado por algo que no había hecho. Sabía que tenía que hablar con mi jefe y posiblemente con mis compañeros, pero tenía miedo. Me armé de valor y le conté a mi papá lo que estaba sucediendo. Él estuvo de acuerdo en que debía hablar con los que estaban involucrados, y luego me dijo: "Hijo, ten cuidado de escoger bien tus palabras". Esa fue una buena manera de resumir todo lo que significa comunicarse con propósito y con dominio propio. Mi padre estaba diciendo: "Paul, las palabras son importantes. O te ayudarán a resolver el problema, o causarán mayores dificultades. Habla con prudencia y con cuidado".

Para ganar la guerra de palabras, tenemos que escoger nuestras palabras con mucho cuidado. No solo se trata de las palabras que decimos, sino también de las palabras que elegimos no decir. Para ganar esta guerra debemos estar preparados para decir lo correcto en el momento correcto, ejerciendo dominio propio. No debemos permitir que nuestras palabras sean guiadas por la pasión y los deseos personales, sino que nos comunicamos a la luz de los propósitos de Dios. Es ejercitar la fe necesaria para ser parte de lo que Dios está haciendo en ese momento.

¿Qué aspecto tiene la victoria?

Gálatas 5 explica en detalle lo que significa obtener una victoria duradera en la guerra de palabras.

Les hablo así, hermanos, porque ustedes han sido llamados a ser libres; pero no se valgan de esa libertad para dar rienda suelta a sus pasiones. Más bien sírvanse unos a otros con amor. En efecto, toda la ley se resume en un solo mandamiento: "Ama a tu prójimo como a ti mismo". Pero si siguen mordiéndose y devorándose, tengan cuidado, no sea que acaben por destruirse unos a otros.

Así que les digo: Vivan por el Espíritu, y no seguirán los deseos de la naturaleza pecaminosa. Porque ésta desea lo que es contrario al Espíritu, y el Espíritu desea lo que es contrario a ella. Los dos se oponen entre sí, de modo que ustedes no pueden hacer lo que quieren. Pero si los guía el Espíritu, no están bajo la ley. Las obras de la naturaleza pecaminosa se conocen bien: inmoralidad sexual, impureza y libertinaje; idolatría y brujería; odio, discordia, celos, arrebatos de ira, rivalidades, disensiones, sectarismos y envidia; borracheras, orgías, y otras cosas parecidas. Les advierto ahora, como antes lo hice, que los que practican tales cosas no heredarán el reino de Dios.

En cambio, el fruto del Espíritu es amor, alegría, paz, paciencia, amabilidad, bondad, fidelidad, humildad y dominio propio. No hay ley que condene estas cosas. Los que son de Cristo Jesús han crucificado la naturaleza pecaminosa, con sus pasiones y deseos. Si el Espíritu nos da vida, andemos guiados por el Espíritu. No dejemos que la vanidad nos lleve a irritarnos y a envidiarnos unos a otros.

Hermanos, si alguien es sorprendido en pecado, ustedes que son espirituales deben restaurarlo con una actitud humilde. Pero cuídese cada uno, porque también puede ser tentado. Ayúdense unos a otros a llevar sus cargas, y así cumplirán la ley de Cristo (Gá 5:13-6:2).

1. Para ganar la guerra tenemos que reconocer el poder destructor de las palabras (Gá 5:15). Pablo nos advierte: "Tengan cuidado, no sea que acaben por destruirse unos a otros". En el jardín del Edén, pudimos ver el poder de las palabras cuando la serpiente convenció a Eva para que comiera del fruto. En toda la Escritura se describe la importancia de lo que decimos y de la forma en que lo decimos. Mientras estemos minimizando la importancia de esta batalla, nunca ganaremos la guerra de palabras.

Dios nos ha hecho para ser gente de influencia. Un esposo influencia a su esposa y viceversa. Los padres influencian a sus hijos. Los amigos influencian a sus amigos. El pastor influencia a su congregación, y así sucesivamente. Y la manera más poderosa de influenciarnos unos a otros es usando palabras que animan, reprenden, explican, enseñan, definen, condenan, aman, cuestionan, dividen, unen, venden, aconsejan, juzgan, reconcilian, enfrentan, adoran, calumnian y edifican. La gente tiene influencia y las palabras tienen poder. Esa es la forma en que Dios lo diseñó.

Así que nunca debemos minimizar nuestros pecados de comunicación. ("No hablaba en serio". "Él ladra, pero no muerde". "Simplemente no estaba pensando en ese momento". "Ella sabe lo que realmente pienso acerca de ella".) Pablo nos recuerda que lo que decimos tiene consecuencias. Siempre estamos representando al Señor. Nunca está bien comunicarse en maneras que contradigan Su mensaje, Su método y Su carácter.

Al escribir esto, me entristece pensar en la cantidad de conversaciones en mi familia en que no hemos sido conscientes de esa seriedad que Pablo dice que tienen. Nuestras batallas no son violentas, pero cada día se nos escapan muchas palabras impulsivas, desagradables, hirientes y quejumbrosas. Pienso que somos como muchas otras familias cristianas—minimizamos esos "pequeños" pecados en nuestra comunicación porque en nuestros hogares no hay abuso físico ni verbal, y realmente nos amamos unos a otros. Pero, una vez más, las palabras de Pablo nos traen de vuelta a la realidad. Las palabras que "muerden y devoran" son palabras que destruyen. No están bien. Así que debemos hacer todo lo posible por darle a las palabras la importancia que la Escritura les da, recordando que Dios dice que daremos cuenta de "toda palabra ociosa" que hayamos pronunciado (Mt 12:36).

2. Para ganar la guerra tenemos que afirmar nuestra libertad en Cristo (Gá 5:13). Es correcto gloriarse en el hecho de que la gracia de Dios nos libera del insoportable peso de la ley (vv. 1-6). Somos aceptados en la familia de Dios solamente sobre la base de la justicia, vida, muerte y resurrección de Jesucristo. Su justicia fue traspasada a nuestra cuenta. En ese sentido, somos felizmente libres de la ley.

Pero no podemos quedarnos ahí. La afirmación de nuestra libertad en Cristo tiene dos aspectos: nos libera *de* algo y *para* algo. Pablo lo dice de esta forma: "... pero no se valgan de esa libertad para dar rienda suelta a sus pasiones". *Nunca* es bíblico decir: "Ya que Cristo me liberó de la ley, puedo vivir como me dé la gana". Una idea como esta refleja un entendimiento completamente erróneo del propósito de la gracia. Pablo quiere que afirmemos que nuestra libertad en Cristo nos capacita para vivir como antes no podíamos. Realmente podemos vivir y hablar de una manera que agrade al Señor.

No solo hemos sido liberados de la necesidad de cumplir la ley para ser salvos, sino también de la esclavitud al pecado en la vida diaria. Hemos sido liberados *del* peso de la ley *para* vivir una vida piadosa. No podemos gloriarnos en nuestra *liberación* sin a la vez aceptar nuestro *llamado* (ver Ro 6:1-14; Tit 2:11-14).

La conversación que complace al "yo" y participa del pecado, contradice nuestra identidad como hijos de la gracia. Nos lleva de nuevo hacia el yugo del cual hemos sido liberados. Nos lleva a olvidar la posición que tenemos en Cristo y el poder que Él nos ha dado por medio de Su Espíritu. Esto nos lleva al siguiente punto de Pablo.

3. *Para ganar la guerra tenemos que negarnos a complacer la nuestra naturaleza pecaminosa (Gá 5:13, 24).* Este pasaje es muy honesto en cuanto a lo que implica vivir en un mundo caído como personas que todavía pecan. ¡Esto incluye a las familias cristianas!

Cuando tenía quince años, mis padres se habían ido de fin de semana, y mi hermano y yo estuvimos de acuerdo en que nuestra habitación se veía muy aburrida. Necesitaba un poco de decoración. Revisamos la bodega de mi papá para ver qué tipo de pintura estaba disponible y encontramos, para nuestro deleite, que tenía más colores de los que pudiéramos haber imaginado. Decidimos que la mejor manera de aplicar la pintura era poniéndola en vasos pequeños de papel y arrojándola hacia la pared. Por media hora, "pintamos" nuestro habitación con unos cuantos tiros a distancia. Pensamos que era una obra de arte. Nos sentíamos muy orgullosos—hasta que llegaron nuestros padres.

¡Nunca olvidaré la cara de mi papá cuando vio nuestra "hermosa" pared! Recuerdo el torrente de emociones que salió por su boca. Sus ojos centelleaban y sus venas sobresalían. ¡Nos gritó que teníamos que tirar los muebles por la ventana y vivir como jipis! Uno de nosotros susurró que no pensábamos que la cama cabría. ¡Y ahí ya perdió la cabeza! De su boca salió un discurso airado que nunca olvidaré.

¿Qué padre no ha tenido que lidiar con un hijo que haya hecho algo tonto e irresponsable? ¿Qué esposa no ha sido desilusionada por su esposo? ¿Qué esposo no ha pensado que su esposa no le ha dado lo que él merece? ¿Qué hijo no ha sentido que sus padres no lo entienden o que lo maltratan? ¿Quién no ha sido herido por algún hermano? ¿A qué amigo no le han fallado sus amigos?

¿Quién de nosotros no ha sido provocado? ¿Quién de nosotros no ha sido tentado por el egoísmo, el enojo, los celos y el orgullo? ¿Quién de nosotros no ha dejado a un lado el amor para pelear por algo de la creación que quiere desesperadamente? Gálatas 5 es un pasaje que habla de pecadores viviendo en un mundo de pecado. Pero es más que eso. Este pasaje declara que en Cristo tenemos el poder para enfrentar la provocación.

Al exhortarnos a no complacer a nuestra naturaleza pecaminosa, Pablo resume una poderosa realidad del evangelio que no debe pasar inadvertida. Él dice: "Los que son de Cristo Jesús han crucificado la naturaleza pecaminosa, con sus *pasiones* y *deseos*" (v. 24).

Una pasión es una emoción ferviente o intensa. Un deseo es algo que el corazón anhela. Pablo dice que, como pecadores en un mundo pecaminoso, experimentaremos ambas cosas. Nos parecerá que son tan poderosas que no podemos resistirnos a ellas. Es de esta misma experiencia que Pablo nos está hablando. ¿Qué nos ha dado Cristo para ayudarnos a lidiar con esas tentaciones tan intensas? ¿Deberíamos ser controlados por lo que sentimos y anhelamos? Estas preguntas llevan a Pablo hacia la obra de Cristo.

Cuando Cristo fue a la cruz, no compró para nosotros la *posibilidad* ni la *oportunidad* de ser salvos. No, Su obra fue personal, eficaz y completa. Cumplió su cometido. No hizo que la salvación estuviese disponible simplemente como una opción. Jesús fue a la cruz llevando con Él los nombres de Sus hijos. Cuando Cristo murió, nosotros morimos. Cuando fue enterrado, nosotros también fuimos enterrados. Cuando resucitó a una nueva vida, nosotros resucitamos con Él. Si queremos obtener una victoria duradera en la guerra de palabras, esta es la verdad a la cual nos tenemos que aferrar. Cuando Cristo fue crucificado, ¡mi naturaleza pecaminosa (con sus pasiones y deseos) fue crucificada con Él! Ya no vivo esclavizado al pecado. Ya no tengo que someterme a las emociones intensas y a los fuertes deseos de mi naturaleza pecaminosa.

En Cristo, el dominio de mi naturaleza pecaminosa sobre mí fue destruido para siempre. Por primera vez, puedo ofrecer las partes de mi cuerpo como instrumentos de justicia—incluyendo mi boca (ver Ro 6:1-14). Así que en nuestro pasaje, Pablo básicamente está diciendo: "No complazcan a la naturaleza pecaminosa. No alimenten sus pasiones y deseos. No permitan que sus palabras sean dictadas por sus sentimientos y antojos, por más fuerte que sean. Recuerden, por lo que Cristo ya hizo, tienen el poder para decir 'no'".

Pocas verdades son más importantes que esta para ganar la guerra por nuestro corazón. Como pecadores en un mundo pecaminoso, seremos tentados y provocados, y en esos momentos vendrán fuertes emociones y deseos que querrán atraparnos. Pero debido a nuestra identificación con Cristo, tenemos el poder para decir "no". *Podemos* hablar como Sus embajadores, ¡aun en medio de la tentación y la provocación! Si nos dejamos gobernar por nuestras emociones o por nuestros deseos, estamos negando la obra de gracia de nuestro Salvador.

Habrá situaciones pequeñas. Luella y yo estamos en la cama, a punto de dormirnos, y suena el teléfono. Es nuestro hijo Justin desde la estación de tren. Necesita que lo vayamos a recoger. Luella me dice: "¿Vas tú, por favor?". Inmediatamente, mis emociones y deseos quieren apoderarse de mí. Me frustro por lo tarde que llamó. Me irrita que resulte ser la noche más fría del año. Siento que soy yo el que siempre tiene que ir. ¡Quiero estar en mi cama! ¡Quiero que otro sea el chofer!

Si permito que mi corazón sea gobernado por estas emociones y deseos, no hay posibilidad alguna de comunicarme como debería. Mis palabras serían egoístas y acusadoras, llenas de enojo y autocompasión. Pero en estos momentos, debo recordar que tengo a Cristo. Por supuesto, esta es una situación pequeña, pero todos vivimos en estas situaciones. Son las que realmente determinan el carácter de nuestras palabras.

También habrá situaciones más grandes. Juan se escandalizó el día en que llegó a su casa y la encontró vacía; solo le habían dejado una cama, una lámpara y el comedor de la cocina. Por meses, su esposa había estado planeando dejarlo. El camión de mudanzas vino mientras él estaba en el trabajo. En la mesa había una nota con el número telefónico de su abogado. Al poco tiempo, ella ya había conseguido la custodia permanente de los niños.

Sería difícil describir el temor, la ira, el dolor y la tristeza que embargaron a Juan al encontrar esa casa vacía. En un momento, su mundo había cambiado. Tenía un fuerte deseo de retroceder el tiempo y darle a su esposa lo que realmente merecía. Al estar allí parado, sus emociones se dispararon y su mente fue de un pensamiento a otro, y de un deseo a otro. En este momento, la única esperanza para Juan estaba en Cristo. Él *podía* elevarse por encima de sus pasiones. *Podía* decirle "no" a sus deseos. Aun en *esta* situación, podía hablar como un embajador de Cristo. Ese hombre herido se convirtió en un pacificador. Habló la verdad en amor. Venció el mal con el bien.

Muchos de nosotros estamos demasiado acostumbrados a vivir bajo el dominio de las pasiones y los deseos del pecado. Cuando nos entregamos al pecado, nuestras palabras le agregan capas de dificultad interpersonal al problema original. Al complacer a nuestra naturaleza pecaminosa, tendemos a tomar como personal algo que no lo era y a convertir los momentos de ministración en momentos de irritación y enojo. Con tal de satisfacernos a nosotros mismos, nos vengamos de aquellos a los que deberíamos estar sirviendo. La conversación egocéntrica nunca cumple el propósito de Dios. Se olvida de las verdades del evangelio y de nuestra identidad como embajadores de Cristo. Pablo nos recuerda que debido a la obra de Cristo, somos capaces de hacer las cosas bien.

Para ganar la guerra de palabras también tenemos que dejar de racionalizar nuestro pecado, de echarle la culpa a otros y de argumentar de manera egoísta con tal de excusar las palabras que salen de las pasiones y deseos de nuestra naturaleza pecaminosa.

Recuerdo los días en que fui un joven pastor de una pequeña congregación con necesidades enormes de consejería. Parecía imposible tener un momento de tranquilad en casa sin que alguien llamara para hablarme de la crisis más reciente. Cada vez que sonaba el teléfono en la noche, me llenaba de temor, y más aún cuando me decían: "Paul, es para ti". Sin darme cuenta, cada vez más veía a ciertas personas de la congregación como obstáculos para obtener lo que yo quería, en lugar de verlas como parte del ministerio que había felizmente aceptado del Señor. Recuerdo que a veces recibía llamadas y le decía enojado a Luella: "Y ahora, ¿*quién* es?"; para luego coger el teléfono y decir alegremente: "¡Hola!".

Estaba descansando en casa con mi esposa y mis dos hijos un sábado por la tarde, cuando recibí una llamada de un joven desesperado. Había estado desesperado ya por mucho tiempo, y parecía tener el don de llamarme en los momentos más inapropiados. Siempre estaba desanimado, siempre pidiendo ayuda, pero siempre se resistía a la ayuda que se le ofrecía. Según él, nada le funcionaba. Decía que lo había intentado todo, y que todo era inútil. Estaba en uno de esos moteles locales, diciendo que se iba a quitar la vida. Decía que a menos que él tuviera una razón para vivir, se mataría antes del final de ese día. Averigüé dónde se encontraba, le pedí a mi esposa que orara y fui en mi carro a encontrarme con él.

En el camino oraba, y sé que mi esposa también lo hacía, pero había una guerra en mi interior. ¡*Yo* era ese catálogo de deseos en conflicto! Todo acerca de ese hombre me molestaba. Me molestaba su postura encorvada. Me molestaba su voz quejumbrosa. Me molestaba su necesidad de siempre ser el centro de atención. Odiaba la manera en la que rechazaba cada consejo que le daba. Guardaba cierto resentimiento contra él por el tiempo que me había robado; tiempo que debí haber pasado con mi familia o atendiendo otros aspectos del ministerio. Y estaba molesto porque ahora tenía que ir a ayudarlo otra vez. Mientras conducía, mis pensamientos iban y venían en medio de una guerra entre mi preocupación pastoral y mi resentimiento personal.

Llegué al motel y me senté en un cuarto sucio que olía a humo y a sudor. Me dio su típico discurso de quejas. Comencé a responder con las verdades del evangelio, cuando me interrumpió diciendo: "No me va a venir con eso otra vez, ¿verdad? ¿No tiene nada nuevo que decir?". No podía creer lo que estaba escuchando. Había dejado a mi familia por ocuparme de él, y se estaba burlando de mis esfuerzos por ayudarlo ¡sin mostrar el más mínimo gesto de agradecimiento! Perdí los estribos, entregándome al enojo que había estado acumulando por semanas. Lo despedacé verbalmente, un pedazo a la vez. Le dije exactamente lo que la congregación y yo pensábamos de él. Traté de hacerlo sentir lo más culpable que pude, le dije que se parara de allí y que por una vez en su vida hiciera lo correcto; oré por él (¡!) y me fui. La sangre me hervía durante todo el trayecto a casa.

No tardé mucho en darme cuenta de que no había hecho bien las cosas. Tampoco tardé mucho en inventarme justificaciones y pensar en argumentos para defenderme. Al llegar a casa, estaba convencido de que había hablado como uno de los antiguos profetas, proclamando un "así dice el Señor" donde había pecado y rebeldía. Me había convencido a mí mismo de que Dios usaría este momento dramático, en el que hablé con la verdad para producir un cambio duradero en la vida de este hombre.

Llegué a la casa, y Luella (que había estado orando) me preguntó cómo me había ido. Le dije que le había hablado más fuerte que a cualquier otra persona en mi ministerio, siendo cuidadoso de comentarle la analogía del profeta. Inmediatamente, dijo: "Me parece que te enojaste y lo echaste a perder". En el mismo momento en que escuché esas palabras, me di cuenta de lo que había estado haciendo. Me llené de remordimiento. Después resultó ser que la confesión de mi propio pecado a este hombre y de propia mi lucha fue lo que Dios usó para comenzar a transformarlo.

4. Para ganar la guerra tenemos que hablar para servir a los demás en amor (Gá 5:13-14). Le decimos "no" a la tiranía de las pasiones y deseos, no solo porque Cristo nos da el poder para hacerlo, sino también porque hemos sido llamados a servir. Lo opuesto a entregarnos a la naturaleza pecaminosa no es decir: "No debo, no debo, no debo". Somos llamados a *despojarnos* de las palabras pecaminosas para *vestirnos* de palabras que salgan de un amor por los demás.

Pablo no pudo haber hecho más énfasis en este llamado. Él dice que "toda la ley" se resume en este mandamiento: Ama a tu prójimo como a ti mismo. La voluntad de Dios para nosotros es que nuestras palabras suplan las necesidades de los demás, y Su gracia habilitadora hace que esto sea posible.

Aquí vemos a un Dios que está obrando incansablemente a través de Su Espíritu, conformando a Su pueblo a la imagen de Su Hijo. Él quiere usarnos para lograr ese propósito. Cada vez que hablo, debo hacerlo con este llamado en mente.

Servir en amor no significa que me vuelvo un esclavo de la agenda de los que me rodean. No significa ser la alfombra que todos pisan. Significa vivir con un propósito redentor. El amor desea el mayor bien para los demás. El mayor bien que puedo desear para cualquier persona es que sea semejante a Cristo, es decir, que tenga el fruto del Espíritu. Dios realiza esta obra en los eventos y relaciones normales de nuestra vida diaria. Él obra con este fin en cada situación (ver Ro 8:28-30).

Efesios 4:29 describe lo que significa hablar por amor: "No salga de la boca de ustedes ninguna palabra mala (corrompida), sino solo la que sea buena para edificación, según la necesidad del momento, para que imparta gracia a los que escuchan" (NBLH). Cuando usamos palabras corrompidas, estamos olvidándonos de los demás y concentrándonos en lo que nosotros sentimos y queremos. Pero Pablo nos llama precisamente a hablar pensando en los demás.

Pablo dice que si queremos servir a los demás con nuestras palabras, debemos considerar estas tres cosas: (1) Debo considerar a la *persona* ("solo la que sea buena para edificación"). ¿Qué sé acerca de esta persona que pudiera darle forma a lo que voy a decir? (2) Debo considerar el *problema* ("según la necesidad del momento"). ¿Cuál es la necesidad real de esta persona en esta situación, y cómo debería afectar mis palabras? (3) Debo considerar el *proceso* ("para que imparta gracia a los que escuchan"). No puedo hablar por hablar. Mi comunicación debe tener un propósito redentor; debe beneficiar al oyente.

Francamente, en nuestras propias fuerzas, ¡ninguno de nosotros es así de considerado! El pecado nos vuelve personas intensamente egoístas. Pensamos de manera instintiva en nuestras propias necesidades y deseos. Estamos comprometidos, en primer lugar, con nuestro propio bienestar. Pero al admitir humildemente nuestro egoísmo, podemos comenzar a apreciar y a depender en la gracia habilitadora de Cristo. Él *destruyó* el dominio de nuestras pasiones y deseos pecaminosos. Él nos *equipa* por medio de Su Espíritu Santo para hablar como Sus embajadores. *Podemos* comprometernos a hablar para servir a los demás en amor.

Ganaremos la guerra de palabras cuando sirvamos y amemos a los demás. Cuando nuestras palabras dejen de ser esclavas de nuestras pasiones y deseos, tendremos libertad para ministrarle a los demás.

5. Para ganar la guerra tenemos que hablar "guiados por el Espíritu" (Gá 5:25). Andar guiados por el Espíritu significa hablar de una manera que refleje Su obra en mí y que contribuya a Su obra en ti. En este pasaje, la obra del Espíritu es presentada con bastante claridad. Él está obrando para producir en nosotros una cosecha que esté de acuerdo con el carácter de Cristo: amor, gozo, paz, paciencia, benignidad, bondad, fe, mansedumbre y templanza. Como un acto de fe y sumisión, mantengo mis palabras a la medida del estándar de este fruto. Veo las situaciones difíciles como oportunidades dadas por Dios para ver a este fruto madurar en mí. Los problemas no son obstáculos para el desarrollo de este fruto, sino oportunidades para verlo crecer.

Hace unos años, había un hombre en nuestra congregación que era particularmente crítico respecto a mi ministerio (¡lo cual no quiere decir que no fuese criticable!). Tenía una lucha interna cada vez que veía o pensaba en este hombre. Recuerdo que sentía alivio cuando llegaba a algún evento de la iglesia y me daba cuenta de que no estaba allí. También era consciente de que este hombre no se reservaba su opinión sobre mí, sino que ahora había creado un grupo de personas disconformes, y allí compartían sus puntos de vista. Nuestra congregación no era grande, y la disconformidad comenzó a ser más y más evidente.

Decidí que ya era hora de pedirle a este hombre que habláramos. Le dije a mi esposa acerca de mi plan, e inmediatamente me preguntó acerca de lo que pensaba decirle. Al compartir mis pensamientos con ella, pude percibir que estaba reaccionando negativamente, así que le pregunté que cuál era el problema. Ella dijo: "Antes de que puedas lidiar con él, tienes que lidiar contigo mismo. Me parece que tú odias a este hombre. Si lo confrontas con sus errores sin haber lidiado con tus propias actitudes, no creo que esto acabe bien".

Quería creer que Luella solo era otra más en la lista de todos los que me han malinterpretado y juzgado mal, pero no era así. La verdad era que yo odiaba a este hombre. Odiaba el efecto controlador que tenía sobre mí. Odiaba el hecho de que hubiera puesto a otros en mi contra. Odiaba la manera en que sus críticas habían causado que yo dudara de todo lo que hacía como pastor. Odiaba el hecho de que había destruido mi sueño para mi ministerio y nuestra congregación. Odiaba su sonrisa arrogante. En realidad, no quería tener que lidiar con él—¡solo quería que saliera de mi vida!

Luella tenía razón. No estaba en condiciones para ser un instrumento del Espíritu en su vida. No estaba posicionado para ganar la guerra de palabras. *No* estaba siendo guiado por el Espíritu en esta relación. *Tenía* que lidiar con mi problema primero. *Necesitaba* examinar mi propio corazón, confesar mi pecado y tomar la determinación de hablar reflejando el fruto del Espíritu que obra en mí.

Al examinar mi corazón, me di cuenta de que necesitaba cambiar mucho más de lo que había pensado. No solo tenía que confesar mi odio y mi enojo, sino que habían pecados aún más profundos. Lo que me había estado motivando en mi ministerio no era la obra de Dios, sino mis sueños personales. Soñaba con ministrar en lugares difíciles y lograr un éxito sin precedentes. Soñaba con ser altamente respetado por una congregación que siempre estuviera creciendo y, en poco tiempo, por toda la comunidad cristiana. Había soñado con tener un gran crecimiento numérico, construir unas instalaciones grandes y modernas y dirigir la iglesia más influyente de la región. Más que nada, había soñado con ser conocido como el que estaba en el centro de todo esto.

¡Odiaba a este hombre porque *tenía razón*! La manera como manejaba sus inquietudes respecto a mi ministerio no era la correcta, pero sí tenía razón en cuanto a mi orgullo. Yo *sí* disfrutaba ser el centro de cada reunión.

Yo *sí* tenía la opinión final sobre cada tema. *Sí* me sentía frustrado cuando la gente estorbaba mis planes innovadores. Odiaba lo lento que se movían las cosas y lo negativa que era la gente. Y luchaba con Dios por haberme puesto en ese lugar tan difícil.

A ese hombre que yo tanto odiaba, pude empezar a verlo como un instrumento de rescate en las manos de Dios. Fue a través de él que fueron expuestos mis sueños egoístas y arrogantes, y fue a través de él que los mismos empezaron a morir. En medio de esta difícil prueba, Dios me mostró el pecado de mi corazón de una forma nueva. Después de tomarme unos días para examinar esta situación y mi propio corazón, comencé a estar agradecido por ese hombre que había odiado. No estaba agradecido por su pecado, pero sí estaba agradecido por la manera en que Dios lo había usado en mi vida. A medida que crecía mi agradecimiento, comencé a escuchar lo que él había dicho acerca de mí y la forma en que lo había dicho. Al escuchar el contenido de sus palabras, descubrí cosas que Dios quería que yo aprendiera—sí, aun de un mensajero tan áspero como este. Al escuchar la manera en que comunicaba sus pensamientos, descubrí que él y yo éramos muy parecidos. Él era orgulloso, obstinado, directo e impaciente. Yo odiaba todas esas cosas, pero eran cualidades que también me describían mí.

Durante esos días, Dios me dio un amor genuino y pastoral hacia él. Cuando finalmente conversamos, fui capaz de comunicarme con él de una manera paciente, amable, gentil, pacífica y controlada. Incluso fui capaz de tener esta difícil conversación con gozo, al pensar en el bien que el Espíritu Santo había hecho en mí a través de él.

Ser guiados por el Espíritu mientras hablamos no solo significa hablar de una manera que refleje lo que el Espíritu está haciendo en nosotros, sino también promover el fruto del Espíritu en otros. Francamente, al principio no me importaba si Dios me usaba en la vida de este hermano o si no lo hacía. Solo me interesaban dos cosas: probar que él estaba equivocado ¡y que me dejara a mí y a la iglesia en paz! Había llegado a creer que mi lucha *era* contra "carne y sangre" (ver Ef 6:10-12). Vi a este hermano como un enemigo, y perdí de vista la guerra espiritual que ocurría detrás de las dificultades de esta relación. No quería servir a mi hermano; quería que él me ayudara a cumplir mi sueño. Aun siendo su pastor, la última cosa que tenía en mente era ser un instrumento redentor en su vida. De hecho, nunca había considerado cómo podría ser un instrumento del Espíritu en su vida… hasta el día de mi conversación con Luella.

Cuando finalmente me reuní con él, tenía un plan totalmente diferente del que discutí inicialmente con mi esposa. Ya no quería "ganar". Ya no quería que se callara y que me ayudara con mi sueño. Realmente quería ser usado por Dios para promover el fruto del Espíritu en su vida.

Él había llegado a la reunión ya listo para la batalla. Era evidente que había preparado sus armas y ensayado su defensa. Pero no hubo batalla. Le dije que estaba agradecido por sus observaciones; que a través de él, el Espíritu realmente había desnudado mi corazón, y le pedí perdón. Antes de comenzar a hablar acerca de él, me dijo: "Paul, yo también lo he hecho mal. Siendo honesto, creo que tengo que admitir que te he odiado, y que me había propuesto criticarte ante los demás siempre que tuviera la oportunidad. He estado molesto contigo y con Dios por haberme puesto en esta congregación. Necesito tu perdón".

Aquella noche, por primera vez en mucho tiempo, él y yo fuimos guiados por el Espíritu mientras hablábamos, y el Espíritu produjo un nuevo crecimiento en nosotros. Pero no olvides el punto clave: todo comenzó cuando, antes de confrontar a otro, alguien me confrontó y me animó a examinar mi *propio* corazón. Ser guiado por el Espíritu implica tomarse el tiempo para escuchar, examinar, reflexionar y prepararse. Significa comunicarse promoviendo la obra de gracia del Espíritu en nuestras vidas y en las de otros.

6. *Para ganar la guerra tenemos que hablar con el propósito de restaurar (Gá 6:1-2).* Pablo dice: "Hermanos, si alguien es sorprendido en pecado, ustedes que son espirituales deben restaurarlo con una actitud humilde". Asegurémonos de entender estas palabras. Notemos que Pablo no dice: "*Si atrapan* a alguien en pecado". ¡No está hablando de andar vigilando a alguien para atraparlo en el acto! En lugar de eso, está hablando acerca de cómo nosotros, como pecadores, somos "sorprendidos"—es decir, que el pecado nos engaña y nos enreda.

El pecado es engañoso. El diablo es un maquinador que susurrará "razonamientos persuasivos" a nuestros oídos (Col 2:4 NBLH) para convencernos de que lo que estamos haciendo está bien. El pecado es un lazo que nos aprieta cada vez más *a medida* que vamos cayendo en esos "razonamientos persuasivos" y los usamos para justificar lo que hemos hecho. Sin darnos cuenta, nos encontraremos esclavizados al pecado como jamás hubiéramos pensado era posible. ¡Y ni siquiera sabremos cómo llegamos hasta ese punto! En este lado de la eternidad, todos somos propensos al pecado. Somos "sorprendidos" en nuestro enojo, orgullo, autocompasión, envidia, venganza, autojusticia, amargura, codicia, egoísmo, temor, incredulidad. Y suele pasar que, o no sabemos que estamos enredados, o no sabemos cómo desenredarnos. De una forma u otra, siempre hay algún aspecto de nuestras vidas en el que estamos enredados. Hay áreas de pecado a las que somos ciegos, y hay pecados con los que siempre estamos luchando. Pronto *llegará* el día en que caerá el último lazo, y estaremos con Cristo y seremos como Él para siempre. Pero mientras ese día llega, necesitamos reconocer que, como pecadores, somos propensos a ser engañados y enredados por el pecado, y esa es la razón por la cual nos necesitamos unos a otros.

Luego Pablo dice: "Ustedes que son espirituales deben restaurarlo con una actitud humilde". ¿Se está refiriendo a algún cuerpo elitista de restauradores súper espirituales? ¡No! ¡Para nada! Esta palabra "espirituales" no se está usando para referirse únicamente a una persona que es madura bíblicamente. Realmente incluye a *todo creyente*. Hace referencia a Gálatas 5:25, donde Pablo dice que "andemos guiados por el Espíritu", es decir, que seamos sensibles a lo que el Espíritu está haciendo en nosotros y en los demás. Cuando andamos guiados por el Espíritu, nos posicionamos para funcionar como restauradores. Todos nosotros, si estamos viviendo vidas que son dignas de nuestro llamado, nos estamos posicionando para ser los agentes de Dios para rescatar y restaurar.

Para ganar la guerra de palabras tenemos que permitir que este plan de restauración moldee y dirija nuestras relaciones. La tentación para todos nosotros es creer la mentira de que nuestras relaciones nos pertenecen. Tendemos a ver a las demás personas como nuestras posesiones. Los padres caen en esto con sus hijos. Cuando el hijo fracasa en su adolescencia, los padres no pueden ver más allá de su propio enojo y de sus propias heridas, ¡y eso les impide ser agentes de restauración para sus propios hijos!

Tendemos a pensar que los demás existen para nuestra propia felicidad. Los esposos y las esposas empiezan a creer que su felicidad es responsabilidad de sus cónyuges. Miran a sus cónyuges con ojos vigilantes y expectantes.

La vida se convierte en una serie de exámenes finales, pero esa felicidad nunca llega. Todos tendemos a observar cuidadosamente a los que nos rodean, más que nada para ver cómo nos están respondiendo, cómo nos están afectando. Buscamos el respeto, el amor, la apreciación, la aceptación y la honra que creemos merecer, y nos resulta muy difícil continuar en una relación en la que no estemos recibiendo estas cosas.

Pablo nos está llamando a algo radicalmente diferente. Nos está llamando a seguir la nueva y más alta agenda para nuestras relaciones que se describe en este libro. Esta agenda está basada en el reconocimiento fundamental de que nuestras relaciones (y las personas en ellas) no nos pertenecen a nosotros, sino a Dios. Nosotros le pertenecemos a Dios porque Él es nuestro Creador, y más aún porque es nuestro Salvador. ¡Cristo ha comprado esa casa destruida que era nuestra vida! Se ha mudado y ahora está obrando para realizar una remodelación completa. Este es el fundamento evangélico para las relaciones en el cuerpo de Cristo. Es vital que entendamos nuestra posición. Nosotros nunca seremos los dueños de estas relaciones. Somos herramientas en las manos del verdadero Dueño, quien está ocupado haciendo Su obra de restauración.

Cuando aprendamos a ver nuestras relaciones así, comenzaremos a ver la gran necesidad de restauración que hay a nuestro alrededor. Cuando estás de vacaciones y los niños están peleando en el asiento trasero, está ocurriendo algo más que la ruina de tus costosas vacaciones. Hay una necesidad de restauración que se está haciendo evidente. Puedes responder a esta situación como un padre irritado o como un restaurador que quiere ser usado por el gran Restaurador. Cuando estás tomando café con un amigo y este se queja una vez más de su jefe, preguntándose por qué Dios no actúa, está ocurriendo algo más que la ruina de una noche agradable. Una vez más, Dios te está llamado a que hagas algo más que autocompadecerte. Te ha posicionado para que seas un restaurador.

Cuando los esposos y sus esposas siguen peleando una y otra vez por los mismos temas, necesitan hacer algo más que maldecir el hecho de que su matrimonio no está funcionando, o de que la otra persona nunca entiende. Estas son las luchas que revelan la necesidad de restauración. Necesitan ver cómo han sido engañados y enredados, y necesitan responderse el uno al otro no con una agenda de exigencias, sino con una agenda de restauración.

Cuando la relación con tu hijo adolescente se ha vuelto fría, distante y hostil, no es tiempo de revolcarte en autocompasión, repasando todas las cosas que has hecho por él durante los años, y pensando en el poco respeto y gratitud que has recibido a cambio. No es tiempo de entrar en una guerra verbal o de levantar muros de amargura. Es tiempo de ver la necesidad de restauración. Tu adolescente está enredado (quizá tú también lo estés), y necesita desesperadamente ser restaurado. Pero no serás una herramienta de restauración mientras le exijas que cumpla con tus expectativas de felicidad relacional.

Cuando la mesa del comedor se vuelve un campo de batalla, de competencia y de conflictos triviales, no es tiempo de explotar de ira o de coger tu plato para irte a comer en otro lugar. Tus hijos están demostrando que están enredados, y en ese momento Dios te está posicionando para usarte como un instrumento en Su obra de restauración.

Para ganar la guerra tenemos que hablar de forma redentora, y las palabras redentoras están enraizadas en una perspectiva restauradora de las relaciones. El propósito de las relaciones humanas no es alcanzar la felicidad personal. El propósito es reconciliar a las personas con Dios y restaurar en ellas la imagen de Su Hijo.

Si queremos ganar la guerra, nunca debemos olvidar quiénes somos. Cuando recordamos que somos lo que somos por la misericordia de Dios, hablamos como restauradores de Dios, con humildad y gentileza. ¡Cuánta humildad y gentileza nos falta en nuestras conversaciones los unos con los otros! No logramos hablar de forma redentora porque hemos olvidado quién *Él* es y lo que *Él* está haciendo en nuestras relaciones. No logramos hablar con humildad y gentileza porque nos olvidamos de *nuestra propia* identidad y de *nuestra propia* dependencia de Su gracia.

Ganar es una travesía

Gálatas 5 describe a personas que están en una travesía; personas que no solo están enfocadas en lo que tienen que llevar consigo, sino también en quién más necesita ayuda. Así es como termina el pasaje (6:2). Cuando Pablo dice: "Ayúdense unos a otros a llevar sus cargas", está ampliando el llamado que nos ha estado haciendo. Ganar la guerra de palabras no solo consiste en rescatar al que está enredado en su pecado, sino en estar atento a todos los lugares en que otro pudiera estar luchando. En la travesía de la vida, no solo me centro en llevar bien mi propia carga, sino que mis ojos también están sobre los demás. Si veo a una persona que está luchando al llevar su carga, soy llamado a compartir el peso con ella. Este es el amor del que Cristo habla en Juan 13:34, la "ley suprema" de Santiago 2:8. La manera de Cristo nunca es egoísta, nunca está centrada en uno mismo. El amor de Cristo está dirigido hacia los demás, está enfocado en los demás, y es autosacrificial.

Así que somos llamados a ayudarnos unos a otros en esta travesía por este mundo caído. Somos llamados a hablarnos unos a otros con esta mentalidad de llevar los unos las cargas de los otros. Cuando vemos a personas luchando en medio de su debilidad, les apuntamos hacia la fortaleza que está disponible en Cristo. Cuando alguien es ignorante, le hablamos con palabras llenas de sabiduría y de verdad. Cuando alguien siente temor, le hablamos de Dios, quien es nuestra ayuda segura en momentos de angustia. Cuando las personas sufren, tratamos de consolarlas. Cuando están desanimadas, les traemos palabras de esperanza. Cuando se sienten solas, les recordamos el amor y la presencia de Cristo. Cuando están enojadas, les señalamos hacia el Dios de rectitud, venganza y justicia. En medio del conflicto, hablamos como pacificadores y reconciliadores. Cuando las personas están ansiosas, les apuntamos hacia el descanso que Cristo le ha dado a Sus hijos.

Para ganar la guerra de palabras tenemos que vivir con los ojos abiertos, conscientes no solo de nuestra propia lucha, sino también de las luchas de los demás peregrinos que viajan con nosotros. Al hacer esto, todos nos damos cuenta de que no estamos solos. La intención de Cristo es que Su pueblo una sus manos para sobrellevar cargas que, de otra manera, serían imposibles de llevar. No tenemos que desesperarnos, renunciar o salir corriendo en dirección contraria. En lugar de eso, continuamos nuestra travesía fortalecidos y animados por el Señor y por los demás.

Para ganar la guerra de palabras, tenemos que escogerlas con mucho cuidado. No le daremos lugar alguno en nuestra conversación a las pasiones y deseos de la naturaleza pecaminosa. No haremos que otros pequen por causa de nuestra envidia y arrogancia. No nos morderemos y devoraremos unos a otros con palabras. En lugar de eso, nos comprometemos a hablar conforme a lo que el Espíritu está produciendo en nosotros y en los demás. Hablaremos de una manera que promueva el crecimiento de ese fruto.

Finalmente, hablaremos con la gentileza y la humildad de un agente de restauración; hablaremos como "llevadores de cargas" comprometidos a vivir de acuerdo con la ley del amor de Cristo.

¡Qué avivamiento, reconciliación y restauración radical ocurriría si respondiéramos a este llamado en cada relación de nuestras vidas! ¡Cuán diferentes serían las cosas si fuéramos constantes en este tipo de comunicación! ¡Cuán transformadas estarían nuestras relaciones si nos habláramos unos a otros con palabras redentoras! Si vamos a comprometernos a ganar la guerra de palabras, tendremos que escoger bien nuestras palabras.

Examínate

Estrategias para la guerra

1. ¿En cuáles áreas de tu comunicación tiendes a olvidar tu libertad en Cristo y a entregarte a tu naturaleza pecaminosa (cuando hablas con tu cónyuge, tu jefe, tus padres, tus hermanos, tus vecinos, tu familia extendida, el cuerpo de Cristo)? Tómate un tiempo para identificar tus campos de batalla.

2. Haz una lista de esas emociones y deseos que tienden a dominarte y a los que necesitas decirle "no". (Ejemplos de emociones: enojo, desánimo, temor. Ejemplos de deseos: venganza, respeto, apreciación, control, éxito, amor).

3. ¿En cuáles áreas específicas está Dios llamándote a hablar con el compromiso de servir a otros en amor?

4. ¿Cuál virtud del fruto del Espíritu necesita crecer en ti e influenciar la forma en que le hablas cada día los demás? (paciencia, dominio propio, bondad, gozo…).

5. Al pensar en los que te rodean, ¿dónde ves la necesidad de hacer una obra de restauración? ¿Cómo podrías ayudar con tus palabras? ¿Qué oportunidades diarias tienes de ser parte de lo que Dios está haciendo en otros?

Recuerda, por lo que Cristo ya hizo a nuestro favor *podemos* decirle "no" a las pasiones y deseos de nuestra naturaleza pecaminosa. *Podemos* servirnos unos a otros en amor, aun en medio de una provocación.

13

Escogiendo tus palabras

Mis queridos hermanos, tengan presente esto: Todos deben estar listos
para escuchar, y ser lentos para hablar y para enojarse (Santiago 1:19)

Estaba sentado en la sala de estar ¡a punto de explotar! No podía creer que después de todos esos años de amor, de todos nuestros esfuerzos por entenderlo y de todo lo que habíamos invertido para edificar una relación de confianza mutua, él estuviera dispuesto a tirarlo todo por la borda a cambio de una noche de diversión con sus amigos. No podía entender por qué esa noche era tan importante para él.

Mi hijo me había mirado a los ojos y me había mentido. ¡No lo podía creer! Quería que él sintiera el mismo dolor que yo estaba experimentando en ese momento. Quería darle su merecido. Ensayé una confrontación cara a cara con él en mi mente. (Todo en nombre del Señor, ¡claro está!) Pensé en una serie de castigos que alterarían su vida indefinidamente. Solo quería que llegara a casa para terminar ya con el asunto. Le dije a Luella: "¡Se arrepentirá del día en que pensó hacerme esto!"

Estaba furioso no solo porque mi hijo me había mentido y no estaba en casa para castigarlo, sino porque Luella se oponía completamente a la forma en que yo quería manejar la situación. Razonaba dentro de mí: "Es que ella es demasiado blandita. Fue por momentos como estos que Dios me llamó a ser el líder espiritual de esta familia. Alguien tiene que defender la verdad. Alguien tiene que confrontar el mal que ha ocurrido aquí".

Sin embargo, mientras más trataba de defender mi enojo y ensayaba lo que haría con mi hijo, más se debilitaba mi resolución de hacerlo. Dios, en Su asombrosa sabiduría, había ordenado que mi hijo no estuviera en casa en ese momento. Envió a mi esposa como un agente de intervención. Tenía que lidiar conmigo antes de que pudiera usarme en la vida de mi hijo.

Al poco tiempo, ya no estaba pensando en mi hijo, sino en mí. Me entristeció lo que vi. Después de todos estos años de pastorado, de consejería, de enseñanza, de estudio bíblico personal y de oración, ¿cómo era posible que me dejara devorar de esa manera por mi propia ira? ¿Cómo podía estar tan listo y dispuesto a devolver mal por mal?

Esa tarde, a solas en la sala de estar, fui confrontado una vez más con algo que tendemos a olvidar o a minimizar demasiado: la presencia y el poder del pecado que mora en nosotros. Una vez más, me percaté de que mi proceso de santificación no había terminado. La gran batalla espiritual por mi corazón aún continúa. Pero también me percaté de que Dios estaba obrando de una forma poderosa, controlando toda la escena y utilizando a mi esposa para que yo pudiera detenerme a examinar mis pensamientos, mis motivaciones y mi comportamiento. Me di cuenta de que necesitaba al Señor tanto como en el primer día en que creí.

Creo que estaba experimentando la única mezcla de emociones realmente honesta en la vida cristiana. Tristeza mezclada con gozo, lamento mezclado con regocijo, e impotencia mezclada con gloriosa esperanza. Todo esto nos retrata la verdad de que cuando el pecado abunda, sobreabunda la gracia. La conciencia de la magnitud de mi pecado personal debe ser vencida por mi reconocimiento de la actividad, el perdón y la gracia de Dios. Pero, para realmente apreciar las glorias de la gracia, es necesario que entienda la profundidad y el poder del pecado que mora en mí.

¡La guerra continúa! Es por esto que debemos escoger cuidadosamente nuestras palabras. *Somos* propensos a alejarnos. *Somos* controlados por nuestras pasiones descontroladas. *Somos* presa fácil de nuestros deseos pecaminosos. *Caemos* una y otra vez en las trampas del maligno. Todo esto nos lleva a olvidar nuestra necesidad de aferrarnos al evangelio.

Preparándonos para escoger las palabras correctas

Cuando mi hijo llegó a casa la noche siguiente, yo ya estaba en una posición diferente. Había hecho cuatro cosas que me prepararon para manejar la situación. Esto fue lo que hice:

1. Le confesé mi necesidad a Dios. Era importante que viera que estas situaciones no solo revelan la necesidad espiritual del otro, sino también la mía. Si queremos ser instrumentos de Dios para el cambio, tenemos que comenzar reconociendo nuestra propia necesidad de Su gracia. En nuestras propias fuerzas, nunca podremos ser lo que Él quiere que seamos ni hacer lo que Él nos llama a hacer. Es solo por Su gracia que tenemos la esperanza de que nuestro hablar sea edificante en tiempos de provocación. Lo primero que debemos hacer es confesarle a Dios esas actitudes que estorban lo que Él quiere hacer a través de nosotros.

2. Reconocí la gracia de Dios para mí. No debemos pensar que es imposible cambiar. Eso sería negar el evangelio que decimos creer. Mientras seamos conscientes de los recursos que la gracia de Dios nos provee, nuestra fe siempre se mantendrá fortalecida y nos llevará a realizar acciones decisivas. Cuando olvidamos que somos receptores de la gracia de Dios, nos volvemos inútiles e improductivos (2P 1:8-9), huyendo de los Goliats de nuestra vida, en lugar de enfrentarlos. Pero si reconozco Su gracia, viviré creyendo que, en Cristo, Él realmente me ha dado todo lo que necesito—no solo para la vida eterna, sino para vivir piadosamente en este mundo caído (2P 1:3-4). Aquella noche yo necesitaba reconocer Su gracia para mí.

3. Dije "¡no!". Si hemos reconocido nuestra necesidad y la provisión de la gracia de Cristo, entonces sabemos que podemos decirle "no" a los deseos y pasiones de la naturaleza pecaminosa (Gá 5:13-15, 24-25). Ya no vivimos bajo el dominio del pecado ni sosmos sus esclavos (Ro 6:1-14), así que podemos "darle muerte" a sus deseos y acciones (Ro 8:1-17). Necesitamos identificar las pasiones y los deseos específicos que nos alejan de lo que Dios nos ha llamado a hacer y a decir. Necesitamos comprometernos una vez más con Él, para que no permitamos que estas cosas sean nuestros amos. Mi esposa estaba en lo cierto. Antes de hablar con nuestro hijo, necesitaba decirle "no" a mis actitudes y deseos pecaminosos.

4. Dije: "¡Gracias!" Cuando le decimos "gracias" a Dios, estamos reconociendo nuestro llamado y la oportunidad que Él nos ha dado de ser parte Su obra en las vidas de los demás. Un espíritu agradecido recuerda que estos momentos no nos pertenecen a nosotros, sino a Él. Dios nos ha escogido de entre toda la humanidad para que seamos Sus embajadores. Esto es un gran privilegio. Nuestras vidas tienen significado y propósito eternos. ¡Tenemos razones para levantarnos cada mañana! Tenemos la oportunidad de ser una parte estratégica de este gran plan de redención. ¡Qué identidad! No podemos responder de otra forma que no sea adorándole.

Al prepararnos para hablarnos unos a otros, necesitamos calmar la tormenta de las emociones humanas con el descanso y la esperanza de la adoración. ¡Él está aquí! ¡Él ya está obrando! ¡Su gracia es suficiente! ¡El pecado ya no tiene el control! Me ha llamado y me ha colocado aquí de manera estratégica y por medio de Su fortaleza puedo hacer lo que Él me está llamando a hacer. Sí, los mares rugen con furor, ¡pero el Mesías está conmigo en el barca! ¡Hay esperanza para nosotros! Este descanso y esta esperanza nos permitirán escoger sabiamente nuestras palabras.

Escogiendo tus palabras

Tal vez estés pensando: "Paul, no sé a qué te refieres cuando dices que necesitamos escoger nuestras palabras. ¿Deberíamos de ensayar todas las cosas específicas que queremos decir? Eso no me suena muy realista". Estoy de acuerdo. Escoger tus palabras no significa que vas a escribir un diario para cada conversación. Lo que significa es que debemos tener una *intención redentora*. Si mi propósito (intención) es obrar como representante de Dios, entonces necesito tomarme el tiempo de considerar cómo hablar en estas circunstancias, con esta persona. Mucho del daño que causamos al hablar ocurre porque no nos preparamos de esta manera.

Efesios 4 es una guía sencilla y práctica de lo que significa escoger sabiamente nuestras palabras. Este pasaje dirigirá nuestra discusión sobre las palabras que promueven la obra de Dios en otros. *¿Cuáles son* esas palabras que debemos escoger?

Escogiendo palabras que reflejen la verdad

Cuando Pablo le recuerda a los cristianos de Éfeso su llamado a ministrar diariamente, los llama a hablar la verdad en amor. Estoy convencido de que muchas veces no vemos el punto principal de lo que Pablo está diciendo aquí. Solemos verlo como un llamado a que dos personas sean amorosamente honestas la una con la otra. Ciertamente esto es muy importante, pero no es lo que el pasaje está enseñando. Consideremos el contenido de este mandamiento.

Así ya no seremos niños, zarandeados por las olas y llevados de aquí para allá por todo viento de enseñanza y por la astucia y los artificios de quienes emplean artimañas engañosas. Más bien, al vivir la verdad con amor, creceremos hasta ser en todo como Aquel que es la cabeza, es decir, Cristo (Ef 4:14-15).

Notemos que Pablo no se está enfocando en el peligro de la *deshonestidad*, sino en el peligro de la *falsedad*. Pablo desea que la iglesia de Éfeso tenga la estabilidad funcional proveniente de andar en la verdad de Dios. Pablo reconoce que el enemigo es un maquinador el cual obra para perturbar al pueblo de Dios con los vientos conflictivos y cambiantes de la falsedad. Su llamado aquí no es a que empiecen una clase formal de teología, sino a que las doctrinas de la Escritura moldeen la forma de ver los eventos cotidianos. Lo que le interesa es que seamos lo suficientemente maduros como para escoger palabras que sean la verdad bíblica, y que nuestro deseo de comunicar la verdad bíblica siempre sea mayor que el de expresar nuestras propias perspectivas y opiniones.

Dios nos ha dado Su verdad para que entendamos el sentido de la vida. Él sabía que por nuestra propia cuenta nunca seríamos capaces de entender la vida correctamente. También sabía que en este mundo caído habría un estruendo de voces, todas compitiendo por nuestros corazones, todas considerando los mismos hechos, pero cada una dándonos una interpretación diferente. La Palabra de Dios nos fue dada para acabar con toda confusión y para interpretarnos el significado de la vida. Es de vital importancia que nos hablemos unos a otros diariamente con la verdad bíblica. Al hacerlo, maduraremos en Cristo.

Si este es nuestro compromiso, hay varias preguntas que debemos hacernos con regularidad.

1. ¿Qué verdades de la Escritura (doctrinas, temas, mandamientos, principios, perspectivas, metáforas) interpretan y explican esta situación? Esta primera pregunta es importante porque hemos visto que en la vida no respondemos basándonos en los hechos de una situación particular, sino en nuestra interpretación de esos hechos. Por tanto, debemos asegurarnos de interpretar las cosas bíblicamente y de ayudar a otros a hacer lo mismo. En mi labor como consejero, esto es lo que más hago. Muchas veces me angustio al ver lo difícil que es para la gente hacer esto por su cuenta. Tristemente, los resultados son evidentes en sus vidas.

2. ¿Qué quiere Dios mostrarle a esta persona acerca de Sí mismo, de Su amor y gracia, de Su voluntad y de Su verdad? Si Dios, el Redentor, está presente y ayudándonos en cada situación, entonces podemos estar seguros de que cada situación revela algo acerca de Él. El problema nunca va a ser que Dios esté ausente o inactivo, sino que tendemos a ignorar Su presencia y obra. Solemos ser como el siervo de Eliseo: aterrado por los enemigos que le rodeaban. Me encanta la manera en que Eliseo le habló a su temor. Él dijo: "Los que están con nosotros son más que ellos". Luego oró: "Señor, ábrele a Guiezi los ojos para que vea". Cuando el siervo volvió a mirar, ¡vio las colinas llenas de caballos y carros de fuego celestiales (2R 6:8-23)!

Es común que la gente me diga: "No entiendo por qué Dios no está obrando en mi vida. ¿Por qué no responde mis oraciones? ¿Por qué no me ayuda?". Estas preguntas reflejan una ceguera ante la presencia y la obra del Señor. Necesitamos ayudar a los demás para que vean al Señor y sus circunstancias con ojos bíblicos. Y necesitamos hacer esto con humildad, con una conciencia de nuestra propia ceguera espiritual y de nuestra propia necesidad.

3. ¿Qué quiere Dios mostrarle a esta persona acerca de sí misma? Las situaciones de la vida no solo nos revelan al Señor; también revelan mucho acerca de nosotros. Dios usa estos momentos para que no seamos engañados por la falsedad del pecado y podamos vernos a la luz de la Escritura. La verdad que nos revela la autoevaluación bíblica es dolorosa, pero es algo que todos necesitamos. Es el tipo de "herida" que nos hace un amigo fiel (Pro 27:6). Para ayudar a la personas a verse a sí mismas con claridad, necesitamos sostener ante ellos el espejo de la Palabra de Dios. Lo que *nosotros* pensamos acerca de ellos es de poca importancia, lo que la Escritura revela acerca de ellos es verdadero y esencial. Queremos ser usados por Dios para derribar unos cuantos ladrillos más de su muro de autoengaño, reconociendo que se trata de un proceso y no de un evento único. Podemos estar agradecidos por la oportunidad de ayudar y de ser parte de ese proceso.

4. *¿Qué quiere Dios mostrarle a esta persona acerca de los demás?* El pecado también distorsiona nuestra perspectiva de los demás. Necesitamos ayudar a las personas a pensar de manera clara y bíblica sobre los demás.

5. *¿Qué quiere Dios que esta persona haga?* Queremos guiar a esta persona a hacer la voluntad de Dios en su situación específica con gozo. ¿Cuál es el plan de Dios para esta persona? ¿Qué quiere Él que esta persona piense, desee y haga?

6. *¿Cuál es la mejor forma de ayudar a esta persona a entender estas cosas?* Cuando pensamos prácticamente, pensamos metodológicamente. Sermonear y acusar es contraproducente. Lo mismo pasa cuando recitamos pasajes bíblicos sin explicarlos ni aplicarlos a dicha situación. Casi todas las conversaciones de tipo "si yo fuera tú…" son contraproducentes. Lo primero que debemos hacer es encarnar el maravilloso amor del Señor que estamos representando (ver Col 3:12-14). Queremos que las personas le vean a *Él*, para que puedan descansar en Él y seguirle.

Lo segundo sería ayudarle a entender la conexión entre las verdades de la Escritura y las realidades de su situación particular. ¿Cuál sería la mejor forma de hacerlo? ¿Qué preguntas podríamos hacerle? ¿Qué pasajes serían útiles? ¿Qué historias podríamos contar? ¿Qué ejemplos (metáforas) nos ayudarían a explicarlo mejor? ¿Qué sabemos acerca de esta persona que nos pueda ayudar a tomar decisiones sabias en este caso? (Jesús era un experto en esto).

Queremos escoger palabras de verdad, pero esto implica más que ser honestos. Significa ser distintivamente bíblicos en la manera como respondemos a los demás.

Escogiendo palabras llenas de amor

A este llamado a hablar palabras que sean la verdad bíblica, Pablo le añade que esta verdad debe ser dicha en amor. Ninguna otra característica podría ser más importante. La verdad que no es dicha en amor deja de ser verdad porque es distorsionada por la impaciencia, la amargura y el enojo.

Comprometerse a hablar la verdad en amor es comprometerse a procurar que la verdad no sea contaminada por las pasiones y los deseos de la naturaleza pecaminosa. Significa comprometerse a ser parte de lo que el Espíritu quiere hacer en la vida de otra persona. Es estar más comprometido con Su obra que con mis propios deseos. Es estar dispuesto a morir a mí mismo para que mis palabras puedan reflejar mi deseo de vivir para Él.

Para saber cómo escoger palabras llenas de amor, no hay una guía más práctica que la definición que Pablo nos da del amor en 1 Corintios 13:

> El amor es paciente, es bondadoso. El amor no es envidioso ni jactancioso ni orgulloso. No se comporta con rudeza, no es egoísta, no se enoja fácilmente, no guarda rencor. El amor no se deleita en la maldad sino que se regocija con la verdad. Todo lo disculpa, todo lo cree, todo lo espera, todo lo soporta (vv. 4-7).

El llamado a cumplir con este estándar lo vemos a través de todo el Nuevo Testamento. Antes de Su muerte, las últimas palabras de Jesús a Sus discípulos fueron un "nuevo mandamiento" a amarse unos a otros como Él los había amado (Jn 13:34-35). Este amor los iba a identificar como Sus discípulos. Lo vemos en Romanos 12:9-21, en el llamado a amar sinceramente aunque nos traten mal. Lo vemos en Efesios 4:2 cuando Pablo nos exhorta a ser "siempre humildes y amables; pacientes, tolerantes unos con otros en amor". Es el mismo estándar que se nos muestra en Filipenses 2:1-4, que dice: "No hagan nada por egoísmo o vanidad; más bien con humildad consideren a los demás como superiores a ustedes mismos"; y también en Colosenses 3:12-13, cuando Pablo dice: "Revístanse de afecto entrañable y de bondad, humildad, amabilidad y paciencia, de modo que se toleren unos a otros y se perdonen si alguno tiene queja contra otro".

Escucha las conversaciones que se dan en tu hogar. ¿Cuántas se caracterizan por la impaciencia y la crueldad? ¿Cuántas son motivadas por el egoísmo y los deseos personales? ¿Con qué frecuencia ocurren explosiones de ira? ¿Cuán a menudo se traen a colación errores del pasado? ¿Cómo fallamos en comunicar esperanza? ¿Cómo fallamos en proteger a los demás? ¿Con qué frecuencia hablamos palabras que comunican amenazas, demostrando que ya nos hastiamos y que estamos a punto de rendirnos? Detente y escucha, y verás qué grande es nuestra necesidad de llevar nuestra conversación a este estándar de amor, y la frecuencia con que la verdad que profesamos ha sido distorsionada por nuestro pecado.

Es tiempo de que muchos de nosotros confesemos que no hemos andado por la senda del amor. En lugar de contribuir a lo que el Señor quiere hacer, nuestras palabras han sido un estorbo. Hemos sido controlados por las pasiones y deseos de la naturaleza pecaminosa, y no hemos sido fieles en representar el carácter de Cristo. Necesitamos clamar por la gracia necesaria para hablar con palabras llenas de amor, y así ser embajadores fieles de nuestro Dios.

Al prepararme para hablar con mi hijo, oré para que mis palabras cumplieran el estándar bíblico del amor. Confesé mi enojo, mi impaciencia y mi orgullo. Al hacerlo, mis sentimientos cambiaron de forma radical. Entré a su cuarto con esperanza, y sintiendo que había sido liberado de una gran carga. Todavía estaba contrariado y preocupado por lo que él había hecho, pero fui capaz de hablarle tranquilamente y sin enojo. Esa noche, mi hijo pudo escuchar la verdad por encima de mi enojo. Estuve muy agradecido por eso... ¡y mi hijo también!

Escogiendo palabras que reflejen dominio propio

El dominio propio es una de los atributos bíblicos más importantes y uno de los más descuidados. Gran parte de nuestros problemas con las palabras tiene que ver con nuestro fracaso en esta área. Decimos palabras que nunca debimos haber dicho. Las decimos en el momento equivocado, en el lugar equivocado o con emociones descontroladas. Hablamos en momentos en que el silencio hubiera sido la opción más piadosa y amorosa. Hablamos motivados más por deseos y exigencias personales, que por los propósitos de Dios o la necesidad del otro. ¿Cuál es el problema? Falta de dominio propio, es decir, del sistema de control interno que refleja la presencia del Espíritu Santo en nuestro interior. Pablo lo dice de esta manera: "Sin embargo, ustedes no viven según la naturaleza pecaminosa, sino según el Espíritu, si es que el Espíritu de Dios vive en ustedes. Y si alguno no tiene el Espíritu de Cristo, no es de Cristo" (Ro 8:9). El dominio propio es un fruto de Su obra. Ya no tenemos que ser guiados por los apetitos de la naturaleza pecaminosa. ¡Y esto incluye a nuestras palabras!

Como un acto práctico de fe en la obra del Espíritu en nuestro interior, no solo debemos comprometernos a hablar palabras de verdad y amor, sino también palabras que reflejen dominio propio. Tales palabras fluyen del dominio propio que el Espíritu nos da. En Efesios 4, Pablo nos dice algo importante acerca de las palabras que reflejan dominio propio.

> Por lo tanto, dejando la mentira, hable cada uno a su prójimo con la verdad, porque todos somos miembros de un mismo cuerpo. "Si se enojan, no pequen". No dejen que el sol se ponga estando aún enojados, ni den cabida al diablo (vv. 25-27).

Pablo está diciendo: "Cuando hablen, ejerciten el dominio propio que les pertenece por ser hijos de Dios. No cedan ante las pasiones y deseos de la naturaleza pecaminosa. Ustedes son nuevas criaturas en Cristo. Esa nueva vida debe reflejarse en su hablar. Aun cuando sean provocados, usen palabras que reflejen dominio propio". Según Pablo, ¿qué apariencia tiene este dominio propio?

1. Las palabras que reflejan dominio propio son honestas. Pablo lo dice claramente: "Dejando la mentira, hable cada uno a su prójimo con la verdad". Esta es la única senda del amor. Cuando soy deshonesto, o cuando "recorto" o matizo la verdad, estoy amándome a mí mismo más que a Dios y a los demás. Recortar la verdad es decir menos de lo que debemos decir. La deshonestidad ocurre cuando nuestra prioridad es quedar bien ante los demás. Quiero tu respeto y aceptación, así que recorto la verdad para esconder mis faltas. Quiero tu confianza y confidencialidad, así que soy deshonesto en cuanto a mis fracasos. No me gusta la confrontación, así que evito tocar los asuntos que conducen al conflicto. Hay ciertas cosas que quiero de ti, así que matizo un poco lo detalles a mi favor. No quiero pasar la vergüenza de confesarte mis pecados, así que te presento los eventos del pasado en un contexto que me favorezca. No quiero que sepas que te fallé, así que me invento una excusa aceptable. Cuando me amo a mí mismo más que a mi prójimo, la verdad es la primera víctima.

Necesitamos reconocer cuán poderosos son nuestros deseos de protegernos a nosotros mismos, de estar cómodos y de no complicarnos; de vindicación, de amor, de aceptación y aprobación. Cuánto deseamos ser el centro de atención, vivir sin conflictos, ¡y ver nuestros sueños hechos realidad!

Pero hablar la verdad significa ejercer dominio propio sobre este fuerte impulso de amarme a mí mismo. Significa que no voy a sacrificar la verdad con tal de estar cómodo. No voy a comprar lo que quiera con la moneda de la falsedad. En vez de eso, ejercitaré el don del dominio propio sobre los deseos de mi naturaleza pecaminosa, colocándome en las manos hábiles de Dios, hablando palabras honestas, sin importar las consecuencias. Las palabras que reflejan domino propio son honestas.

No olvidemos que tal honestidad relacional también debe cumplir con el estándar del amor que vimos anteriormente. Muchas veces, las palabras "honestas" no son palabras controladas por el amor. Al contrario, son armas de venganza en una guerra destructiva de palabras. Nunca edifican porque fueron hechas para destruir. Son arrojadas al que se considera el enemigo. Su meta nunca es ayudar, sino ganar la guerra relacional. Este tipo de "honestidad" no podría estar más lejos del llamado que Pablo nos está haciendo.

2. Las palabras que reflejan dominio propio no son controladas por el enojo. En ningún lugar es más obvia la confianza de Pablo en el poder de Cristo en nosotros que en esta área. ¡Él realmente cree que somos capaces de ejercer dominio propio cuando estamos enojados! En ese lugar en que solemos darle cabida al diablo, Pablo cree que podemos frustrar su obra malvada, y que podemos contribuir a la obra del Señor. Pablo asume que es posible enojarse sin pecar. No todo enojo es pecaminoso, pero el consejo de Pablo es este: "En esos momentos de emociones fuertes, cuando sientas que has perdido el control, ejercita el control interno que se te ha dado como hijo de Dios".

¡Cuán tentador es caer en pensamientos de desesperanza, olvidando la presencia interna del Espíritu! Considera a la madre cristiana que está en una discusión acalorada con su hijo adolescente, cuando suena el teléfono. Ella se da la vuelta, y olvidando lo que parecía ser una avalancha descontrolada de palabras, cambia a su voz cantarina y responde el teléfono, diciendo: "¡Hoolaaa!" Por razones egoístas, ella escogió ejercer el dominio propio que *pudo haber ejercido desde el principio*. También escogió, antes de que sonara el teléfono, entregarse a las pasiones y deseos de la naturaleza pecaminosa en la discusión con su hijo. Aquí somos confrontados con el poder que Cristo nos ha dado para hablar de la forma en que Él nos ha llamado a hacerlo. ¡Aférrate a Él! El dominio propio que necesitamos lo encontramos en Él; no es una técnica que se aprende en un curso de comunicación.

Pablo menciona dos maneras en las que típicamente respondemos al enojarnos, y ambas requieren que ejercitemos el dominio propio. Primero, algunos de nosotros tendemos a *estallar* cuando estamos enojados, ventilando emociones violentas y permitiendo que las palabras salgan sin control alguno. Esta es mi tendencia. ¡Nunca he lastimado a alguien con mi silencio! Al contrario, soy una persona que habla mucho, y la mayoría de mis luchas de pecado en mis relaciones tienen que ver con palabras.

Pero estoy aprendiendo acerca de la importancia de alejarme, de esperar y de prepararme. He aprendido, por medio del ejemplo de mi esposa, que soy capaz de ejercer dominio propio aun cuando esté muy molesto.

Una tarde, los dos estábamos conversando en la cocina y yo empecé a alterarme. Luella sugirió que nos tomáramos un tiempo para recobrar el control. Salió de la cocina y se fue a la sala. Yo fui detrás de ella, sin dejar de hablar. Ella se disculpó y subió a la habitación. Sí, ¡adivinaste! La seguí hasta la habitación, ahora hablando más enérgicamente. Luella se disculpó y se fue al baño, y de nuevo, la seguí. Ella me miró con una especie de sonrisa y me dijo: "No lo entiendes, ¿verdad? Estoy tratando de alejarme de ti para que no pequemos más de lo que ya lo hicimos. Por favor, no me sigas. Ambos necesitamos tiempo para pensar, orar y recobrar el control para que la conversación pueda ser productiva". En ese momento, decidí dejar de seguirla. Ella tenía razón al recordarme que, como hijo de Dios, soy capaz de ejercer dominio propio si así lo decido. No debemos olvidar el poder del Espíritu o ignorar el daño que causamos cuando no ejercemos el control que tenemos en Él.

He visto cómo perdura el dolor causado por las palabras hirientes. He aprendido a confesar que sigo luchando con la impaciencia, el egoísmo y el orgullo. Reconozco que, hasta que Cristo regrese, seguiré siendo tentado a herir con mis palabras en los momentos de enojo, y lo mismo pasará con muchos de ustedes. Una y otra vez necesito decirme a mí mismo: "¡No! ¡Detente! Espera. Ora. Piensa. Habla", ejerciendo así el domino propio que Cristo me ha dado.

La tendencia opuesta es a *no decir nada*. Para algunos es más natural y cómodo *huir* que *pelear*. Algunos tienden a aferrarse a su enojo. Tienden a repasar una y otra vez en su mente la grabación de la escena que les lastimó, enojándose y amargándose más con cada repetición. Algunos son habilidosos para castigar a los demás con su silencio. Eso también es dar lugar a las pasiones y deseos de la naturaleza pecaminosa. También es fallar en ejercer el dominio propio que es nuestro en Cristo. Necesitamos resistir el impulso de escapar. Necesitamos permanecer allí. Necesitamos hablarle a nuestro prójimo con palabras de amor y verdad. Antes de caer en la tentación de huir, debemos decirnos a nosotros mismos: "¡No! ¡Detente! Espera. Ora. Piensa. Habla".

Para estos casos, Pablo nos dice: "No permitan que el enojo les dure hasta la puesta del sol". Ya he mencionado que uno de los compromisos que Luella y yo hicimos al empezar nuestra relación, fue que no nos iríamos a dormir sin habernos reconciliado. Este compromiso produjo unas escenas bastante graciosas al principio de nuestro matrimonio. Ambos solíamos estar enojados y ser muy orgullosos como para pedir perdón, pero éramos muy conscientes del compromiso que habíamos hecho. Nos quedábamos en la cama, ¡esforzándonos por permanecer despiertos mientras esperábamos que la otra persona se rindiera y admitiera que había estado equivocada! A veces llegábamos hasta el punto de tener que usar nuestros dedos para mantener nuestros ojos abiertos, hasta que alguno de los dos dijera: "¿Estás despierto todavía? Siento mucho que…".

Al permanecer fieles a este compromiso, empezamos a entender el valor de no tener cuentas pendientes. Hoy en día, los momentos de conflicto en nuestra relación son pasajeros. Usualmente, en pocos minutos ya uno de los dos está pidiéndole perdón al otro. Debido a que lidiamos con los problemas cuando aún son pequeños, las soluciones llegan más facilmente. Pero cuando permitimos que las emociones negativas crezcan más y más, estamos dándole al diablo una oportunidad para que haga su trabajo.

¿Cuál es el trabajo del diablo? Engañar, dividir y destruir. Está al acecho, esperando poder aprovechar una oportunidad para convertir nuestro enojo en algo más destructivo y mortal. Él obra para convertir nuestro enojo en rencor, en una amargura venenosa, en una resistencia continua a perdonar, y en pensamientos feos de venganza. Él alimenta estas semillas hasta convertirlas en espinas: relaciones rotas, actitud defensiva, cinismo, duda. Por eso Pablo dice: "Sean conscientes de la obra del diablo antes de decir la primera palabra. Solucionen rápidamente sus problemas. No le cedan nada de terreno. Hagan todo lo que puedan para frustrar su obra".

¿La manera como manejamos nuestro enojo le da lugar al diablo? ¿Cuál es nuestra tendencia? ¿*Explotamos* o *huimos*? ¿Qué cambios necesitamos hacer en la manera como manejamos nuestro enojo? ¿Qué tipo de cosas nos hacen enojar? ¿Qué revelan acerca de los verdaderos tesoros de nuestro corazón? ¿Hay algo creado que ha llegado a ser más importante para nosotros que el Creador (Ro 1:25)?

¡Alabado sea Dios por la presencia habilitadora del Espíritu Santo (Ef 3:14-20)! Gracias a Él podemos ejercer dominio propio sobre lo que antes nos dominaba.

Escogiendo palabras de gracia

Es posible que esta sea la meta suprema para nuestras palabras dentro del cuerpo de Cristo—que nuestras palabras sean canales de la gracia vivificante del Señor Jesucristo. Solo así nos enfocaremos en ser parte de lo que Dios está haciendo en la vida de los demás. Solo así moriremos a las esperanzas, sueños y deseos del "yo", para que reinen Sus propósitos. Solo así veremos nuestras relaciones desde la perspectiva de un *embajador*. ¿Qué significa esto? Significa que reconocemos que nuestras relaciones no nos pertenecen. Las personas no existen para nuestra felicidad y contentamiento; Dios nos ha escogido para que seamos fieles en hablarle a estas personas acerca de Su amor y de Su poder (ver el capítulo 7 para encontrar una discusión detallada sobre 2Co 5:11-21). Consideremos las palabras de Pablo al llamarnos a hablar de una manera que imparta gracia.

No salga de la boca de ustedes ninguna palabra mala (corrompida), sino solo la que sea buena para edificación, según la necesidad del momento, para que imparta gracia a los que escuchan.Y no entristezcan al Espíritu

Santo de Dios, por el cual fueron sellados para el día de la redención (Ef 4:29-30 NBLH).

Para que nuestras palabras estén llenas de gracia, Pablo nos dice que debemos tomar en cuenta estos cinco principios:

1. Debemos estar comprometidos a hablar palabras edificantes. Cuando Pablo dice: "No dejes que hayan palabras corrompidas en tus conversaciones", no solo se está refiriendo a insultos, maldiciones o palabras vulgares. De hecho, ver este pasaje de esa manera minimiza gravemente su propósito. Pablo tiene algo mucho más revolucionario en mente, porque lo ve a la luz de la redención. Para Pablo, las palabras corrompidas están *centradas en el "yo"*, y están enfocadas en mis propios anhelos, deseos, sueños y demandas. Las palabras corrompidas surgen de un corazón controlado por sus deseos actuales, personales y terrenales. Las digo para *mi* conveniencia y para lograr *mis* metas. Son un intento de lograr lo que quiero, sin tener nada que ver con el señorío de Cristo ni con mi llamado a hablar como Su embajador.

He aconsejado a muchos esposos y esposas cuyos matrimonios están destrozados, que nunca hubieran llegado a ese punto si hubieran hecho caso a este principio. Si la comunicación egocéntrica se hubiera reemplazado desde el principio por la comunicación de un embajador (¿Qué es importante para el Señor en esta situación, y cómo puedo hablar de una manera que lo promueva?), sus matrimonios nunca hubieran llegado al punto trágico de desintegrarse.

Cada uno de nosotros necesita enfrentar el hecho de que la guerra de deseos que hay en nuestros corazones es muy poderosa—cuán fácil es permitir que nuestras palabras sean forjadas exclusivamente por nuestro propio placer. Necesitamos reconocer cuán a menudo hablamos como si estuviéramos totalmente desapercibidos de la presencia del Señor, de Su obra y Su llamado a ser instrumentos de Su gracia.

¿Qué es, entonces, la conversación edificante? Es una comunicación *orientada hacia los demás*, que está basada en la existencia, el amor, la misericordia, la gracia y el llamado del Señor. Se somete a Su plan, habla conforme a Su estándar, y usa las palabras desinteresadamente. Encuentra significado y gozo al ser usada por Dios cuando Él obra en los demás.

La conversación edificante está orientada hacia los demás pues está enfocada en las necesidades de otros. Las palabras son dichas específicamente para el beneficio de aquellos que escuchan. La conversación edificante fluye de un corazón que ama a Dios por encima de todas las cosas y al prójimo como a sí mismo. Nunca hablaremos de esta manera si nuestros corazones están llenos de nuestros propios deseos, metas, demandas y necesidades.

Solo podremos hablar de esta manera cuando nos encomendemos al cuidado soberano del Señor. En nuestro propio egoísmo, duda y temor, queremos tomar el control con nuestras palabras, asegurándonos de obtener esas cosas que gobiernan nuestro corazón. ("Necesito su respeto". "¡Tengo que conseguir ese trabajo!" "¡Ella tiene que entender cuánto me ha lastimado!" "¡Le enseñaré a respetarme aunque sea lo último que haga en esta vida!" "Si no gano esta discusión, las cosas solo empeorarán". "¡Tengo que tratarla con guantes de seda!" "Tengo que hacerle saber que no es la primera vez que me hace esto"). La conversación edificante se somete tanto al llamado de Dios como a la necesidad de nuestro prójimo.

2. Considera a la persona con la que estás hablando ("solo la que sea buena para edificación"). Como vimos en el capítulo 12, Pablo está diciendo algo revolucionario aquí: solo debemos hablar lo que consideremos sea necesario para edificar a nuestros oyentes.

¿Con quién estamos hablando? ¿Es un hombre, una mujer, un niño o una niña? ¿Es de nuestra misma edad, mayor o menor? ¿Es un amigo de toda la vida, alguien que apenas conoces, o un extraño? ¿Es un miembro de la familia, un pariente lejano o un vecino? ¿Es creyente, simpatizante o incrédulo? ¿Qué tanto conoce las verdades de la Escritura? ¿Cuán receptiva es esa persona a mi ministerio? ¿Cómo me guían estas respuestas al momento de escoger mis palabras?

3. Considera el problema que has sido llamado a atender ("...para edificación, según la necesidad del momento..."). Considerar el problema significa preguntarse: ¿Cuál es la necesidad del momento? ¿Qué don de gracia se necesita? ¿Cómo debo hablar para ser un instrumento de esa gracia?

¿Hay algún pecado específico que necesite ser confrontado en amor? ¿Se requiere del trabajo de un pacificador debido a que hay desintegración y división? ¿Hay ceguera espiritual? ¿Se han perdido las esperanzas? ¿Hay indicios de dudas respecto a Dios? ¿Existe confusión por los muchos consejeros que hay y por las opiniones contradictorias que emiten? ¿Hay temor, ansiedad y desesperación? ¿Hay enojo, malicia, amargura y venganza? ¿Hay falta de conocimiento bíblico, de sabiduría y de entendimiento? ¿Hay patrones que muestran una rebelión directa en contra de Dios? ¿Hay egoísmo, autojusticia u orgullo que necesite ser confrontado? ¿Está tratando de evadir su responsabilidad? ¿Debe reconocer la necesidad de dar gracias, alabar y adorar?

Tener la agenda apropiada hace toda la diferencia del mundo en la comunicación. Por ejemplo, muy a menudo, los padres entran al cuarto de sus hijos con una agenda para *castigar,* y no con una para *ministrar.* Hacen poco más que señalar lo malo (usualmente sin disimular su propio enojo y dolor) y anunciar el castigo. Se olvidan de la pregunta esencial: ¿Qué es lo que Dios quiere hacer en el corazón de mi hijo a través de mí? Con solo prestarle atención a este único principio, ¡veríamos cambios radicales en nuestras relaciones!

4. Considera el proceso ("...para que imparta gracia a los que escuchan..."). Pablo lo dice de esta manera en Colosenses 4:6: "Que su conversación sea siempre amena y de buen gusto. Así sabrán cómo responder a cada uno". La meta de Dios para nuestra comunicación es la gracia; es decir, que nuestras palabras representen un beneficio espiritual específico para aquellos que nos escuchan. Y aunque pensaríamos que este pasaje es del tipo "no hagas", el poder de este pasaje está precisamente en lo que nos llama a *hacer.* Dios no quiere que nos acobardemos y nos quedemos parados sin decir nada por el temor a decir lo incorrecto. ¡No! Somos llamados a ejercer la valentía de la fe, a pensar y a hablar con decisión como agentes del Rey que está reinando sobre toda relación y toda situación. Siempre debemos tener presente el mundo invisible de las realidades espirituales, y hablar de una manera que produzca una cosecha de frutos espirituales en aquellos que nos escuchan.

Cuando nos hayamos enfocado en la meta de Dios de impartir gracia (beneficio espiritual), necesitamos preguntarnos cuál es la mejor manera de alcanzarla. ¿Cuál es la mejor manera, el mejor lugar y el mejor momento para decir lo que sea necesario decir, de tal forma que esta persona se beneficie como Dios lo ha planeado?

Permítanme usar nuevamente un ejemplo relacionado con los padres. A menudo los padres sermonean a sus hijos intentando hacer que ellos vean el mal que han cometido. El problema es que este es el proceso incorrecto. Cuando el padre está sermoneando, el hijo está haciendo dos cosas: (1) defendiéndose, excusándose y argumentando silenciosamente en su interior; y (2) esperando ansiosamente a que se termine la "conversación". Quizá te ha pasado que al final de uno de tus sermones, tu hijo dice: "¿Ya terminaste?" ¡Digamos que no son las palabras de arrepentimiento que estábamos esperando! Si me he preparado y he considerando el mejor proceso de comunicación, entraré al cuarto sabiendo que lo que mi adolescente necesita es gracia para reconocer su pecado y confesarlo. Lo que quiero es hablarle a mi hijo de tal manera que lo lleve a la confesión. En lugar de decirle al muchacho lo que debe pensar, quizá sea mejor hacerle preguntas abiertas que le permitan examinar la situación, sus pensamientos, motivaciones y conducta. No solo deseo que esté de acuerdo conmigo, sino que se vea a sí mismo con precisión en el espejo de la Palabra de Dios. Mi prioridad no es que arregle sus cuentas conmigo, sino con Dios.

En cada situación necesito preguntarme: ¿Cuál es la mejor manera de lograr que mis palabras logren impartir la gracia que Dios quiere que impartan? Esta respuesta variará de acuerdo a la situación y a las personas involucradas.

5. *No permitas que tus palabras estorben la obra del Espíritu Santo.* ("Y no entristezcan al Espíritu Santo de Dios, por el cual fueron sellados para el día de la redención"). ¿Cuál es la obra principal del Espíritu Santo? Hacernos santos. Esta obra progresiva y continua de la santificación se está llevando a cabo en cada situación y relación. Él está obrando en "todas las cosas" para nuestro bien, para que seamos conformados a la imagen de Su Hijo (Ro 8:28-30). ¡Es terrible cuando nuestras palabras egoístas y corrompidas estorban esa obra!

Por esto Pablo nos recuerda que Dios nos ha sellado para el día de la redención. Un sello es una señal de propiedad. Desde el momento de nuestro nuevo nacimiento, ya no nos pertenecemos a nosotros mismos. Tampoco nuestras palabras. Pablo repite este principio en 1 Corintios 6:19-20: "¿Acaso no saben que su cuerpo es templo del Espíritu Santo, quien está en ustedes y al que han recibido de parte de Dios? Ustedes no son sus propios dueños; fueron comprados por un precio. Por tanto, honren con su cuerpo a Dios". Y pudiéramos agregar: "y con sus palabras también".

Dios está diciendo: "Eres mío y te he escogido para que seas parte de Mi obra de santificación en la vida de los demás. No te interpongas en Mi camino". Para evitar esto, necesitamos eliminar de nuestras palabras toda amargura, ira, enojo, alboroto, calumnia y malicia. Todas estas cosas son evidencias de un corazón controlado por los deseos y las demandas personales, de un corazón que se ha apropiado de nuestras vidas y nos ha alejado de Dios. Cuando actuemos de esta manera, necesitamos recordar que hemos sido comprados y sellados por Dios.

Escogiendo palabras de perdón

No hay llamado de Cristo que sea más difícil que el llamado a perdonar a los demás como Él nos ha perdonado. Pablo dice:

> Más bien, sean bondadosos y compasivos unos con otros, y perdónense mutuamente, así como Dios los perdonó a ustedes en Cristo. Por tanto, imiten a Dios, como hijos muy amados, y lleven una vida de amor, así como Cristo nos amó y se entregó por nosotros como ofrenda y sacrificio fragante para Dios (Ef 4:32 – 5:2).

Las palabras de perdón implican varias cosas.

*1. Recibe el pecado de los demás con un perdón **judicial***. El perdón judicial es uno de los pasos que damos para preparar nuestro corazón. Hago un pacto con Dios de dejar pasar la ofensa que la persona ha cometido en mi contra y confío en que Él convencerá a esa persona de pecado y justicia. Pedro dice acerca de Cristo: "Cuando proferían insultos contra Él, no replicaba con insultos; cuando padecía, no amenazaba, sino que se entregaba a Aquel que juzga con justicia" (1P 2:23). Cristo no se vengó (ni verbalmente ni de ninguna otra forma) porque tenía una confianza viva y práctica en Su Padre. Esto me enseña que perdonar a los que han pecado contra mí siempre es un fruto de la fe en Dios. La confianza en Dios opera en mi corazón, cambiando mis pensamientos de venganza a pensamientos de reconciliación;

cambiando mis planes de juicio a propósitos de amor. Todo esto me prepara para el siguiente paso del perdón.

*2. Recibe el pecado de los demás con un perdón **relacional**.* El perdón relacional difiere del perdón judicial en que no puede ser concedido sino hasta que la persona lo pide. El problema para muchos de nosotros es que, debido a que no hemos lidiado con el asunto del perdón judicial, no estamos preparados para ofrecer el perdón relacional cuando alguien viene a pedírnoslo. Todavía estamos enojados y albergando pensamientos de venganza. Lo último que queremos hacer es perdonar a la persona que entendemos necesita ser castigada.

Estos dos aspectos del perdón son muy importantes en la vida cristiana. Estaremos rodeados de pecadores hasta nuestro último día en esta tierra. Raras veces habrá un día en el que no hayan pecado contra nosotros. Los pecadores pecan unos contra otros, y las heridas van desde las superficiales, causadas tal vez por una simple negligencia de alguien, hasta las más profundas que vemos en los horribles casos de abuso. Pero hay otra cosa que es cierta. Los pecadores tienden a responder pecaminosamente cuando se peca contra ellos. Por eso es que el perdón es tan importante. No solo es para el bien de la otra persona, sino también para el nuestro. De no ser así, nuestros corazones siempre estarían controlados por el enojo, la amargura y la venganza, dándole al diablo múltiples oportunidades de hacer su obra cruel.

La Escritura deja claro que no tiene sentido regocijarse en el asombroso perdón que hemos recibido en Cristo si nos rehusamos a perdonar a los demás (ver Mt 18:21-35). La Escritura es clara cuando dice que al comprometerme a perdonar debo estar dispuesto a hacerlo una y otra vez—puede que hasta varias veces al día, a la misma persona (ver Lc 17:1-6). Finalmente, la Palabra de Dios enfatiza que el perdón no debe darse por sentado, sino que debemos *hablarnos* unos a otros con palabras claras de perdón. El perdón que debemos imitar es el del Señor, quien no asume que entenderemos que Él nos ha perdonado, sino que lo declara una y otra vez en Su Palabra. El perdón relacional siempre implica *hablarle* a nuestro ofensor con palabras de perdón.

Si una persona ha sido convencida de pecado por el Espíritu Santo y viene pidiendo nuestro perdón, no es de mucha ayuda decirle: "Está bien" o "No hay problema". El Señor ya convenció a esa persona de que lo que hizo *no* estuvo bien. Necesita el don de tu perdón para que su corazón esté en paz. En estas situaciones, debemos decir: "Te perdono y me comprometo a nunca mencionar este asunto; ni a mí mismo, ni a ti, ni a los demás". Estas palabras logran dos cosas: bloquean la obra del Enemigo y promueven la obra de santificación y reconciliación que el Espíritu Santo ya ha comenzado.

Creo que la forma en que más estorbamos la obra del Espíritu, y que más oportunidades le damos al diablo, es cuando no le hablamos a las personas que nos han ofendido con palabras claras de perdón. Las palabras de perdón logran más que solo sanar relaciones humanas; promueven la obra de Dios de conformarnos a la imagen de Cristo.

3. Recibe el pecado de otros con palabras de bendición. Perdonar no significa que ahora vuelvo a estar dispuesto a apenas tolerar tu presencia en mi vida. El perdón es activo. Reemplaza el odio con el amor. Reemplaza la malicia con la compasión, la amargura con el gozo, el deseo de vengarnos con el deseo de bendecir. Cuando el Señor perdona, Él no solo permite que tengamos comunión con Él nuevamente. ¡No! Nos colma de bendiciones. Nos ofrece misericordias nuevas cada mañana. Llena nuestra copa hasta rebosar. Las palabras genuinas de perdón siempre conducirán a palabras de bendición.

Aquí, una vez más, somos llamados a seguir el ejemplo del Señor. Dios no solo nos recibe en Su familia; más aún, al estar obrando en nosotros y a través de nosotros, nos *motiva* con amorosas y abundantes palabras de bendición. *Él* nos bendice con palabras que acarician nuestra alma como bálsamo sobre una herida. Cuando alguien nos ofende, necesitamos buscar oportunidades para hablarnos unos a otros con palabras de bendición. Estas son palabras de amor, consuelo, gracia, paciencia, gentileza, bondad, paz y ánimo. Son las que derraman agua sobre el fuego del enojo. Son usadas por Dios para calmar las tormentas del conflicto. Se someten a Su llamado de bendecir a los que nos maltratan, a los que nos han hecho mal (Lc. 6:27). Reconocen que vencemos el mal, no luchando contra las pasiones y deseos de la naturaleza pecaminosa, sino con el bien, y eso incluye nuestras acciones y nuestras palabras (Ro. 12:9-21). Nos llevan a postrarnos al admitir, una vez más, que es solo en la fortaleza del Señor que podemos hablar de esta manera. Considera cuántas oportunidades le hemos dado al Enemigo cuando respondemos al pecado de otros con irritación, impaciencia, acusaciones y amenazas. No es de sorprender que no estemos listos para responder piadosamente cuando recibimos ofensas más serias.

Este fue el caso de Sara y de Juan. Cuando Juan cometió un acto de infidelidad sexual, Sara hizo todo lo que pudo para herirlo. Llamó a todos los que se le ocurrió con tal de dañar su reputación. Trató de destruir todo el respeto que sus hijos tenían hacia él. ¿Por qué respondió de esa manera? ¿Por qué no estuvo preparada para lidiar con la ofensa de Juan de una manera piadosa? En este tiempo de crisis, Sara simplemente estaba haciendo lo que solía hacer con las pequeñas ofensas de la vida cotidiana. En estas situaciones, Sara casi nunca respondía con palabras de perdón y bendición. En vez de eso, procuraba decirle a Juan lo que más le doliera. Se aferraba a la ofensa, y le contaba a las personas que estaban a su alrededor todos los "pecados menores" de Juan.

Creo que aquí se aplica el principio de "fiel en lo poco, fiel en lo mucho". Las ofensas menores son nuestro campo de entrenamiento, en el que aprendemos a lidiar con el pecado a la manera de Dios. Si entrenamos bien, estaremos preparados para hacer y decir lo correcto cuando llegue alguna ofensa mayor. Nuestras palabras promoverán la obra del Espíritu e impedirán que el diablo haga su obra de engaño y destrucción.

¿Mundo de maldad o instrumento para el bien?

Hemos llegado al final de nuestra consideración de la gran guerra de palabras. Comenzó con una mentira en el jardín, y continúa librándose hasta el día de hoy. Podemos ver el daño en nuestras oficinas, cocinas, salas y carros, pero la batalla realmente no se libra en esos lugares. Las batallas de la lengua son batallas del corazón. Lo que controla el corazón controlará la lengua. La lengua puede encender un gran fuego, o puede ser usada para impartir gracia a los oyentes. Puede destruir ferozmente o edificar en amor. Puede condenar o dar vida. Puede enfrentar el pecado con amor y perdón, o con odio y venganza. Puede someterse al señorío de Cristo o vivir bajo el control de las pasiones y deseos de la naturaleza pecaminosa. Puede procurar un estilo de vida servicial o un estilo de vida egoísta, manipulando a los demás para satisfacer los deseos y las expectativas personales. Puede ser una fuente de verdad o un río contaminado de falsedad. Puede crear la paz o causar la guerra. Puede maldecir o bendecir.

En todos estos casos, la lengua servirá al amo al que esté sirviendo el corazón. Es tiempo de que nos sometamos al señorío de Cristo, reconociendo que nuestras lenguas le pertenecen a nuestro Rey y Redentor. Más que nunca antes, necesitamos comprometernos a hablar por Él.

Al hacerlo, aprenderemos a escoger palabras de verdad, amor, dominio propio, gracia y perdón, aun ante la provocación. Nos emocionaremos por la grandeza de nuestro llamado como hijos de Dios. ¡Es asombroso que Dios nos haya escogido para ser miembros de Su familia! Es más que asombroso que nos llame a ser Sus embajadores, para representarlo en la tierra, para comunicar Su llamado amoroso a un mundo que vive esclavizado al "yo".

Lo único que determinará la victoria en la guerra de palabras es que Dios esté reinando en nuestros corazones; solo así podremos hablar por Él de manera continua, y hacerlo con gozo. Que Dios nos ayude, para que este mundo de maldad sea transformado en un mundo de bondad redentora. Que sea Él quien gane la guerra por nuestros corazones, para que el campo de batalla de las palabras se convierta en un jardín que da buenos frutos, donde las semillas de la paz produzcan una cosecha duradera de justicia (Stg 3:18).

Examínate

Una evaluación final

1. Al leer este libro, ¿qué has aprendido acerca de los pensamientos y las motivaciones de tu corazón?
2. ¿Qué has aprendido acerca de tus luchas con la comunicación? (con tu cónyuge, padres, amigos, familiares, cuerpo de Cristo, etc.).
3. ¿En cuáles áreas está Dios llamándote al arrepentimiento?
   A despojarte de _____
   A vestirte de _____

4. ¿Qué oportunidades específicas está Dios dándote para que seas parte de lo que Él está haciendo en las vidas de los demás?
5. ¿Cuáles promesas del evangelio te animan a medida que respondes al llamado de Dios a cambiar?

Otros libros de
POIEMA

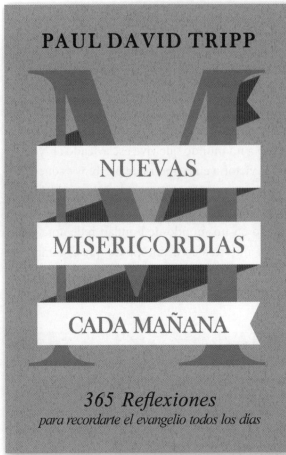

PAUL DAVID TRIPP

NUEVAS

MISERICORDIAS

CADA MAÑANA

365 Reflexiones
para recordarte el evangelio todos los días

Cómo Pastorear
el Corazón de tu Hijo

TEDD TRIPP

De la serie ESCRÍBELO EN SU CORAZÓN

Elyse Fitzpatrick

ÍDOLOS DEL CORAZÓN

Aprendiendo a anhelar solo a Dios

Stephen Smallman

CAMINANDO CON JESUS

Empieza a ser un fiel discípulo

JOHN PIPER

VIVIENDO EN LA LUZ
DINERO
SEXO &
PODER

Cómo aprovechar al máximo
tres oportunidades peligrosas

gracia desbordante

LA GLORIA DE DIOS MANIFESTADA
EN NUESTRA DEBILIDAD

Barbara R. Duguid

ALBERT WOLTERS
CON MICHAEL GOHEEN

LA
CREACIÓN
RECUPERADA

BASES BÍBLICAS PARA UNA
COSMOVISIÓN REFORMACIONAL

el evangelio para cada rincón de la vida

www.
poiema.co

El Evangelio
¡para cada rincón de la Vida!

Poiema /POY-EMA/ es la palabra griega que se refiere a una obra creada por Dios. Es la raíz de nuestra palabra "poema", que nos insinúa algo artístico, no una simple fabricación. Pablo dice:

Porque somos la obra maestra (POIEMA) de Dios, creados de nuevo en Cristo Jesús…
Efesios 2:10

El propósito de Poiema Publicaciones es reflejar la imagen de nuestro Creador, creando libros de alta calidad, accesibles, agradables y pertinentes al mundo caído en el que vivimos. Dios nos invita a tomar parte en la redención de toda Su creación en Jesús. En Poiema Publicaciones, sentimos un llamado a que nuestra lectura ¡también sea redimida!

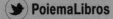
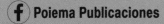